建筑防火消防工程

主编　周义德　吴　杲

黄 河 水 利 出 版 社

内容提要

全书共十章，紧密结合我国现行有关防火设计规范，全面系统地介绍了有关建筑防火与消防工程的理论和技术，具体包括燃烧基本知识及防火措施、建筑耐火等级与耐火设计、建筑防火分区、安全疏散、建筑内部装修防火设计、建筑平面防火布局、建筑防爆设计、建筑消防系统、防排烟系统与通风防火、建筑电气防火和火灾自动报警系统等内容。实用性、可操作性强，便于学习和掌握。

本书可作为高等工科院校土建专业、安全专业、建筑环境与设备工程专业、给排水专业、建筑防火与消防工程的本科教材，也可供以上专业及其他相近专业作为注册工程师培训教材及有关技术人员参考。

图书在版编目(CIP)数据

建筑防火消防工程 / 周义德，吴杲主编. —郑州：黄河水利出版社，2004.8

ISBN 7－80621－823－8

Ⅰ.建…　Ⅱ.①周…　②吴…　Ⅲ.建筑物－消防　Ⅳ.TU998.1

中国版本图书馆 CIP 数据核字(2004)第 088071 号

责任编辑：余甫坤　☎：13838025539　✉：yfk@yrcp.com

出 版 社：黄河水利出版社

地址：河南省郑州市金水路 11 号　　邮政编码：450003

发行单位：黄河水利出版社

发行部电话及传真：0371－6022620

E-mail：yrcp@public.zz.ha.cn

承印单位：河南省华彩印务有限公司

开本：787 mm × 1 092 mm　1 / 16

印张：15.75

字数：395 千字　　印数：1—5 000

版次：2004 年 8 月第 1 版　　印次：2004 年 8 月第 1 次印刷

书号：ISBN 7－80621－823－8 / TU · 45　　定价：32.00 元

前言

随着我国改革开放的不断深入和经济建设的迅速发展，建筑行业已成为主要的经济产业领域，如雨后春笋，方兴未艾。但随着建筑业的发展和建筑功能形式的多样化，建筑火灾也呈上升趋势，恶性案件时有发生，给国家和人民的生命财产带来了很大的危害。分析建筑火灾造成损失增大的原因，多数在于建筑设计不符合防火技术规范要求，消防设施、防排烟设施、火灾自动探测报警装置不完善，防火功能设备没有发挥应有的作用所造成。

建筑火灾的严重程度和造成的巨大危害，提醒和告诫专业设计人员务必要重视建筑防火与消防的安全设计工作，以便把火灾的损失减小到最低程度。而建筑防火与消防设计又是建筑防火的重要组成部分，设计和施工人员必须充分了解和掌握建筑防火与消防的基本理论和方法，才能在工作中充分利用消防理论、技术和规范，搞好消防设计、施工和管理工作。

为适应公用设备注册工程师和安全注册工程师考试和继续教育的需要，帮助工程师掌握建筑防火与消防设计的基本知识和技术措施，以及为拓展专业口径、扩大学生知识面、调整学生知识结构的高等工科教育目标，我们组织编写了这本教材。

本书在编写过程中充分注意吸收国内外现代建筑防火与消防工程设计先进技术和经验，立足目前国内的有关规范和技术措施，在充分分析已发生火灾案例的基础上，注意理论联系实际，突出工程设计的实用性和可操作性，力求全面、系统地介绍有关建筑防火与消防工程的有关内容，深入浅出，循序渐进。

本书除可用于高等院校土建和安全专业，建筑环境与设备工程专业以及相关公用工程专业作为建筑防火和消防工程的教材外，还可作为相关专业注册工程师考试培训教材，也可供有关建筑防火与消防审核人员，企事业单位消防干部学习之用。

本书由周义德、吴杲担任主编，负责本书大纲拟定及全书统稿工作。参加编写的人员有：周义德(第五、七章)；吴杲(第九章的第一、二节)；朱彩霞(第八章，第十章的第一、三节)；吴建波(第一章的第二、三、四节，第六章和第十章的第二、四节)；刘寅(第三章的第六节和第四章)；刘琦(第三章的第一、二、三、四、五节)；刘海涛(第一章的第一节和第二章)；马富芹(第九章的第三、四节)。

在编写过程中，河南省消防总队、河南省建设厅有关部门和人员给予了热情的指导和大力支持，并提出了不少宝贵意见，在此一并表示感谢。

由于编者水平有限，书中错误和不妥之处在所难免，敬请读者及同行不吝指教，以臻完善。

编　者

2004 年 7 月

目　录

第一章　燃烧基本知识及防火措施

第一节　燃烧的基本原理

火灾是一种违反人们意志，在时间和空间上失去控制的燃烧现象。弄清燃烧的条件，对于预防火灾、控制火灾和扑救火灾有着十分重要的指导意义。

一、燃烧条件

燃烧是一种同时伴有放热和发光效应的剧烈的氧化反应。放热、发光、生成新物质是燃烧现象的三个特征。要发生燃烧必须同时具备下列三个条件。

1．可燃物

一般情况下，凡是能在空气、氧气或其他氧化剂中发生燃烧反应的物质都称为可燃物。

可燃物按其组成可分为无机可燃物和有机可燃物两大类。从数量上讲，绝大部分可燃物为有机物，少部分为无机物。

无机可燃物主要包括化学元素周期表中Ⅰ～Ⅲ主族的部分金属单质(如钠、钾、镁、钙、铝等)和Ⅳ～Ⅵ主族的部分非金属单质(如碳、磷、硫等)，以及一氧化碳、氢气和非金属氢化物等。不论是金属还是非金属，完全燃烧时都变成相应的氧化物，而且这些氧化物均为不燃物。

有机可燃物种类繁多，其中大部分含有碳(C)、氢(H)、氧(O)元素，有的还含有少量氮(N)、磷(P)、硫(S)等，如木材、煤、棉花、纸、汽油、甲烷、乙醇、塑料等。

可燃物按其状态，可分为可燃固体、可燃液体及可燃气体三大类。不同状态的同一种物质燃烧性能是不同的。一般来讲，气体比较容易燃烧，其次是液体，最次是固体。同一种状态但组成不同的物质其燃烧性能也不同。

2．氧化剂

凡是能和可燃物发生反应并引起燃烧的物质，称为氧化剂。

氧化剂的种类很多。氧气是一种最常见的氧化剂，它存在于空气中(体积百分数约为21%)，故一般可燃物质在空气中均能燃烧。例如1 kg木柴完全燃烧需4～5 m^3空气，1 kg石油完全燃烧需 10～12 m^3 空气。空气供应不足时燃烧就会不完全，隔绝空气能使燃烧停止。

其他常见的氧化剂有卤族元素：氟、氯、溴、碘。此外，还有一些化合物如硝酸盐、氯酸盐、重铬酸盐、高锰酸盐及过氧化物等，它们的分子中含氧较多，当受到光、热或摩擦、撞击等作用时，都能发生分解，放出氧气，能使可燃物氧化燃烧，因此它们也属于氧化剂。

3．点火源

点火源是指具有一定能量，能够引起可燃物质燃烧的能源，有时也称着火源。

点火源的种类很多，如：明火、电火花、冲击与摩擦火花、高温表面等。

点火源这一燃烧条件的实质是提供一个初始能量，在此能量激发下，使可燃物与氧化剂发生剧烈的氧化反应，引起燃烧。所以，这一燃烧的必要条件可表达为“初始能量”。

可燃物、氧化剂和点火源是构成燃烧的三个要素，缺一不可，这是指“质”的方面的条件，即必要条件。但这还不够，还要有“量”的方面的条件，即充分条件。在某些情况下，如可燃物的数量不够，氧化剂不足，或点火源的能量不够大，燃烧就不能发生。例如，在同样温度(20℃)下，用明火瞬间接触汽油和煤油时，汽油会立刻燃烧起来，煤油则不会。这是因为汽油的蒸气量已经达到了燃烧所需浓度(数量)，而煤油蒸气量没有达到燃烧所需浓度。由于煤油的蒸发量不够，虽有足够的空气(氧气)和着火源接触，也不会发生燃烧。再如，试验证明，氧气在空气中的浓度降低到14%～18%时，一般的可燃物质就不能燃烧；一根火柴可点燃一张纸而不能点燃一块木头；气焊火花温度可达1 000℃以上，它可以将达到一定浓度的可燃气与空气的混合气体引燃爆炸，而不能将木块、煤块引燃。

由此可见，要使可燃物发生燃烧，不仅要同时具备三个基本条件，而且每一条件都须具有一定的“量”，并彼此相互作用，否则就不能发生燃烧。

二、燃烧原理在消防工程中的应用

一切防火与灭火措施的基本原理，均是依据物质燃烧的条件，阻止燃烧三要素，并与其互相结合、互相作用。

1．防火的基本措施

一切防火措施都是为了防止产生燃烧的条件。防止火灾的基本措施有：

(1)控制可燃物。以难燃或不燃的材料代替易燃或可燃的材料；用防火涂料刷涂可燃材料，改变其燃烧性能；对于具有火灾、爆炸危险性的厂房，采取通风方法，以降低易燃气体、蒸气和粉尘在厂房空气中的浓度，使之不超过最高允许浓度；凡是性质上能相互作用的物品要分开存放，等等。

(2)隔绝空气。易燃易爆物质的生产应在密闭设备中进行；对有异常危险的生产，可充装惰性气体保护；采取隔绝空气储存，如钠存于煤油中，磷存于水中，二硫化碳用水封闭存放，等等。

(3)消除着火源。如采取隔离、控温、接地、避雷、安装防爆灯、遮挡阳光、设禁止烟火的标志，等等。

(4)阻止火势蔓延。如在相邻两建筑物之间留出一定的防火间距；在建筑物内设防火墙、防火门窗、防火卷帘等；在管道上设防火阀，等等。

2．灭火的基本方法

一切灭火措施都是为了破坏已经产生的燃烧条件，使燃烧熄灭。灭火的基本方法有：

(1)隔离法。就是将火源处或其周围的可燃物质隔离或移开，使燃烧因隔离可燃物而停止。

(2)窒息法。就是阻止空气流入燃烧区或用不燃物质冲淡空气，使燃烧物得不到足够的氧气而熄灭。

(3)冷却法。就是将灭火剂直接喷射到燃烧物上，以降低燃烧物的温度于燃点之下，使燃烧停止；或者将灭火剂喷洒在火源附近的物体上，使其不受火焰辐射热的威胁，避免形成新的火点。

冷却法是灭火的主要方法，常用水和二氧化碳冷却降温灭火，主要是将燃烧物的温度降到燃点以下。灭火剂在灭火过程中不参与燃烧过程中的化学反应，这种方法属于物理灭火方法。

(4)抑制法。就是使灭火剂参与到燃烧反应过程中去，使燃烧过程中产生的游离基消失，而形成稳定分子或低活性的游离基，使燃烧反应终止。二氟一氯一溴甲烷(1211)，三氟一溴甲烷(1301)等均属这类灭火剂。

三、燃烧的种类及术语

1．闪燃与闪点

在一定的温度条件下，液态可燃物质表面会产生蒸气，有些固态可燃物质也因蒸发、升华或分解产生可燃气体或蒸气。这些可燃气体或蒸气与空气混合而形成混合可燃气体，当遇明火时会发生一闪即灭的火苗或闪光，这种燃烧现象称为闪燃。

能引起可燃物质发生闪燃的最低温度称为该物质的闪点。液态可燃物质的闪点以“℃”表示，采用闪点标准测定仪器测定。

闪点是衡量各种液态可燃物质火灾和爆炸危险性的重要依据。有些固态可燃物质如樟脑、萘、磷等，在一定的条件下，也能够缓慢地蒸发可燃蒸气，因而也可以采用闪点衡量其火灾和爆炸危险性。物质的闪点愈低，愈容易蒸发可燃蒸气和气体，并与空气形成浓度达到燃烧或爆炸条件的混合可燃气体，其火灾和爆炸的危险性愈大；反之则小。

在建筑设计防火规范中，对于生产和储存液态可燃物质的火灾危险性，都是根据闪点进行分类的。例如，把使用或产生闪点$<28℃$的液体的生产划为甲类生产；闪点$\geq 28℃$至$<60℃$的液体的生产划为乙类生产；闪点$\geq 60℃$的液体的生产划为丙类生产。对于生产火灾危险性分类不同的生产厂房，采取的防火措施也应有所不同。

2．着火与燃点

可燃物质在与空气共存的条件下，当达到某一温度时与火源接触，立即引起燃烧，并在火源移开后仍能继续燃烧，这种持续燃烧的现象称为着火。

可燃物质开始持续燃烧所需的最低温度，叫做燃点或着火点，以“℃”表示。

所有可燃液体的燃点都高于闪点。因此，在评定液体的火灾危险性时，燃点就没有多大的实际意义。但是燃点对可燃固体及闪点较高的可燃液体，则具有实际意义。如将这些物质的温度控制在燃点以下，就可防止火灾的发生。

3．自燃与自燃点

自燃是可燃物质不用明火点燃就能够自发着火燃烧的现象。可分为受热自燃和自热燃烧两类。可燃物质在外部热源作用下，温度升高，当达到一定温度时着火燃烧，称受热自燃。一些物质在没有外来热源影响下，由于物质内部发生化学、物理或生化过程而产生热量，这些热量积聚引起物质温度持续上升，达到一定温度时而发生燃烧，称自热燃烧。

可燃物质在没有外部火花或火焰的条件下，能自动引起燃烧和继续燃烧时的最低温度称为自燃点。一般可燃物质的自燃点以“℃”表示。自燃点可作为衡量可燃物质受热升温形成自燃危险性的数据。部分可燃物质自燃点见表1-1。

表 1-1 可燃物质的自燃点

名称		自燃点(℃)	名称		自燃点(℃)
固体物质	黄磷	30	液体物质	苯甲醇	435
	电影胶片	120		异丙醇	455
	纸张	130		丙酸甲酯	469
	赛璐珞	150		二氯乙烯	456
	棉花	150		丁酸乙酯	464
	麻绒	150		甲醇	475
	蜡烛	190		丙酸乙醇	477
	布匹	200		丙烯腈	480
	赤磷	200		醋酸乙酯	486
	松香	240		丁醇	503
	沥青	250		酒精	510
	木材	260		甲乙酮	515
	煤	320		氯化乙烷	519
	木炭	350		甲基吡啶	537
	樟脑	375		氰氢酸	538
	蒽	475		丙醇	540
	萘	515		三聚乙醛	541
	磷甲酚	559		氯苯	550
	苯酚	574		甲苯	552
	对甲酚	626		乙苯	553
	有机玻璃	660		二甲苯	553
液体物质	二硫化碳	112		丙酮	570
	乙醚	180		吡啶	573
	乙醛	185		戊烷	579
	甲乙醚	100		苯	580
	丁烯醛	232		冰醋酸	599
	缩醛	233		间甲酚	626
	松节油	235		醋酸甲酯	654
	石油醚	246		酚	710
	丙烯醛	270	气体物质	硫化氢	260
	重油	300		石油气	356
	乙二胺	315		甲醛	430
	戊醇	327		丙烷	446
	亚麻仁油	350		异丁烷	462
	醋酸丁酯	371		乙炔	480
	异丁胺	372		环丙烷	497
	丙烯醇	378		乙烷	510
	二氯乙烷	378		甲烷	537
	醋酸戊酯	379		乙烯	546
	煤油	380		天然气	550
	石油	380		氢	570
	甘油	390		氯化甲烷	632
	糠醛	393		甲烷	650
	醋酸酐	400		发生炉煤气	700
	氯乙醇	410		氨	780
	汽油	415		氰	850

有些自燃点很低的可燃物质，如赛璐珞、硝化棉等，不仅容易形成自燃，而且在自燃时还会分解释放大量一氧化碳、氮氧化物、氢氰酸等可燃气体。这些气体与空气混合，当浓度达到爆炸极限时，则会发生爆炸。因此，对于自燃点很低的可燃物质，除了采取防火措施外，还应分别采取防爆措施。

现行《建筑设计防火规范（2001 年版）》(GBJ16—87)对于生产和储存在空气中能够自燃的物质的火灾危险性进行了分类。例如，在库房储存物品的火灾危险性中，将常温下能自行分解或在空气中氧化即能导致迅速自燃或爆炸的物质划为甲类；而将常温下与空气接触能缓慢氧化，积热不散引起自燃的物品划为乙类。

4．爆炸与爆炸极限

爆炸是物质由一种状态迅速地转变成另一种状态，并在极短时间内释放大量能量的现象。物质发生爆炸时，在极短时间内释放大量的能量，产生大量的高温高压气体，使周围空气发生剧烈震荡，这种空气震荡的现象称为冲击波。它迅速向各个方向传播，在离爆炸中心一定范围内，人将遭受冲击波、被炸裂的碎片的伤害，建筑物将遭受倒塌和燃烧破坏。

可燃气体、可燃蒸气和可燃粉尘一类物质，在接触到火源时会立即着火燃烧。当此类物质与空气混合在一起时，只在浓度所达到的一定比例范围内，才能形成爆炸性的混合物，此时一接触到火源就立即发生爆炸，此浓度界限的范围称为爆炸极限。能引起爆炸的浓度最低的界限称为爆炸下限；浓度最高的界限称为爆炸上限。浓度低于爆炸下限或高于爆炸上限时，接触到火源都不会引起爆炸。

可燃气体和可燃蒸气的爆炸极限，以可燃气体、蒸气占爆炸混合物单位体积的百分比(%)表示。可燃粉尘的爆炸极限，以可燃粉尘占爆炸混合物单位体积的质量比(g/m^3)表示。

爆炸极限是鉴别各种可燃气体发生爆炸危险性的主要数据。爆炸极限的上、下限之间范围愈大，形成爆炸混合物的机会愈多，发生爆炸事故的危险性愈大。爆炸下限愈小，形成爆炸混合物的浓度愈低，则形成爆炸的条件愈是容易。

现行《建筑设计防火规范(2001 年版)》(GBJ16—87)对厂房生产和库房储存可燃气体一类物质的火灾危险性作了明确的分类。例如，将在生产过程中使用或产生可燃气体的厂房，其可燃气体爆炸下限＜10%划分为甲类生产，爆炸下限≥10%划分为乙类生产；库房储存可燃气体和能够产生可燃气体的物质时的火灾危险性类别划分与厂房相同；在生产过程中排放浮游状态的可燃粉尘、纤维、闪点≥60℃的液体雾滴，并能够与空气形成爆炸混合物的生产，则属于乙类生产。

根据爆炸下限，确定了可燃气体生产、储存的火灾危险性类别后，进而才能采取有相应针对性的各种建筑消防安全技术措施。

第二节　建筑火灾的原因

凡是事故皆有起因，火灾亦不例外。分析建筑起火的原因是为了在建筑设计时，更有针对性地采取防火技术措施，防止和减少火灾危害。

建筑物起火的原因归纳起来大致可分为六类。

1．生活和生产用火不慎

我国城乡居民家庭火灾绝大多数为生活用火不慎引起。属于这类火灾的原因，大体有：

吸烟不慎，炊事用火不慎，取暖用火不慎，灯火照明不慎，小孩玩火，燃放烟花爆竹不慎，宗教活动用火不慎等。

生产用火不慎有：用明火熔化沥青、石蜡或熬制动、植物油时，因超过其自燃点，着火成灾。在烘烤木板、烟叶等可燃物时，因升温过高，引起烘烤的可燃物起火成灾。对锅炉中排出的炽热炉渣处理不当，引燃周围的可燃物。

2．违反生产安全制度

由于违反生产安全制度引起火灾的情况很多。如在易燃易爆的车间内动用明火，引起爆炸起火；将性质相抵触的物品混存在一起，引起燃烧爆炸；在用电、气焊焊接和切割时，没有采取相应的防火措施，而酿成火灾；在机器运转过程中，不按时加油润滑，或没有清除附在机器轴承上面的杂物、废物，而使机器这些部位摩擦发热，引起附着物燃烧起火；电熨斗放在台板上，没有切断电源就离去，导致电熨斗过热，将台板烤燃引起火灾；化工生产设备失修，发生可燃气体、易燃可燃液体跑、冒、滴、漏现象，遇到明火燃烧或爆炸。

3．电气设备设计、安装、使用及维护不当

电气设备引起火灾的原因，主要有电气设备超过负荷、电气线路接头接触不良、电气线路短路；照明灯具设置使用不当，如将功率较大的灯泡安装在木板、纸等可燃物附近，将日光灯的镇流器安装在可燃基座上，以及用纸或布做灯罩紧贴在灯泡表面上等；在易燃易爆的车间内使用非防爆型的电动机、灯具、开关等。

4．自然现象引起

自燃　所谓自燃，是指在没有任何明火的情况下，物质受空气氧化或外界温度、湿度的影响，经过较长时间的发热和蓄热，逐渐达到自燃点而发生燃烧的现象。如大量堆积在库房里的油布、油纸，因为通风不好，内部发热，以致积热不散，发生自燃。

雷击　雷电引起的火灾原因，大体上有三种：一是雷直接击在建筑物上发生的热效应、机械效应作用等；二是雷电产生的静电感应作用和电磁感应作用；三是高电位沿着电气线路或金属管道系统侵入建筑物内部。在雷击较多的地区，建筑物上如果没有设置可靠的防雷保护设施，便有可能发生雷击起火。

静电　静电通常是由摩擦、撞击而产生的。因静电放电引起的火灾事故屡见不鲜。如易燃、可燃液体在塑料管中流动，由于摩擦产生静电，引起易燃、可燃液体燃烧爆炸；输送易燃液体流速过大，无导除静电设施或者导除静电设施不良，致使大量静电荷积聚，产生火花引起爆炸起火；在有大量爆炸性混合气体存在的地点，身上穿着的化纤织物的摩擦、塑料鞋底与地面的摩擦产生的静电，引起爆炸性混合气体爆炸等。

地震　发生地震时，人们急于疏散，往往来不及切断电源、熄灭炉火以及处理好易燃、易爆生产装备和危险物品等，因而伴随着地震发生，会有各种火灾发生。

5．纵火

纵火分刑事犯罪纵火及精神病人纵火。

6．建筑布局不合理，建筑材料选用不当

在建筑布局方面，防火间距不符合消防安全要求，没有考虑风向、地势等因素对火灾蔓延的影响，往往会造成发生火灾时火烧连营，形成大面积火灾。在建筑构造、装修方面，大量采用可燃构件和可燃、易燃装修材料都大大增加了建筑火灾发生的可能性。

第三节　火灾的发展过程

建筑火灾最初是发生在建筑物内的某个房间或局部区域，然后由此蔓延到相邻房间或区域以致整个楼层，最后蔓延到整个建筑物。

一、火灾的发展过程

在此仅介绍耐火建筑中具有代表性的一个房间内的火灾发展过程。室内火灾的发展过程可以用室内烟气的平均温度随时间的变化来描述，如图 1-1 所示。

根据室内火灾温度随时间的变化特点，可以将火灾发展过程分为三个阶段，即火灾初起阶段(图中 *OA* 段)、火灾全面发展阶段(*AC* 段)、火灾熄灭阶段(*C* 点以后)。

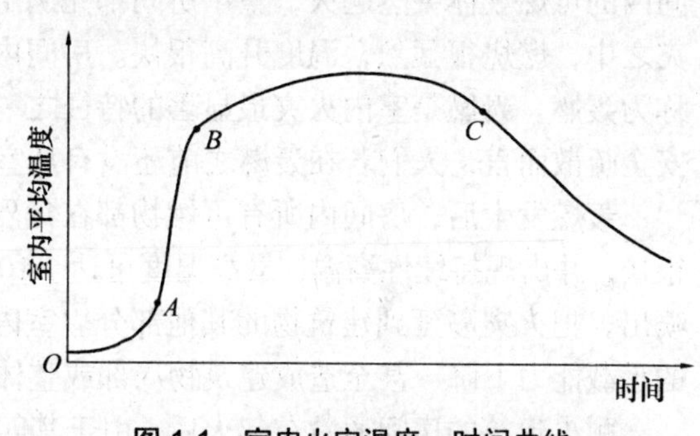

图 1-1　室内火灾温度—时间曲线

1．初起阶段

室内发生火灾后，最初只是起火部位及其周围可燃物着火燃烧。这时火灾好像在敞开的空间里进行一样。在火灾局部燃烧形成之后，可能会出现下列 3 种情况之一：

(1) 最初着火的可燃物质燃烧完，而未延及其他的可燃物质。尤其是初始着火的可燃物处在隔离的情况下。

(2) 如果通风不足，则火灾可能自行熄灭，或受到通风供氧条件的支配，以很慢的燃烧速度继续燃烧。

(3) 如果存在足够的可燃物质，而且具有良好的通风条件，则火灾迅速发展到整个房间，使房间中的所有可燃物(家具、衣物、可燃装修等)卷入燃烧之中，从而使室内火灾进入到全面发展的猛烈燃烧阶段。

初起阶段的特点是：火灾燃烧范围不大，火灾仅限于初始起火点附近；室内温度差别大，在燃烧区域及其附近存在高温，室内平均温度低；火灾发展速度较慢，在发展过程中，火势不稳定；火灾发展时间因点火源、可燃物质性质和分布、通风条件影响长短差别很大。

初起阶段火灾持续的时间，对建筑物内人员的安全疏散，重要物资的抢救，以及火灾扑救，都具有重要意义。若室内火灾经过诱发成长，一旦达到轰燃，则该室内未逃离火场的人员生命将受到威胁。要确保人员在火灾时安全疏散，应满足如下关系式：

$$t_p + t_a + t_{rs} \leqslant t_u \tag{1-1}$$

式中　t_p——从着火到发现火灾所经历的时间；

t_a——从发现火灾到开始疏散之间所耽误的时间；

t_{rs}——转移到安全地点所需的时间；

t_u——火灾现场出现人们不能忍受的条件的时间。

现在，利用火灾自动报警器可以减少 t_p，而且在大多数情况下效果比较明显。室内人员能否安全地疏散，在很大程度上取决于火灾发展速度的大小，即取决于 t_u。在建筑防火设计时设法延长 t_u（例如在室内采取不燃材料和难燃材料装修等），就会使人们有更长的时间发现和扑灭火灾，并保证安全疏散。

根据初起阶段的特点可见，该阶段是灭火的最有利时机，也是人员安全疏散的最有利时机。因此，应设法尽早发现火灾，把火灾及时控制消灭在起火点。许多建筑火灾案例说明，要达到此目的，在建筑物内安装配备灭火设备，设置及时发现火灾和报警的装置是很有必要的。此外，应设法延长初起阶段的持续时间。

2．全面发展阶段

在火灾初起阶段后期，火灾范围迅速扩大，当火灾房间温度达到一定值时，聚积在房间内的可燃气体突然起火，整个房间都充满了火焰，房间内所有可燃物表面部分都卷入火灾之中，燃烧很猛烈，温度升高很快。房间内局部燃烧向全室性燃烧过渡的这种现象通常称为轰燃。轰燃是室内火灾最显著的特征之一，它标志着火灾全面发展阶段的开始。对于安全疏散而言，人们若在轰燃之前还没有从室内逃出，则很难幸存。

轰燃发生后，房间内所有可燃物都在猛烈燃烧，放热速度很大，因而房间内温度升高很快，并出现持续性高温，最高温度可达 1 100℃左右。火焰、高温烟气从房间的开口大量喷出，把火灾蔓延到建筑物的其他部分。室内高温还对建筑构件产生热作用，使建筑构件的承载能力下降，甚至造成建筑物局部或整体倒塌破坏。

耐火建筑的房间通常在起火后，由于其四周墙壁和顶棚、地面坚固，不会烧穿。因此，发生火灾时房间通风开口的大小没有什么变化，当火灾发展到全面燃烧阶段，室内燃烧大多由通风控制着，室内火灾保持着稳定的燃烧状态。火灾全面发展阶段的持续时间取决于室内可燃物的性质和数量、通风条件等。

为了减少火灾损失，针对火灾全面发展阶段的特点，在建筑防火设计中应采取的主要措施是：在建筑物内设置具有一定耐火性能的防火分隔物，把火灾控制在一定的范围之内，防止火灾大面积蔓延；选用耐火程度较高的建筑结构作为建筑物的承重体系，确保建筑物发生火灾时不倒塌破坏，为火灾时人员疏散、消防队扑救火灾，火灾后建筑物修复、继续使用创造条件。

3．熄灭阶段

在火灾全面发展阶段后期，随着室内可燃物的挥发物质不断减少，以及可燃物数量减少，火灾燃烧速度递减，温度逐渐下降。当室内平均温度降到温度最高值的 80%时，则认为火灾进入熄灭阶段。随后，房间温度下降明显，直到把房间内的全部可燃物烧光，室内外温度趋于一致，宣告火灾结束。

该阶段前期，燃烧仍十分猛烈，火灾温度仍很高。针对该阶段的特点，应注意防止建筑构件因较长时间受高温作用和灭火射水的冷却作用而出现裂缝、下沉、倾斜或倒塌破坏，确保消防人员的人身安全；并应注意防止火灾向相邻建筑蔓延。

二、建筑物内火灾蔓延的途径

建筑物内某一房间发生火灾，当发展到轰燃之后，火势猛烈，就会突破该房间的限制。当向其他空间蔓延时，其途径有：未设适当的防火分区，使火灾在未受到限制的条件下蔓延扩大；防火隔墙和房间隔墙未砌到顶板底皮，导致火灾在吊顶空间内部蔓延；由可燃的户门及可燃隔墙向其他空间蔓延；电梯竖向蔓延；非防火、防烟楼梯间及其他竖井未作有效防火分隔而形成竖向蔓延；现代外窗形成的竖向蔓延；通风管道等及其周围缝隙造成火灾蔓延，等等。

(一)火灾在水平方向的蔓延

1．未设防火分区

对于主体为耐火结构的建筑来说，造成水平蔓延的主要原因之一是，建筑物内未设水平防火分区，没有防火墙及相应的防火门等形成控制火灾的区域空间。例如，美国内华达州拉斯维加斯市的米高梅旅馆发生火灾，由于未采取严格的防火分隔措施，甚至对4 600 m^2的大赌场也没有采取任何防火分隔措施和挡烟措施，大火烧毁了大赌场及许多公共用房，造成84人死亡，679人受伤的严重后果。

2．洞口分隔不完善

对于耐火建筑来说，火灾横向蔓延的另一途径是洞口处的分隔处理不完善。如，户门为可燃的木质门，火灾时被烧穿；铝合金防火卷帘无水幕保护，导致卷帘被熔化；管道穿孔处未用不燃材料密封，等等。

在穿越防火分区的洞口上，一般都装设防火卷帘或钢质防火门，而且多数采用自动关闭装置。然而，发生火灾时能够自动关闭的比较少。这是因为，卷帘箱一般设在顶棚内部，在自动关闭之前，卷帘箱的开口、导轨以及卷帘下部等因受热发生变形，无法靠自重落下，而且，在卷帘的下面堆放物品，火灾时不仅卷帘放不下，还会导致火灾蔓延。此外，火灾往往是在无人的情况下发生，即使设计了手动关闭装置，也会因无人操作，而不能发挥作用。对于钢质防火门来说，在建筑物正常使用情况下，门是开着的，一旦发生火灾，不能及时关闭也会造成火灾蔓延。

此外，防火卷帘和防火门受热后变形很大，一般凸向加热一侧。防火卷帘在火焰的作用下，其背火面的温度很高，如果无水幕保护，其背火面将会产生强烈的热辐射。在背火面堆放的可燃物或卷帘与可燃构件、可燃装修材料接触时，就会导致火灾蔓延。

3．火灾在吊顶内部空间蔓延

目前，有些框架结构的高层建筑，竣工时是个大的通间，而出售或出租给用户后，由用户自行分隔、装修。有不少装设吊顶的高层建筑，房间与房间、房间与走廊之间的分隔墙只做到吊顶底皮，吊顶之上部仍为连通空间，一旦起火极易在吊顶内部蔓延，且难以及时发现，导致灾情扩大；就是没有设吊顶，隔墙如不砌到结构底部，留有孔洞或连通空间，也会成为火灾蔓延和烟气扩散的途径。

4．火灾通过可燃的隔墙、吊顶、地毯等蔓延

可燃构件与装饰物在火灾时直接成为火灾荷载，由于它们的燃烧而导致火灾扩大的例子很多。如巴西圣保罗市安得拉斯大楼，隔墙采用木板和其他可燃板材，吊顶、地毯、办公家具和陈设等均为可燃材料，1972年2月4日发生了火灾，可燃材料成为燃烧蔓延的主要途径，造成死亡16人，受伤326人，经济损失达200万美元的灾情。

(二)火灾通过竖井蔓延

在现代建筑物内，有大量的电梯、楼梯、设备、垃圾等竖井，这些竖井往往贯穿整个建筑，若未作周密完善的防火设计，一旦发生火灾，就可以蔓延到建筑物的任意一层。

此外，建筑物中一些不引人注意的孔洞，有时会造成整座大楼的恶性火灾。尤其是在

现代建筑中，吊顶与楼板之间，幕墙与分隔构件之间的空隙，保温夹层，通风管道等都有可能因施工质量等留下孔洞，而且有的孔洞水平方向与竖直方向互相穿通，用户往往不知道这些孔洞隐患的存在，更不会采取什么防火措施，所以，火灾时会导致生命财产的损失。

1．火灾通过楼梯间蔓延

高层建筑的楼梯间，若在设计阶段未按防火、防烟要求设计，则在火灾时犹如烟囱一般，烟火很快会由此向上蔓延。

有些高层建筑只设有封闭楼梯间，而起封闭作用的门未用防火门，发生火灾后，不能有效地阻止烟火进入楼梯间，以致形成火灾蔓延通道，甚至造成重大的火灾事故。

2．火灾通过电梯井蔓延

电梯间未设防烟前室及防火门分隔，将会形成一座座竖向烟囱。如前述美国米高梅旅馆，1980 年 11 月 21 日戴丽餐厅失火，由于大楼的电梯井、楼梯间没有设置防烟前室，各种竖向管井和缝隙没有采取分隔措施，使烟火通过电梯井等竖向管井迅速向上蔓延，在很短时间内，浓烟笼罩了整个大楼，并窜出大楼高达 150 m。

在现代商业大厦及交通枢纽、航空港等人流集散量大的建筑物内，一般以自动扶梯代替了电梯。自动扶梯所形成的竖向连通空间，也是火灾蔓延的主要途径，设计时必须予以高度重视。

3．火灾通过其他竖井蔓延

建筑中的通风竖井、管道井、电缆井、垃圾井也是高层建筑火灾蔓延的主要途径。如香港大生工业楼火灾，火势通过未设防火措施的管道井、电缆井、垃圾井等扩大蔓延。

此外，垃圾道是容易着火的部位，又是火灾中火势蔓延的主要通道。防火意识淡薄者，习惯将未熄灭的烟头扔进垃圾井，引燃可燃垃圾，导致火灾在垃圾井内隐燃、扩大、蔓延。

(三) 火灾通过空调系统管道蔓延

高层建筑空调系统，未按规定设防火阀、采用不燃烧的风管、采用不燃或难燃烧材料作保温层，火灾时会造成严重损失。如杭州某宾馆，空调管道用可燃保温材料，在送、回风总管和垂直风管与每层水平风管交接处的水平支管上均未设置防火阀，因气焊燃着风管可燃保温层引起火灾，烟火顺着风管和竖向孔隙迅速蔓延，从一层烧到顶层，整个大楼成了烟火柱，楼内装修、空调设备和家具等统统化为灰烬，造成巨大损失。

通风管道蔓延火灾一般有两种方式，即通风管道本身起火并向连通的空间(房间、吊顶内部、机房等)蔓延，更危险的是它可以吸进火灾房间的烟气，而在远离火场的其他空间再喷冒出来。

因此，在通风管道穿通防火分区之处，一定要设置具有自动关闭功能的防火阀门。

(四) 火灾由窗口向上层蔓延

在现代建筑中，从起火房间窗口喷出烟气和火焰，往往会沿窗间墙及上层窗口向上窜越，烧毁上层窗户，引燃房间内的可燃物，使火灾蔓延到上部楼层，若建筑物采用带形窗，火灾房间喷出的火焰被吸附在建筑物表面，有时甚至会吸入上层窗户内部。

三、建筑火灾蔓延的方式

(一) 火焰蔓延

初始燃烧的表面火焰，在使可燃材料燃烧的同时，并将火灾蔓延开来。火焰蔓延速度主要取决于火焰传热的速度。

（二）热传导

火灾区域燃烧产生的热量，经导热性好的建筑构件或建筑设备传导，能够使火灾蔓延到相邻或上下层房间。例如薄壁隔墙、楼板、金属管壁，都可以把火灾区域的燃烧热传导至另一侧的表面，使地板上或靠着隔墙堆积的可燃、易燃物体燃烧，导致火场扩大。应该指出的是，火灾通过传导的方式进行蔓延扩大，有两个比较明显的特点，其一是必须具有导热性好的媒介，如金属构件、薄壁构件或金属设备等；其二是蔓延的距离较近，一般只能是相邻的建筑空间。可见，传导蔓延扩大的火灾，其规模是有限的。

（三）热对流

热对流作用可以使火灾区域的高温燃烧产物与火灾区域外的冷空气发生强烈流动，将高温燃烧产物流传到较远处，造成火势扩大。建筑物的房间起火时，在建筑物内燃烧产物则往往经过房门流向走道，窜到其他房间，并通过楼梯间向上层扩散。在火场上，浓烟流窜的方向，往往就是火势蔓延的方向。

（四）热辐射

热辐射是物体在一定温度下以电磁波方式向外传递热能的过程。一般物体在通常所遇到的温度下，向空间发射的能量，绝大多数都集中于热辐射。建筑物发生火灾时，火场的温度高达上千摄氏度，通过外墙开口部位向外发射大量的辐射热，对邻近建筑构成火灾威胁。同时，也会加速火灾在室内的蔓延。

四、建筑火灾严重性的影响因素

建筑火灾严重性是指在建筑中发生火灾的大小及危害程度。火灾严重性取决于火灾达到的最大温度和最大温度燃烧持续的时间。因此，它表明了火灾对建筑结构或建筑物造成损坏和对建筑中人员、财产造成危害的趋势。了解影响建筑火灾严重性的因素和有关控制建筑火灾严重性的机理，对建立适当的建筑设计和构造方法，采取必要的防火措施，达到减少和限制火灾的损失和危害是十分重要的。

火灾严重性与建筑的可燃物或可燃材料的数量和材料的燃烧性能以及建筑的类型和构造等有关。影响火灾严重性的因素大致有以下6个方面：

(1) 可燃材料的燃烧性能；

(2) 可燃材料的数量（火灾荷载）；

(3) 可燃材料的分布；

(4) 房间开口的面积和形状；

(5) 着火房间的大小和形状；

(6) 着火房间的热性能。

前3个因素主要与建筑中的可燃材料有关，而后3个因素主要涉及到建筑的布局。影响火灾严重性的各种因素是相互有关、相互影响的，其关系可以用图1-2来说明。减小火灾严重性的条件就是要限制有助于火灾发生、发展和蔓延成大火的因素，根据各种影响因素合理地选用材料、布局和结构设计及构造措施，达到限制严重程度高的火灾发生的目的。

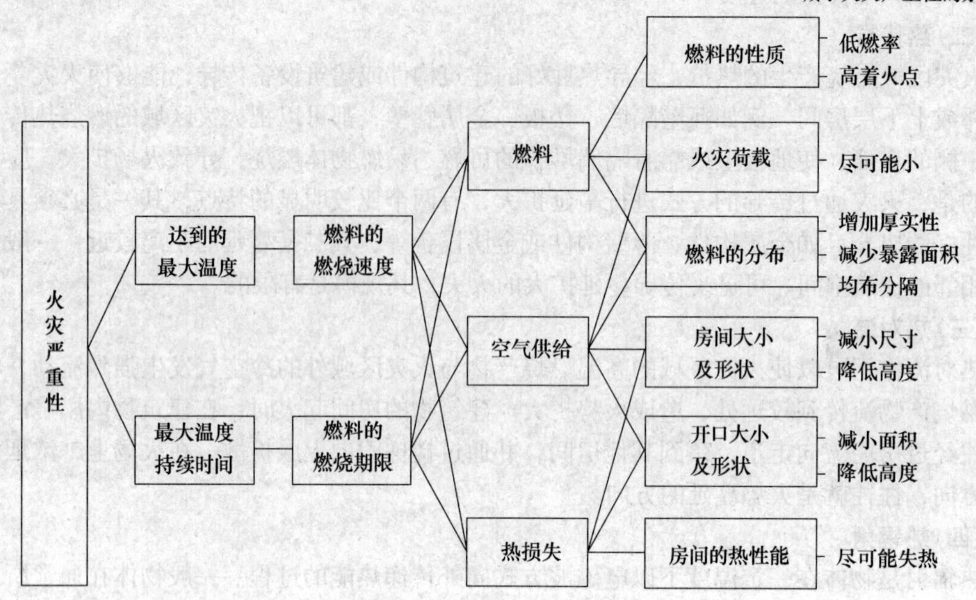

图 1-2　影响火灾严重性的因素

(一) 可燃材料对火灾严重性的影响

1．可燃材料的性质

建筑用途不同，如住宅建筑、工业建筑、公共建筑、仓库等，其中使用或存放的可燃材料的性质和组成也存在很大不同。材质有差异，其燃烧释放的热量和燃烧速率等燃烧性能也不同。材料的燃烧率在多数情况下与上述(1)～(6)种因素都有关，而材料燃烧释放的总热量一般只取决于材料本身的性质，它与材料的燃烧热值有关。燃烧热值是单位质量的材料完全燃烧所放出的总热值。

2．可燃材料的数量

火灾荷载是影响建筑火灾严重性的重要因素。火灾荷载越大，火灾持续时间越长，室内温度上升越高，破坏和损失越大。

3．可燃材料的分布

可燃材料及物品在房间中的布置对火势的蔓延起着很大作用，布置不当，很小的火源也可能蔓延发展成为大火。如果各种可燃物品在建筑物中分开布置，并使其相互之间有一定的间隔，则火势蔓延就会慢；如果可燃物品高，火势很容易快速蔓延到房顶，而在顶棚下火焰会快速横向移动蔓延到其他物品上或其他房间中。使用可燃隔墙或在墙上装贴有易燃材料就会有这种效果。如果材料或物品比较厚实，暴露于空气或受热面积较小，则材料的燃烧就慢。同质量的薄木板要比木块或厚板燃烧快得多。这是由于在一定量的空气中，控制材料燃烧率的一个重要因素就是表面积与体积之比，这个值大，则燃烧快。

(二) 建筑布局对火灾严重性的影响

建筑发生火灾时，控制火灾严重性的因素除材料的数量和燃烧性能之外，另外两个因素是空气的供给量和热损失。当一房间发生火灾时，冷空气从门、窗的下部流入房间供给燃烧所需的氧，而热气流和烟气从门、窗的上部流出房间，燃烧产生的热量通过房间的开口和房间的墙壁、地板及顶板损失一部分。因此，在火灾的发展和蔓延过程中，建筑的布局与房间的开口形状、大小(即通风状况)具有非常重要的作用。

1．房间开口的大小和形状

当房间门、窗洞口面积很小时，火灾时进入房间的空气量受到限制，若可燃物多，则由于空气量不足而燃烧不充分。随着开口面积的增大，进气量增多则会导致火的燃烧速度增加，这种受空气影响的火灾性能被称为受通风控制的火灾。当房间开口面积进一步增大到空气供给量足以满足燃料燃烧所需时，则空气量的继续增加不会进一步引起燃烧速度的增大，此时燃烧速度将由材料的性质和材料的分布所决定，它被称之为受燃料控制的火灾。

大量试验表明，一般建筑火灾受房间开口的影响较大，燃烧性能取决于开口的通风状况 $A_W\sqrt{H}$。

A_W 表示房间通风开口面积，m^2；H 表示房间通风开口高度，m。

2．房间的大小和形状

其中最重要的因素是房间的大小，房间面积越大，可能容有的有效可燃荷载越大。当房间进深大时，由于通过开口流入和流出房间的冷空气对所有燃烧的材料影响小，一般火灾温度更高。从防火工程考虑应尽可能地减小房间的尺寸和高度，但在设计中应同时满足建筑的有效使用面积。

3．房间的热性能

火灾严重性取决于房间中达到的最高温度和达到最大温度的速度。低导热系数的房间墙、屋面及地板会保存燃烧释放的热，使火灾温度的有效热快速上升。如果结构材料吸热性与导热性能好，则这种影响就会减弱。在这方面涉及的重要参数是材料的导热系数λ、密度ρ和比热 c。对于给定的热量，房间内表面温度的上升与$\lambda\rho c$ 的乘积成反比，$\lambda\rho c$ 称为材料的热惰性。最近对$\lambda\rho c$ 的重要性进行的研究表明，用砖、砂浆、抹灰的墙和屋顶建成的房间在 20 ~ 30 min 内会达到室内轰燃，但若采用低导热系数的不燃性衬板，则在同样条件下要达到轰燃只需原来 1 / 3 的时间。

建筑设计中既要考虑减少不利的火灾条件，增大$\lambda\rho c$ 值；又要考虑建筑的保温节能功能和使结构背火面温度降低，即减小$\lambda\rho c$ 值。这一矛盾可通过一些结构构造方法加以处理，如在内墙面采用导热系数大的石膏板；墙中间填充保温隔热层的复合结构做法等。

(三)影响火灾严重性各因素之间的关系

一旦某个房间失火，火灾发展和蔓延的过程取决于：火灾荷载的大小、材料的体积、分布状况及其连续性、孔隙度和燃烧性能；着火房间的通风状况；着火房间的几何形状和尺寸及着火房间的热性能。根据 100 余例试验结果和对着火房间中能量及质量平衡的理论分析，推导出一个可用最简单代数运算确定不燃墙壁的着火房间内为防止发生轰燃所允许的最大热产生率 h_c：

$$h_c = 610(\alpha_k A_T A_W \sqrt{H})^{1/2} \tag{1-2}$$

式中 h_c——发生轰燃所允许的最大热产生率，kW；

α_k——着火房间六壁结构的有效换热系数，kW / (m^2 · K)；

A_T——包括开口面积在内的房间总内表面面积，m^2。

方程(1-2)说明着火房间的通风状况（$A_W\sqrt{H}$）和房间的大小及其热性能（$\alpha_k A_T$）对火灾的严重性(是否发生轰燃)有决定性影响。图 1-3 表示根据着火房间中能量及质量平衡的理论分析推导出的在不同通风系数 $A_W\sqrt{H}\ /A_T$，不同火灾荷载密度的情况下，采用导热系数λ=0.81 和热容量ρc=1.67 MJ / (m^2·K)的材料建造的典型房间的火灾温度—时间理论曲线，从曲线中可以看出影响火灾严重性的各因素之间的关系和效果。

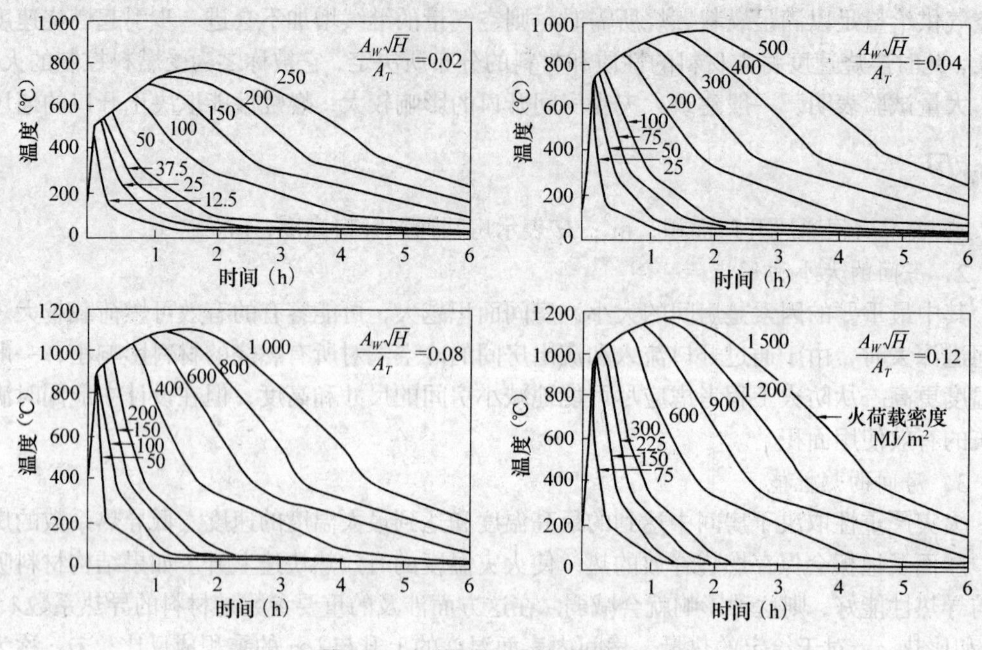

图 1-3 火灾温度—时间曲线比较

第四节 建筑设计防火措施和对策

一、建筑设计防火措施

《建筑设计防火规范(2001 年版)》(GBJ16—87)和《高层民用建筑设计防火规范(2001年版)》(GB50045—95)等规范规定了建筑设计防火应采用的技术措施，其按工种概括起来有以下四大方面：

(1)建筑防火；

(2)消防给水、灭火系统；

(3)采暖、通风和空调系统防火，防排烟系统；

(4)电气防火，火灾自动报警控制系统等。

(一)建筑防火

建筑设计防火的主要内容有以下几方面。

总平面防火。它要求在总平面设计中，应根据建筑物的使用性质、火灾危险性、地形、地势和风向等因素，进行合理布局，尽量避免建筑物相互之间构成火灾威胁和发生火灾爆炸后可能造成的严重后果，并且为消防车顺利扑救火灾提供条件。

建筑物耐火等级。划分建筑物耐火等级是建筑设计防火规范中规定的防火技术措施中最基本的措施。它要求建筑物在火灾高温的持续作用下，墙、柱、梁、楼板、屋盖、吊顶等基本建筑构件，能在一定的时间内不破坏，不传播火灾，从而起到延缓和阻止火灾蔓延的作用，并为人员疏散、抢救物资和扑灭火灾以及为火灾后结构修复创造条件。

防火分区和防火分隔。在建筑物中采用耐火性较好的分隔构件将建筑物空间分隔成若干区域，一旦某一区域起火，则会把火灾控制在这一局部区域之中，防止火灾扩大蔓延。

防烟分区。对于某些建筑物需用挡烟构件(挡烟梁、挡烟垂壁、隔墙)划分防烟分区将烟气控制在一定范围内，以便用排烟设施将其排出，保证人员安全疏散和便于消防扑救工作顺利进行。

室内装修防火。在防火设计中应根据建筑物性质、规模，对建筑物的不同装修部位，采用相应燃烧性能的装修材料。要求室内装修材料尽量做到不燃或难燃化，减少火灾的发生和降低蔓延速度。

安全疏散。建筑物发生火灾时，为避免建筑物内人员由于火烧、烟熏中毒和房屋倒塌而遭到伤害，必须尽快撤离；室内的物资财富也要尽快抢救出来，以减少火灾损失。为此要求建筑物应有完善的完全疏散设施，为安全疏散创造良好的条件。

工业建筑防爆。在一些工业建筑中，使用和产生的可燃气体、可燃蒸气、可燃粉尘等物质能够与空气形成爆炸危险性的混合物，遇到火源就能引起爆炸。这种爆炸能够在瞬间以机械功的形式释放出巨大的能量，使建筑物、生产设备遭到毁坏，造成人员伤亡。对于上述有爆炸危险的工业建筑，为了防止爆炸事故的发生，减少爆炸事故造成的损失，要从建筑平面与空间布置、建筑构造和建筑设施方面采取防火防爆措施。

(二)消防给水、灭火系统

其设计的主要内容包括：室外消防给水系统、室内消火栓给水系统、闭式自动喷水灭火系统、雨淋喷水灭火系统、水幕系统、水喷雾消防系统，以及二氧化碳灭火系统、卤代烷灭火系统等。要求根据建筑的性质、具体情况，合理设置上述各种系统，做好各个系统的设计计算，合理选用系统的设备、配件等。

(三)采暖、通风和空调系统防火，防排烟系统

采暖、通风和空调系统防火设计应按规范要求选好设备的类型，布置好各种设备和配件，做好防火构造处理等。在设计防排烟系统时要根据建筑物性质、使用功能、规模等确定好设置范围，合理采用防排烟方式，划分防烟分区，做好系统设计计算，合理选用设备类型等。

(四)电气防火，火灾自动报警控制系统

设计要求是根据建筑物的性质，合理确定消防供电级别，做好消防电源、配电线路、设备的防火设计，做好火灾事故照明和疏散指示标志设计，采用先进可靠的火灾报警控制系统。此外，对建筑物还要设计安全可靠的防雷与接地装置。

二、建筑防火设计对策

防火对策可分为两类，一类是积极防火对策，即采用预防起火、早期发现(如设火灾探测报警系统)、初期灭火(如设自动喷水灭火系统)等措施，尽可能做到不失火成灾。采用这类防火对策为重点进行防火，可以减少火灾发生的起数，但却不能排除遭受重大火灾的可能性。另一类是“消极”防火对策，即采用以耐火构件划分防火分区、提高建筑结构耐火性能、设置防排烟系统、设置安全疏散楼梯等措施，尽量不使火势扩大并疏散人员和财物。以“消极”防火对策为重点进行防火，虽然会发生火灾，但却可以减少发生重大火灾的概率。“消极”防火对策和积极防火对策的目的是一致的，都是为了减轻火灾损失，保证人员的生命安全。

思考题

1. 发生燃烧必须具备哪些条件?
2. 燃烧条件在消防工作中怎样应用?
3. 何谓闪点?何谓燃点?何谓自燃点?何谓爆炸极限?
4. 建筑物发生火灾原因主要有哪些?
5. 建筑火灾一般经历哪几个阶段?各阶段有什么特点?
6. 建筑火灾蔓延的途径有哪些?
7. 影响建筑火灾严重性的因素有哪些?
8. 建筑设计防火对策和措施包括哪些方面?

第二章　建筑耐火等级与耐火设计

第一节　耐火时间及耐火等级

一、建筑耐火设计

目前，大多数国家的建筑设计防火规范中对建筑结构的耐火设计都采用耐火等级设计方法，我国也不例外。这种耐火设计方法的原理如图 2-1 所示。

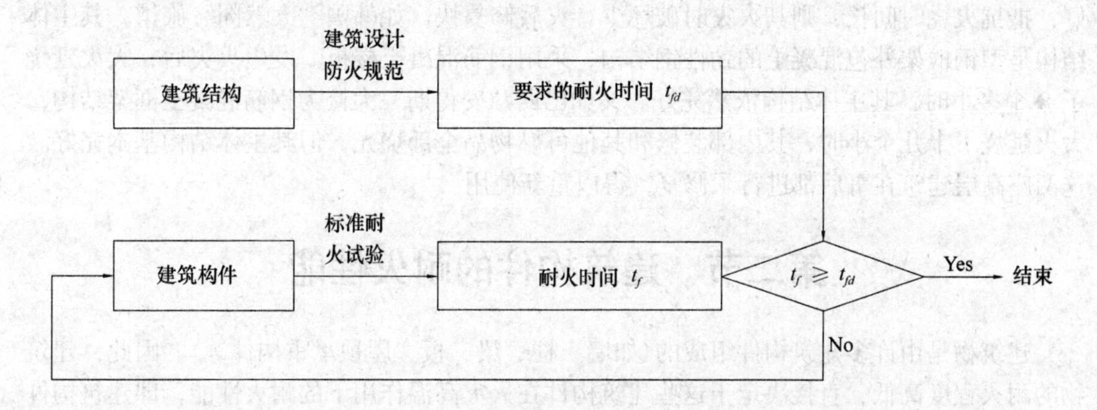

图 2-1　按标准耐火试验划分耐火等级进行建筑耐火设计原理图

这种设计方法主要包括两部分：

(1) 按照 ISO834 标准给定的标准升温曲线，即 $T-T_0=345\lg(8t+1)$ 的关系对构件加热，进行耐火试验，确定构件的耐火时间。

(2) 按照建筑设计防火规范，确定与建筑物耐火等级相对应的所有构件应具有的耐火时间。若试验所得的构件耐火时间符合所要求的耐火时间，就认为这个构件满足防火设计要求。

这是目前国际上最通用的一种方法，广泛用于对墙、隔断、柱、梁、楼板及屋面等建筑构件的耐火性能进行评价和分级。

二、耐火等级的定义和作用

耐火等级是衡量建筑物耐火程度的分级标度。规定建筑物的耐火等级是建筑设计防火规范中规定的防火技术措施中最基本的措施之一。

火灾实例说明，耐火等级高的建筑物，发生火灾的次数少，火灾时被火烧坏、倒塌的很少；耐火等级低的建筑，发生火灾概率大，火灾时往往容易被烧坏，造成局部或整体倒塌，火灾损失大。对于不同类型、性质的建筑提出不同的耐火等级要求，可做到既有利于消防安全，又有利于节约基本建设投资。建筑物具有较高的耐火等级，可以起到以下几方面的作用：

(1)在建筑物发生火灾时，确保其能在一定的时间内不破坏，不传播火灾，延缓和阻止火势的蔓延。

(2)为人们安全疏散提供必要的疏散时间，保证建筑物内人员安全脱险。建筑物层数越多，疏散到地面的距离就越长，所需疏散时间也愈长。为了保证建筑物内人员安全疏散，在设计中除了要周密地考虑完善的安全疏散设施外，还要做到承重构件具有足够的耐火能力。

(3)为消防人员扑救火灾创造有利条件。扑救建筑火灾，消防人员大多要进入建筑物内进行扑救。如果其主体结构没有足够的抵抗火烧的能力，在较短时间内发生局部或全部破坏、倒塌，不仅会给消防扑救工作造成许多困难，而且还可能造成重大伤亡事故。

(4)为建筑物火灾后重新修复使用提供有利条件。在通常情况下，其主体结构耐火能力好，抵抗火烧时间长，则其火灾时破坏少，灾后修复快。如韩国“大然阁”旅馆，其主体结构是型钢框架外包混凝土的劲性钢结构，采用钢筋混凝土楼板。发生火灾后，大火延烧了 8 个多小时，其主体结构依然完好。又如巴西“安得斯”大楼为钢筋混凝土框架结构，大火延烧了十几个小时，其内部装修和其他可燃物品全部烧光，但其主体结构基本完好。这两座高层建筑在事后都进行了修复，得以重新使用。

第二节 建筑构件的耐火性能

建筑物是由许多建筑构件组成的(如墙、柱、梁、板、屋顶承重构件等)。因此，建筑物的耐火程度高低，直接决定于这些建筑构件在火灾高温作用下的耐火性能，即建筑构件的燃烧性能和耐火极限。

一、建筑构件的燃烧性能

建筑构件的燃烧性能，反映了建筑构件遇火烧或高温作用时的燃烧特点，它由制成建筑构件的材料的燃烧性能而定。不同燃烧性能建筑材料制成的建筑构件可分为三类。

1．不燃烧体

用通过国家标准《建筑材料不燃性试验方法》(GB5464—85)试验合格的材料，即不燃性材料制成的建筑构件称为不燃烧体。这种构件在空气中受到火烧或高温作用时，不起火、不微燃、不碳化。如砖墙、砖柱，钢筋混凝土梁、板、柱，钢梁等。

2．难燃烧体

用通过国家标准《建筑材料难燃性试验方法》(GB8625—88)试验合格的材料制成的构件；或用可燃性材料作基层，而用不燃性材料作保护层(或隔热层)的构件称为难燃烧体。这类构件在空气中受到火烧及高温作用时，难起火、难微燃、难碳化，当火源移走后，燃烧或微燃立即停止。如阻燃胶合板吊顶、经阻燃处理的木质防火门、木龙骨板条抹灰隔墙等。

3．燃烧体

用普通可燃性或易燃性材料制成的建筑构件称为燃烧体。这类构件在明火或高温作用下，能立即着火燃烧，且火源移走后，仍能继续燃烧或微燃。如木柱、木屋架、木搁栅、纤维板吊顶等。

二、建筑构件的耐火极限

建筑构件耐火极限是划分建筑耐火等级的基础数据，也是进行建筑物构造防火设计和火灾后制订建筑物修复方案的科学依据。

(一) 耐火极限定义

建筑构件的耐火极限是指构件在标准耐火试验中，从受到火的作用时起，到失去稳定性或完整性或绝热性止，这段抵抗火作用的时间一般以小时计。

对构件进行标准耐火试验，测定其耐火极限是通过燃烧试验炉进行的。耐火试验采用明火加热，使试验构件受到与实际火灾相似的火焰作用。为了模拟一般室内火灾的全面发展阶段试验时，炉内温度随时间推移而上升并按下列关系式控制

$$T-T_0=345\lg(8t+1) \tag{2-1}$$

式中 t——试验经历的时间，min；

T——在 t 时间时的炉内温度，℃；

T_0——试验开始时的炉内温度，℃，T_0 应在 5～40℃范围内。

式(2-1)表示的曲线称为火灾标准升温曲线，如图 2-2 所示。

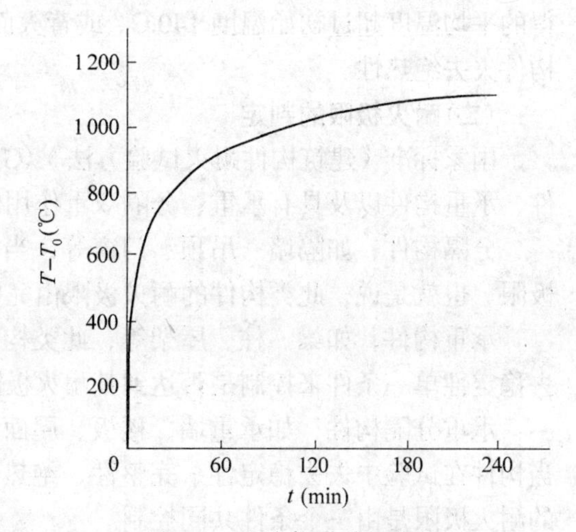

图 2-2　火灾标准升温曲线

将不同时间代入式(2-1)中，计算得出试验炉升温值见表 2-1。

目前，世界上大多数国家都采用火灾标准升温曲线来升温，这就在基本试验条件上趋于一致。

构件的受火条件是：①墙壁和隔板、门窗：一面受火；②楼板、屋面板、吊顶：下面受火；③横梁：两侧和底面共三面受火；④柱子：所有垂直面受火。

表 2-1　试验炉升温值

时　间 t(min)	炉 内 温 度 $T-T_0$(℃)	时　间 t(min)	炉 内 温 度 $T-T_0$(℃)
5	556	90	986
10	650	120	1 029
15	718	180	1 090
30	821	240	1 133
60	925	360	1 193

判断构件达到耐火极限的条件有三个，即失去稳定性、失去完整性、失去绝热性。

失去稳定性是指构件在试验中失去支持能力或抗变形能力。此条件主要针对承重构件。具体地讲：

墙 试验过程中发生坍垮，则表明试件失去承载能力。

梁或板 试验过程中发生坍垮，则表明试件失去承载能力。试件的最大挠度超过 $L/20$，则表明试件失去抗变形能力，其中 L 为试件计算跨度。

柱 试验过程中发生坍垮，则表明试件失去承载能力。试件的轴向压缩变形速度超过 $3H$(mm / min)，则表明试件失去抗变形能力，其中 H 为试件在试验炉内的受火高度，以米计。

失去完整性是指分隔构件(如楼板、门窗、隔墙、吊顶等)当其一面受火作用时，在试验过程中，构件出现穿透性裂缝或穿火孔隙，使其背火面可燃物燃烧起来。这时，构件失去阻止火焰和高温气体穿透或失去阻止其背火面出现火焰的性能。因此，认为构件失去完整性。

失去绝热性是指分隔构件失去隔绝过量热传导的性能。在试验中，试件背火面测点测得的平均温度超过初始温度 140℃，或背火面任一测点温度超过初始温度 180℃时，均认为构件失去绝热性。

(二)耐火极限的判定

国家标准《建筑构件耐火试验方法》(GB9978—88)规定，耐火极限的判定分为分隔构件、承重构件以及具有承重、分隔双重作用的承重分隔构件。

分隔构件，如隔墙、吊顶、门窗等，当构件失去完整性或绝热性时，构件达到其耐火极限。也就是说，此类构件的耐火极限由完整性和绝热性两个条件共同控制。

承重构件，如梁、柱、屋架等，此类构件不具备隔断火焰和过量热的功能，所以由失去稳定性单一条件来控制是否达到其耐火极限。

承重分隔构件，如承重墙、楼板、屋面板等，此类构件具有承重分隔双重功能，所以当构件在试验中失去稳定性、完整性、绝热性任何一条件时，构件即达到其耐火极限。它的耐火极限是由三个条件共同控制。

对建筑构件进行耐火试验，研究其耐火极限的意义在于，可以为正确制定和贯彻建筑防火法规提供科学依据，为提高建筑结构耐火性能和建筑物的耐火等级，降低防火投资，减小火灾损失提供技术措施，也与火灾烧损后建筑结构的加固补强工作直接相关。

三、影响构件耐火极限的因素及提高耐火极限的措施

(一)影响构件耐火极限的因素

前已述及，构件耐火极限的判定条件有三，即完整性、绝热性和稳定性。所有影响构件这三条性能的因素都影响构件的耐火极限。

1．完整性

根据试验结果，凡易发生爆裂、局部破坏穿洞、构件接缝等都可能影响构件的完整性。当构件混凝土含水量较大时，受火时易于发生爆裂，使构件局部穿透，失去完整性。当构件接缝、穿管密封处不严密，或填缝材料不耐火时，构件也易于在这些地方形成穿透性裂缝而失去完整性。

2．绝热性

影响构件绝热性的因素主要有两个，即材料的导温系数和构件厚度。材料导温系数越大，热量越易于传到背火面，所以绝热性差；反之则好。由于金属的导温系数比混凝土、砖大得多，所以墙体或楼板当有金属管道穿过时，热量会由管道传向背火面而导致失去绝热性。当构件厚度较大时，背火面达到某一温度的时间则长，故其绝热性好。

3．稳定性

凡影响构件高温承载力的因素都影响构件的稳定性。

(1)构件材料的燃烧性能。可燃材料构件由于本身发生燃烧，截面不断削弱，承载力不断降低。当构件自身承载力小于有效荷载作用下的内力时，构件破坏而失去稳定性。

(2)有效荷载量值。所谓有效荷载是指试验时构件所承受的实际重力荷载。有效荷载大时，产生的内力大，构件失去承载力的时间短，所以耐火性差。

(3)钢材品种。不同的钢材，在温度作用下强度降低系数不同。普通低合金钢优于普通碳素钢，普通碳素钢优于冷加工钢，而高强钢丝最差。所以配置16 Mn钢的构件稳定性好，而预应力构件(多配冷拉钢筋或高强钢丝)稳定性差。

(4)实际材料强度。钢材和混凝土的强度受各种因素影响，是一个随机变量。构件材料实际测定强度高者，耐火性好；反之则差。

(5)截面形状与尺寸。同为矩形截面，当截面周长与截面面积之比大者，截面接受热量多，内部温度高，耐火性较差。矩形截面宽度小者，温度易于传入内部，耐火性较差。构件截面尺寸大，热量不易传入内部，其耐火性则好。

(6)配筋方式。当截面双层配筋或将大直径钢筋配于中部，小直径钢筋配于角部，则里层或中部钢筋温度低，强度高，耐火性好；反之则差。

(7)配筋率。柱子配筋率高者，耐火性差，因为钢材强度降低幅度大于混凝土。

(8)表面保护。当构件表面有不燃性材料保护时，如抹灰、喷涂防火涂料等，构件温度低，耐火性好。

(9)受力状态。轴心受压柱耐火性优于小偏心受压柱，小偏心受压柱优于大偏心受压柱。

(10)支承条件和计算长度。连续梁或框架梁受火后会产生塑性变形出现内力重分布现象，所以耐火性大大优于简支梁。柱子计算长度越大，纵向弯曲作用越明显，耐火性越差。

(二)提高建筑构件耐火极限和改变燃烧性能的方法

建筑构件的耐火极限和燃烧性能，与建筑构件所采用的材料性质、构件尺寸、保护层厚度以及构件的构造做法、支承情况等有着密切的关系。在进行耐火构造设计时，当遇到某些建筑构件的耐火极限和燃烧性能达不到规范的要求时，应采用适当的方法加以解决。常用的方法有如下几种。

1．适当增加构件的截面尺寸

建筑构件的截面尺寸越大，其耐火极限越长。此法对提高建筑构件的耐火极限十分有效。

2．对钢筋混凝土构件增加保护层厚度

这是提高钢筋混凝土构件耐火极限的一种简单而常用的方法，对钢筋混凝土屋架、梁、板、柱都适用。钢筋混凝土构件的耐火性能主要取决于其受力筋高温下的强度变化情况。增加保护层厚度可以延缓和减少火灾高温场所的热量向建筑构件内钢筋的传递，使钢筋温升减慢，强度不致降低过快，从而提高构件的耐火能力。

3. 在构件表面作耐火保护层

在钢结构表面作耐火保护层的构造做法有：

(1)用现浇混凝土作耐火保护层(图 2-3)。所使用的材料有混凝土、轻质混凝土及加气混凝土等。这些材料既有不燃性，又有较大的热容量，用做耐火保护层时能使构件的升温减缓。由于混凝土的表层在火灾高温下易于剥落，如能在钢材表面加敷钢丝网，便可进一步提高其耐火的性能。

(2)用砂浆或灰胶泥作耐火保护层(图 2-4)。所使用的材料一般有砂浆、轻质砂浆、珍珠岩砂浆或灰胶泥、蛭石砂浆或石膏灰胶泥，等等。上述材料均有良好的耐火性能，且人工轻质骨料及珍珠岩、蛭石尤为突出。其施工方法常为金属网上涂抹上述材料。

(3)用矿物纤维作耐火保护层(图 2-5)。其材料有石棉、岩棉及矿渣棉，等等。具体施工方法是将矿物纤维与水泥混合，再用特殊喷枪与水的喷雾同时向底子喷涂，则构成海绵状的覆盖层，然后抹平或任其呈凹凸状。上述方式可直接喷在钢构件上，也可以向其上的金属网喷涂，且以后者效果较好。

(4)用防火板材作耐火保护层(图 2-6)。构造做法是以防火板材包覆钢构件，板间连接可采用钉合及黏合。这种构造方式施工简便而工期较短，并有利于工业化。同时，承重(钢结构)与防火(预制板)的功能划分明确，火灾后修复简便且不影响主体结构的功能，因而具有良好的复原性。

表 2-2 给出了英国试验得出的钢柱、钢梁的耐火极限值，供钢结构耐火设计时参考。表中截面尺寸系构件本身尺寸。

4. 钢梁、钢屋架下作耐火吊顶

在钢梁、钢屋架下作耐火吊顶，其结构表面虽无耐火保护层，但耐火能力却会大大提高。此时则不能仅按钢构件本身的耐火极限来考虑，因为在无保护的钢梁、钢屋架下作耐火吊顶后，使钢梁的升温大为延缓。这种构造方法还能增加室内的美观。

表 2-3 列出了钢梁下作耐火吊顶组合构造的隔热性能数据，供钢结构耐火设计时参考。

在木结构等可燃构件表面作防火保护层(如抹灰层)，不仅可以改变其燃烧性能，而且可以显著提高其耐火能力。

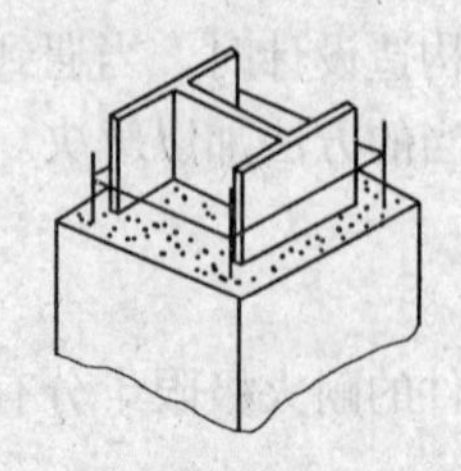

图 2-3 用现浇混凝土作耐火保护层

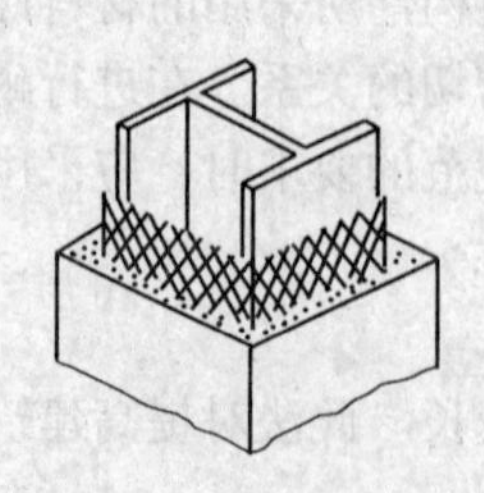

图 2-4 用砂浆或灰胶泥作耐火保护层

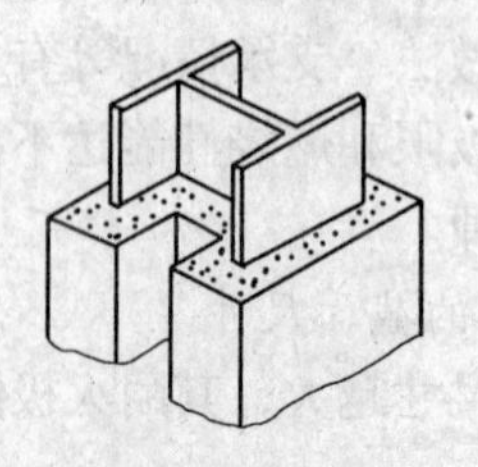

图 2-5 用矿物纤维作耐火保护层

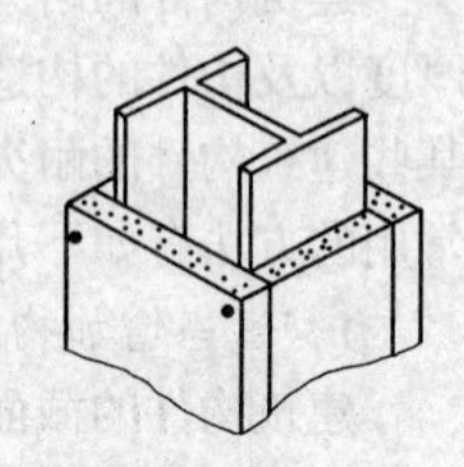

图 2-6 用防火板材作耐火保护层

表 2-2　钢柱、钢梁的耐火极限

构件名称		截面尺寸(cm×cm)	耐火极限(h)
钢柱	无保护层矩形实心钢柱	15.24×15.24	0.5
	工字形截面钢柱：		
	以石棉板作保护层：厚 1.9 cm	15.24×15.24	10
	以蛭石水泥外包铁皮作保护层：厚 5.08 cm	20.3×20.3	4.0
	矩形空心钢柱：		
	以石棉板作保护层：厚 1.9 cm	25.4×25.4	1.0
	厚 2.54 cm	15.24×15.24	1.0
	以三层石棉板作保护层：共厚 5.71 cm	15.24×15.24	3.0
	工字钢柱：		
	以涂刷石棉作保护层：厚 1.27 cm	20.32×15.24	1.0
	厚 2.54 cm	20.32×15.24	2.0
	以金属网上抹蛭石石膏砂浆作保护层：厚 0.64 cm	20.32×15.24	1.0
	厚 3.17 cm	20.32×15.24	2.0
	厚 5.71 cm	20.32×15.24	4.0
	以石棉板作保护层：厚 2.54 m	20.32×15.24	2.0
	以蛭石作保护层：厚 5.08 cm	20.32×15.24	3.0
	钢管柱：		
	以蛭石水泥灰浆外包铁皮作保护层：厚 5.7 cm	ϕ11.43	2.0
钢梁	工字钢梁：		
	以钢丝网轻质预制板作保护层：厚 3.18 cm	25.4×11.43	2.0
	以两层用纤维包裹的矿棉板作保护层：共厚 5.08 cm	25.4×11.43	2.0
	以石棉板外包铁皮作保护层：共厚 5.08 cm	40.64×17.78	3.0
	以金属网抹蛭石石膏灰浆作保护层(中间空隙处填蛭石混凝土块)：厚 4.44 cm	25.4×11.43	4.0

表 2-3　吊顶的构造方式和隔热性能

工字钢梁下作吊顶构造(在断面为 20.32 cm×10.16 cm 工字钢梁下作钢龙骨的吊顶)	试验结果		
	试验历时(h)	完整性(h)	隔热性(h) 钢梁达到 400℃时
3.18~2.54 cm T 形钢龙骨下连接 1.6 cm 厚玻璃纤维板	2.1	2.1	1.1
3.81 cm×0.79 cm T 形钢龙骨连接薄铝板，其下为 1.27 cm 厚矿棉纤维吸声板	2.0	1.8	1.4
3.18 cm×2.54 cm T 形钢龙骨下连接 1.6 cm 厚矿棉纤维吸声板	2.0	2.0	1.7
4.13 cm×2.54 cm T 形钢龙骨连接薄铝板，其下为 1.6 cm 厚矿棉纤维吸声板	2.0	2.0	2.0
3.81 cm×3.81 cm T 形钢龙骨下连接 1.9 cm 厚石棉纤维板	4.0	4.0	1.9

5．在构件表面涂覆防火涂料

在进行建筑耐火设计时，经常会遇到钢结构构件、预应力楼板达不到耐火等级所规定的耐火极限值的要求，以及有些可燃构件、可燃装修材料由于燃烧性能达不到要求的情况，这时都可以使用防火涂料加以解决。防火涂料涂敷于建筑构件可有效提高其耐火极限，涂于可燃性材料表面，可改变其燃烧性能，在建筑构件、装修材料方面的应用前景十分广阔。关于防火涂料性能及品种可参见相应资料。

6．进行合理的耐火构造设计

构造设计的目的就是通过采用巧妙的约束去抵抗结构的过大挠曲和断裂，合理的构造设计可以延长构件的耐火极限，提高结构的安全性和经济性。例如：

1) 支座处的连接

在构件支座部位上，可以通过上部钢筋的作用将两个构件形成一个能传递内力的连续整体。这些上部钢筋在火灾期间受到火的影响较小。图 2-7 的处理方法可供参考选用。

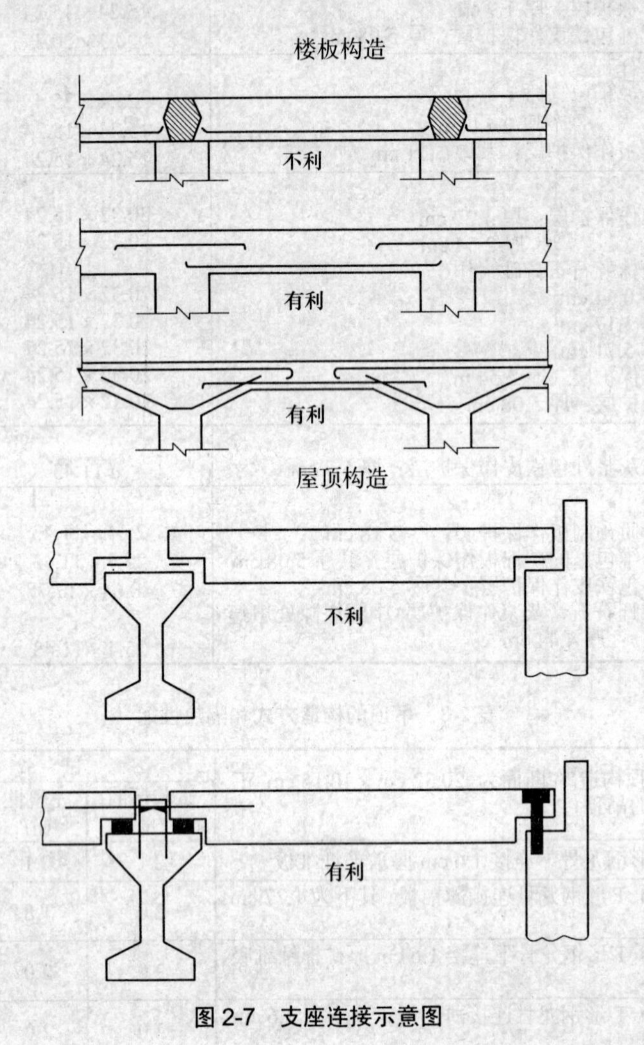

图 2-7 支座连接示意图

2) 梁的翼缘处理

翼缘过分细长和腹壁太薄都会影响构件的耐火性能。对构件的截面温度变化的研究表明，最热的部位是凸角部位；温度更容易损坏细长形的构件。正确的设计见图 2-8，外形凸角较多的断面则为不利断面。

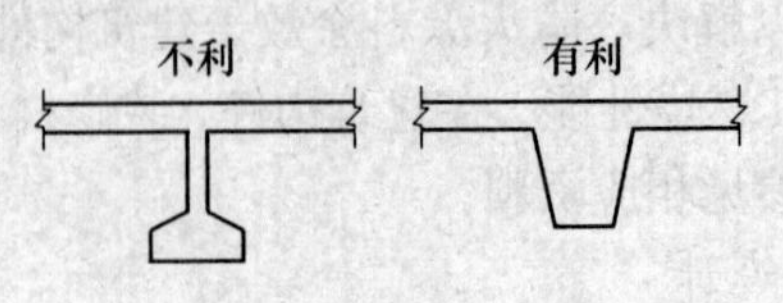

图 2-8 梁翼缘处理方法示意图

四、防火涂料

在建筑防火设计时，经常会碰到预应力钢筋混凝土楼板达不到耐火极限，钢结构达不到耐火极限，有些塑料制品及屋面材料由于具有可燃性，使其使用受到了限制等问题。目前，解决这些问题行之有效的方法是使用防火涂料。防火涂料在涂料品种中属于特种涂料。当它用于不燃烧体的构件时，可降低基材温度上升速度，推迟结构失稳过程；用于可燃基材时，能推迟或消除其引燃过程。

防火涂料种类很多，按使用对象和涂层厚度一般可将防火涂料分为饰面型防火涂料和钢结构(包括预应力混凝土楼板)防火涂料两大类别。

(一)饰面型防火涂料

饰面型防火涂料具有一定的装饰性和防火性，一般用做可燃基材的保护性材料。这种涂料受火焰高温作用迅速膨胀发泡，形成较为结实、致密的海绵状隔热泡沫层或空心泡沫层，使火焰不能直接作用于可燃基材上，有效地阻止火焰在基材上的传播蔓延，并对基材进行隔热保护，从而达到阻止火灾发生和发展的作用。

1．分类和防火阻燃原理

饰面型防火涂料按分散介质分为水性和溶剂型两大类，其分类如下：

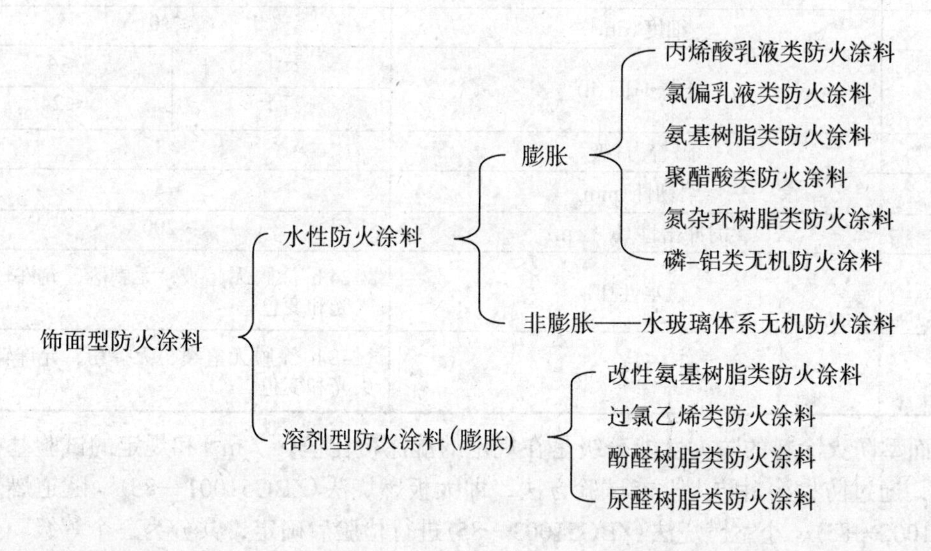

溶剂型防火涂料是以天然树脂、人工树脂和合成树脂为基料，以有机溶剂为溶剂；水性防火涂料是以水为溶剂，基料有无机盐、水乳胶、合成树脂等。

防火涂料之所以能起到防火阻燃作用，其原因大致可归纳为以下几点：

(1)防火涂料本身具有难燃或不燃性，使被保护的可燃性基材不直接与空气接触而延迟基材着火燃烧。

(2)防火涂料遇火受热分解出不燃的惰性气体，冲淡被保护基材受热分解出的可燃气体和空气中的氧气，抑制燃烧。

(3)燃烧被认为是游离基引起的连锁反应。含氮、磷的防火涂料受热可分解出一些活性自由基团，与有机游离基化合，中断连锁反应，降低燃烧速度。

(4)膨胀型防火涂料遇火膨胀发泡，生成一层泡沫隔热层，封闭被保护的基材，阻止基材燃烧。

2．饰面型防火涂料的性能和分级

1）饰面型防火涂料的性能

饰面型防火涂料的主要物理、化学及机械性能包括在容器中的状态、细度、干燥时间、附着力、柔韧性、耐冲击性、耐水性、耐湿热性等项。对于具有特殊用途（如船或化工厂用）的饰面型防火涂料，除必须具备以上八项技术指标外，还应有针对性地增加耐盐雾性、耐酸碱性及耐油性等项。

饰面型防火涂料主要防火性能包括耐燃时间、表面火焰传播比值、失重及碳化体积等项。如果防火涂料应用于电缆防火，除必须具备上述四项性能外，还应增加阻止电缆着火的延燃时间。

2）饰面型防火涂料的分级

饰面型防火涂料的物理、化学及机械性能指标在国家标准中已作了明确规定，见表2-4。

表2-4 饰面型防火涂料的物理、化学及机械性能指标

序号	项目	指标	
1	在容器中的状态	无结块，搅拌后呈均匀状态	
2	细度（μm）	≤10	
3	干燥时间（h）	表干	≤4
		实干	≤24
4	附着力（级）	≥3	
5	柔韧性（mm）	≤3	
6	耐冲击性（N·cm）	≥200	
7	耐水性（h）	24 h 涂膜无起皱，无剥落，允许轻微失光和变色	
8	耐湿热性（h）	48 h 涂膜无龟裂，无掉粉，允许轻微失光和变色	

饰面型防火涂料的防火性能分级是在规定的湿涂覆比值（g/m^2）和规定的试验基材的条件下，通过防火涂料防火性能试验方法，即大板燃烧法（ZBG51001—85）、隧道燃烧法（ZBG51002—85）、小室燃烧法（ZBG51003—85）进行检验后确定，共分为三个等级。当防火涂料防火性能通过三种试验方法的检验不能同时达到某一级别规定的性能指标时，应按其最低一级性能指标作为分级的依据。防火涂料的防火性能分级见表2-5。

表2-5 饰面型防火涂料分级

级别	试验方法			
	小室燃烧法		隧道燃烧法	大板燃烧法
	失重（g）	碳化体积（cm^3）	火焰传播比值	耐燃时间（min）
1	≤5	≤25	0～25	≥30
2	≤10	≤50	26～50	≥20
3	≤15	≤75	51～75	≥10

3．饰面型防火涂料的应用和施工

1）B60—2 木质材料的防火涂料

B60—2 木质材料的防火涂料是以水作溶剂，具有不燃不爆、无毒无污染、施工方便、干燥快的优点，防火阻燃效果突出、颜色多样，涂层可砂磨打光，具有良好的装饰效果，且耐候、耐油、耐水，其综合性能良好。

(1)防火性能。经国家建筑防火材料质量监督检测中心检测，结果见表 2-6。

表 2-6　B60—2 防火涂料的防火性能

项目	检测标准	ZBG51004—85 规定	湿涂覆比值(g / m²)	检测结果
耐燃时间(min)	ZBG51001—85	2 级≥20	600	>20
		1 级≥30	1 000	>30
火焰传播值(%)	ZBG51002—85	≤25	500	7.0
失重(g)	ZBG51003—85	≤5	250	3.6
碳化体积(cm³)	ZBG51003—85	≤25	250	7.0

(2)适用范围。B60—2 木质材料的防火涂料可广泛应用于礼堂、宾馆、医院、科研、办公楼、计算机房、厂房、供电等建筑物中木隔墙、木盖板、木屋架、纤维板、胶合板顶棚及木龙骨表面，起防火阻燃作用，并可代替油漆起装饰作用，且涂于电力电缆表面起防延燃作用。

(3)施工要求。

①在可燃基材上使用，不得小于 600 g / m²，确保此用量，耐火极限可达 20 ~ 30 min 以上。采用喷涂、刷涂、滚涂方法均可，一般涂 3 ~ 5 道，每隔 2 ~ 4 h 涂一道，如果要求装饰效果好，可用水砂纸进行打磨。

②施工准备：消除基材表面尘土油污，用抹子填补洞眼、缝隙，有装饰要求时，应将基材用砂纸打光。

③B60—2 涂料不得与其他油漆涂料混装混用，经免影响其防火效果，施工完毕，及时用自来水将容器、喷枪、漆刷冲洗干净。

(4)施工环境：要求在气温 10 ~ 40℃、相对湿度低于 90%的环境下施工。

2）A60 — KG 型快干氨基膨胀防火涂料

A60 — KG 型快干氨基膨胀防火涂料的特点是遇火后膨胀生成均匀致密的泡沫状碳质隔热层，有极其良好的防火隔热效果，且防水抗潮性好，涂刷干燥时间快，施工方便，对环境温、湿度无要求，可根据用户要求配色，有较好的装饰效果。该涂料常温快速固化，基本无毒、无污染，适用于高层建筑及其他工程等有防火要求的场所。可在木材、电缆、钢材表面涂刷，提高阻燃性能。

(1)防火性能。本防火涂料涂于五合板上，厚 0.5 ~ 1 mm 的涂层，在 1 000℃左右的酒精灯火焰灼烧下，形成一层坚固致密的防火隔热层，经 0.5 h 以上的灼烧，膨胀隔热层基本完好，被保护的胶合板背火面的温度低于 160℃。

(2)使用方法。本防火涂料刷、喷涂均可，每隔 1 ~ 2 h 涂 1 次。该涂料固体成分较大(50%)，稍有沉积，使用时充分搅拌。

①木材、纤维板等：每平方米需 1 kg 涂料。通常涂层厚 0.5 mm，可耐火 1 h 左右。

②电缆：涂层干燥后厚度达 1 mm 左右。

③金属物体：将表面打磨干净，涂刷厚度可根据实际防火要求而定。通常涂层厚 2.8 mm，可耐火 1 h 以上。

(二)钢结构防火涂料

钢结构防火涂料(包括预应力混凝土楼板防火涂料)主要用做不燃烧体构件的保护性材料，该类防火涂料涂层较厚，并具有密度小、导热系数低的特性，所以在火焰作用下具有优良的隔热性能，可以使被保护的构件在火焰高温作用下材料强度降低缓慢、不易产生结构形变，从而提高钢结构或预应力混凝土楼板的耐火极限。

1．钢结构防水涂料分类和阻火原理

钢结构防火涂料按所使用胶粘剂的不同可分为有机防火涂料和无机防火涂料两类，其分类如下：

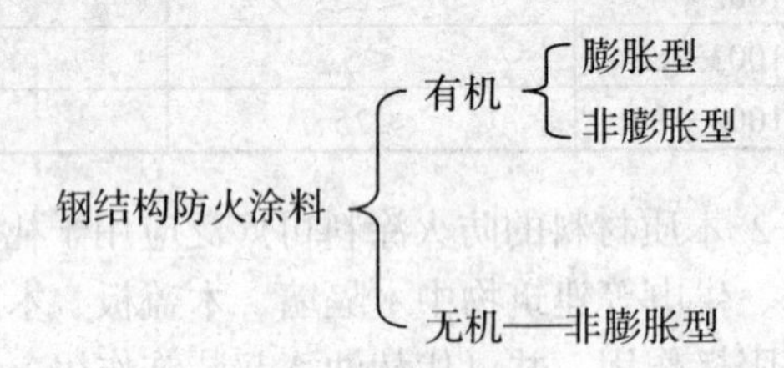

钢结构防火涂料按涂层厚度分为薄涂型和原涂型两类。薄涂型钢结构防火涂料涂层厚度一般为 2 ~ 7 mm，有一定装饰效果，高温时涂层膨胀增厚，具有耐火隔热作用，耐火极限可达 0.5 ~ 1.5 h。这种涂料又称钢结构膨胀防火涂料。厚涂型钢结构防火涂料厚度一般为 8 ~ 20 mm，粒状表面，密度较小，导热系数低，耐火极限可达 0.5 ~ 3.0 h。这种涂料又称钢结构防火隔热涂料。

薄涂型钢结构防火涂料的主要品种有：LB 钢结构膨胀防火涂料、SG—1 钢结构膨胀防火涂料、SB—2 钢结构膨胀防火涂料、SS—1 钢结构膨胀防火涂料。厚涂型钢结构防火涂料主要品种有：LG 钢结构防火隔热涂料、STI—A、JG276、ST—86、SB—1、SG—2 钢结构防火涂料等。

钢结构防火涂料的阻火原理有三个：一是涂层对钢基材起屏蔽作用，使钢构件不至于直接暴露在火焰高温中。二是涂层吸热后部分物质分解放出水蒸气或其他不燃气体，起到消耗热量、降低火焰温度和燃烧速度、稀释氧气的作用。三是涂层本身多孔轻质和受热后形成碳化泡沫层，阻止了热量迅速向钢基材传递，推迟了钢基材强度的降低，从而提高了钢结构的耐火极限。

2．钢结构防火涂料的性能和分级

1) 钢结构防火涂料的性能

钢结构防火涂料的主要物理、化学及机械性能包括在容器中的状态、干燥时间、初期干燥抗裂性、外观和颜色、黏结强度、抗压强度、干密度、热导率、抗振性、抗弯性、耐水性、耐冻融循环性等项。

钢结构防火涂料的防火性能为耐火极限。

2) 钢结构防火涂料的分级

对不同类型钢结构防火涂料的物理、化学、机械性能和防火性能的规定见表 2-7。

表 2-7　钢结构防火涂料技术性能要求

项　目		指　标	
		B 类	H 类
在容器中的状态		经搅拌后呈均匀液态或稠厚流体，无结块	经搅拌后呈均匀稠厚流体，无结块
干燥时间(表干)(h)		≤12	≤24
初期干燥抗裂性		一般不应出现裂纹。如有 1~3 条裂纹，其宽度应不大于 0.5 mm	一般不应出现裂纹。如有 1~3 条裂纹，其宽度应不大于 1 mm
外观与颜色		外观与颜色同样品相比，应无明显差别	
黏结强度(MPa)		≥0.15	≥0.04
抗压强度(MPa)			≥0.3
干密度(kg / m³)			≤500
热导率[W / (m · K)]			≤0.116
抗振性		挠曲 L / 200，涂层不起层，不脱落	
抗弯性		挠曲 L / 100，涂层不起层，不脱落	
耐水性(h)		≥24	≥24
耐冻融循环性(次)		≥15	≥15
耐火性能	涂层厚度(mm) 标准梁耐火极限不低于(h)	3.0　5.5　7.0 0.5　1.0　1.5	8　15　20　30　40　50 0.5　1.0　1.5　2.0　2.5　3.0

注：①本表所列防火涂料性能仅适用于建筑物及构筑物室内使用的各类钢结构防火涂料，不包括室外用钢结构防火涂料的技术要求。

②超薄型钢结构防火涂料比普通膨胀型防火涂料涂层更薄，其装饰性和耐火性能更好，其涂层外观完全类同一般饰面型涂料，既可喷涂也可手工涂刷。由于国内目前处于起步阶段，尚无正式标准。通常将 3 mm 涂层厚，耐火极限不低于 90 min 的膨胀型防火涂料称之超薄型钢结构防火涂料。

③表中 L 为试件净跨，等于 1 m。

3．钢结构防火涂料的选用原则

选用钢结构防火涂料时，应考虑结构类型、耐火极限要求、工作环境等。选用原则如下：

(1)裸露网架钢结构、轻钢屋架，以及其他构件截面小、振动挠曲变化大的钢结构，当要求其耐火极限在 1.5 h 以下时，宜选用薄涂型钢结构防火涂料，装饰要求较高的建筑宜首选超薄型钢结构防火涂料。

(2)室内隐蔽钢结构、高层等性质重要的建筑，当要求其耐火极限在 1.5 h 以上时，应选用厚涂型钢结构防火涂料。

(3)露天钢结构，必须选用适合室外使用的钢结构防火涂料。

室外使用环境比室内严酷得多，涂料在室外要经受日晒雨淋，风吹冰冻，因此应选用耐水、耐冻融、耐老化、强度高的防火涂料。这方面有不少教训，例如某工程选用某种防火涂料用于数万平方米的钢结构建筑上，由于是室外环境，该涂料在不到一年时间，就风化变黄，出现脱落，失去保护作用。

一般来说，非膨胀型比膨胀型耐候性好，而非膨胀型中蛭石、珍珠岩颗粒型厚质涂料，并采用水泥为胶粘剂比水玻璃为胶粘剂的要好。特别是水泥用量较多、密度较大的，更适宜用于室外。

(4)注意不要把饰面型防火涂料选用于保护钢结构。饰面型防火涂料适用于木结构和可燃基材，一般厚度小于 1 mm，薄薄的涂膜对于可燃材料能起到有效的阻燃和防止火焰蔓延的作用。但其隔热性能一般达不到大幅度提高钢结构耐火极限的作用。

4．钢结构防火涂料的施工

1)一般规定

(1)钢结构表面应根据使用要求进行防锈处理。

(2)无防锈漆的钢表面，防火涂料或打底料应对钢表面无腐蚀作用；涂防锈漆的钢表面，防火涂料应与防锈相溶，不会发生皂化等不良反应。

(3)严格按配合比加料和稀释剂(包括水)，使浆料稠度适宜。

(4)施工过程中和涂层干燥固化前，除水泥系防火涂料外，环境温度宜保持在 5~38℃，施工时环境相对湿度不宜大于 90%，空气应流通，当构件表面有结露时，不宜作业。

(5)钢结构采用防火涂料的保护方式宜按图 2-9 选用。

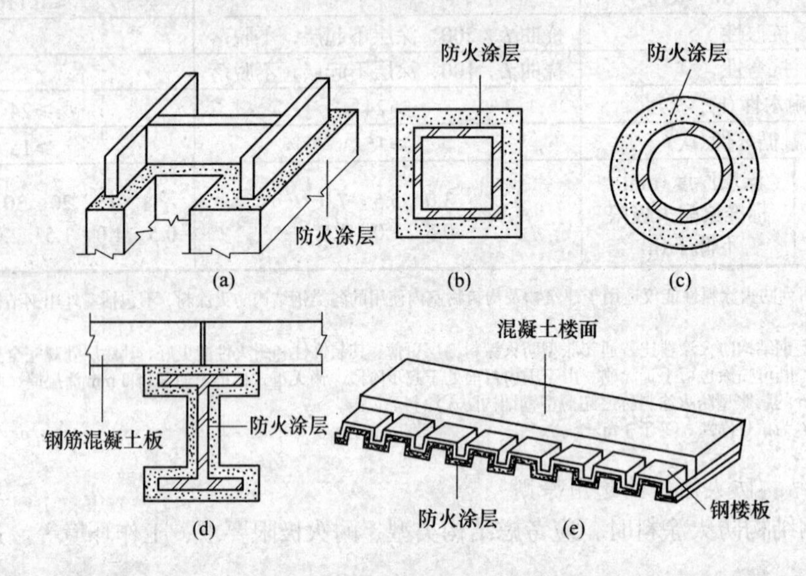

图 2-9　钢结构防火方式

(a)工字形柱的保护；(b)方形柱的保护；(c)管形构件的保护；(d)工字梁的保护；(e)楼板的保护

2)施工要点

(1)薄涂型防火涂料可按装饰要求和涂料性质选择喷涂、刷涂或滚涂等施工方式。

(2)薄涂型防火涂料每次喷涂厚度不应超过 2.5 mm，超薄型涂料每次涂层不应超过 0.5 mm，须在前一遍干燥后方可进行后一遍施工。

(3)厚涂型防火涂料可选用喷涂或手工涂抹施工。

(4)厚涂型防火涂料宜用低速搅拌机，搅拌时间不宜过长，以搅拌均匀即可，以免涂料中轻质集料被过度粉碎影响涂层质量。

(5)厚涂型防火涂料每遍涂抹厚度宜为 5~10 mm，必须在前一道涂层基本干燥或固化后，方可进行后一道施工。

(6)厚涂层防火涂料施工时一般不必加固，但在易受振动和撞击部位以及室外钢结构表面较大部位，则应考虑加固措施，以保证涂层能长期使用。加固措施为增加加固焊钉或包扎镀锌铁丝网等措施。

(7)水泥系厚质防火涂料，在天气极度干燥和阳光直射环境下，应采取必要的养护措施。

(8)防火涂料搅拌好后应及时用完，超过其规定使用期后不得使用。

(9)防火涂层的厚度应符合设计要求，施工时应随时检测涂层厚度。

5．钢结构防火涂料的应用

1) TN—LG钢结构防火隔热涂料

TN—LG钢结构防火涂料，是以改性无机高温胶粘剂配以膨胀蛭石、膨胀珍珠岩等吸热、隔热及增强材料和化学助剂等配制成的一种防火保护喷涂材料。适用于高层建筑与其他建筑钢结构的防火保护。该防火涂料在北京中国国际贸易中心宾馆楼首层宴会厅火灾中，经受了近3 h的火灾考验。喷涂在18 m跨度的钢梁上的TN—LG涂料(设计耐火极限为2 h)，很好地保护了钢梁。火灾中，现浇混凝土楼板烧蚀5 cm以上，而钢梁防锈漆颜色未改变，强度未损失。

2) TN—106预应力混凝土防火涂料

TN—106预应力混凝土防火涂料，是以无机、有机复合物作黏结剂配以珍珠岩、硅酸铝纤维等多种成分、多功能原料，用水作溶剂，经机械混合搅拌而成。

这种防火涂料采用先进的防火隔热技术，具有表观密度小、导热系数小、防火隔热性能突出、耐老化等特点。在预应力混凝土楼板配钢筋的一面喷涂 5 mm 厚，楼板的耐火极限可达2.0 h左右。

(三)钢结构用防火板材

1．防火板材的基本要求

对钢结构能起防火保护作用的板材，除了应具有常温状态下的各种良好物理力学性能外，高温下在要求的时间内还应具有以下性能：

(1)防火板材一般应为不燃材料；

(2)在高温下应保持一定强度和尺寸稳定，不产生较大收缩变形；

(3)受火时不炸裂、不产生裂纹。否则将影响板材的整体强度和隔热性；

(4)应具有优良的隔热性，使被保护基材不致温升过快而受到损害。

2．防火板材的类型及性能

钢结构用防火板材分两类，一类是密度大、强度高的薄板；一类是密度较小的厚板。

1)防火薄板

这种板特点是密度大(800~1 800 kg／m^3)，强度高(抗折强度 10~50 MPa)，导热系数较大(0.2~0.4 W／(m·K))，使用厚度大多在6~15 mm之间，主要用做轻钢龙骨隔墙的面板，吊顶板(又称为罩面板)，以及钢梁、钢柱经厚涂型防火涂料涂覆后的装饰面板(或称罩面板)。

这种板有短纤维增强的各种水泥压力板(包括TK板、FC板等)、纤维增强普通硅酸钙板、纸面石膏板，以及各种玻璃布增强的无机板(俗称无机玻璃钢)。

2)防火厚板

该板特点是密度小(400 kg／m^3)，导热系数小(0.08 W／(m·K)以下)，其厚度可按耐火极限需要确定，大致在20~50 mm之间。由于其本身具有优良的耐火隔热性，可直接用于钢结构防火保护，提高其耐火极限。

这种板主要有轻质硅酸钙防火板和膨胀蛭石防火板两种。

轻质硅酸钙防火板是以 CaO 和 SiO_2 为主要原料，经高温高压化学反应生成硬硅钙晶体为主体，再配以少量增强纤维等辅助材料，经压制、干燥而成的一种耐高温、隔热性优良的板材。

膨胀蛭石防火板是以特种膨胀蛭石和无机胶粘剂为主要原料，经充分混合、成型、压制、烘干而成的一种具有防火隔热性能的板材。

用防火厚板作为钢结构防火板材具有重量轻、强度高、隔热性好、耐高温、尺寸稳定、耐久性好、易加工、无毒无害、装饰性好等优点。

第三节　单、多层建筑耐火设计

一、单、多层建筑的划分

从消防角度考虑，单、多层建筑系指属于非高层的普通单、多层工业建筑和民用建筑。具体包括：

(1) 九层及九层以下的住宅(包括底层设置商业服务网点的住宅)和建筑高度不超过 24 m 的其他民用建筑。

(2) 建筑高度超过 24 m 的单层公共建筑。

(3) 建筑高度不超过 24 m 的工业建筑和超过 24 m、但为单层的工业建筑。

建筑高度为建筑物室外地面到其女儿墙顶部或檐口的高度。屋顶上的瞭望塔、冷却塔、水箱间、微波天线间、电梯机房、排风和排烟机房以及楼梯出口小间等不计入建筑高度和层数内；建筑物的地下室、半地下室的顶板面高出室外地面不超过 1.5 m 者，不计入层数内。

二、建筑物耐火等级的划分

各类建筑由于使用性质、重要程度、规模大小、层数高低、火灾危险性存在差异，所要求的耐火程度应有所不同。

建筑物耐火等级是由组成建筑物的墙、柱、梁、楼板、屋顶承重构件和吊顶等主要建筑构件的燃烧性能和耐火极限所决定的。按照我国建筑设计、施工及建筑结构的实际情况，并考虑到今后建筑的发展趋势，将建筑物的耐火等级划分为四个级别，见表 2-8。建筑物所要求的耐火等级确定之后，其各种建筑构件的燃烧性能和耐火极限均不应低于表中相应耐火等级的规定。

1. 构件耐火极限值的选定

在建筑结构中，楼板直接承受着人和物品等重量，并将之传给梁、墙、柱等构件，是一个最基本的承重构件。因此，在划分建筑物耐火等级时是以选择楼板的耐火极限作基准的。将各耐火等级建筑物中楼板的耐火极限确定以后，其他建筑构件的耐火极限则根据其在建筑结构中的地位，与楼板相比较而确定。在建筑结构中所占的地位比楼板重要者，如梁、柱、承重墙等，其耐火极限高于楼板；比楼板次要者，如隔墙、吊顶等，其耐火极限低于楼板。

表 2-8 建筑构件的燃烧性能和耐火极限 （单位：h）

构件名称		耐火等级			
		一级	二级	三级	四级
墙	防火墙	不燃烧体 4.00	不燃烧体 4.00	不燃烧体 4.00	不燃烧体 4.00
	承重墙，楼梯间、电梯井的墙	不燃烧体 3.00	不燃烧体 2.50	不燃烧体 2.50	难燃烧体 0.50
	非承重外墙，疏散走道两侧的隔墙	不燃烧体 1.00	不燃烧体 1.00	不燃烧体 0.50	难燃烧体 0.25
	房间隔墙	不燃烧体 0.75	不燃烧体 0.50	难燃烧体 0.50	难燃烧体 0.25
柱	支承多层的柱	不燃烧体 3.00	不燃烧体 2.50	不燃烧体 2.50	难燃烧体 0.50
	支承单层的柱	不燃烧体 2.50	不燃烧体 2.00	不燃烧体 2.00	燃烧体
梁		不燃烧体 2.00	不燃烧体 1.50	不燃烧体 1.00	难燃烧体 0.50
楼板		不燃烧体 1.50	不燃烧体 1.00	不燃烧体 0.50	难燃烧体 0.25
屋顶承重构件		不燃烧体 1.50	不燃烧体 0.50	燃烧体	燃烧体
疏散楼梯		不燃烧体 1.50	不燃烧体 1.00	不燃烧体 1.00	燃烧体
吊顶(包括吊顶搁栅)		不燃烧体 0.25	难燃烧体 0.25	难燃烧体 0.15	燃烧体

楼板耐火极限值的选定，是以我国火灾发生的实际情况和建筑构件构造特点为依据的。据火灾统计表明，我国 95%的火灾的延续时间均在 2 h 以内，在 1 h 内扑灭的火灾约占 80%，在 1.5 h 以内扑灭的火灾约占 90%。此外，建筑物中大量使用的普通钢筋混凝土空心楼板，保护层多为 10 mm，其耐火极限约为 1.0 h；现浇钢筋混凝土整体式梁板的耐火极限大多在 1.5 h 以上。因此，将二级耐火等级建筑物的楼板的耐火极限选定为 1.0 h；一级耐火等级的选定为 1.5 h；三、四级耐火等级楼板的耐火极限较短，分别为 0.5、0.25 h。其他建筑构件的耐火极限，以二级耐火等级建筑物为例，楼板由梁来支承，梁的耐火极限应比楼板高，选定为 1.5 h；而梁又由柱或墙来支承，所以它们的耐火极限应比梁高，选定为 2.5 ~ 3.0 h。依此类推。

2．构件燃烧性能特点

对各耐火等级建筑物建筑构件的燃烧性能也有相应的要求，概括地说，一级耐火等级建筑物的主要建筑构件全部为不燃烧体；二级耐火等级建筑物的主要建筑构件，除吊顶为难燃烧体外，其余为不燃烧体；三级耐火等级建筑物的屋顶承重构件为燃烧体；四级耐火等级建筑物除防火墙为不燃烧体外，其余构件为难燃烧体和燃烧体。

根据各级耐火等级中建筑构件的燃烧性能和耐火极限特点，可大致判定不同结构类型建筑物的耐火等级。一般来说，钢筋混凝土结构、钢筋混凝土砖石结构建筑可基本定为一、二级耐火等级；砖木结构建筑可基本定为三级耐火等级；以木柱、木屋架承重及以砖石等不燃烧或难燃烧材料为墙的建筑可定为四级耐火等级。

3．耐火等级划分特殊情况

根据《建筑设计防火规范(2001 年版)》(GBJ16—87)规定，划分建筑物耐火等级时应注意以下特殊情况：

(1)以木柱承重且以不燃烧材料为墙体的建筑物，其耐火等级应按四级确定。

(2)二级耐火等级的建筑物吊顶，如采用不燃烧体时，其耐火极限不限。

(3) 在二级耐火等级的建筑中，面积不超过 100 m^2 的房间隔墙，如执行表 2-4 的规定有困难时，可采用耐火极限不低于 0.3 h 的不燃烧体。

(4) 一、二级耐火等级民用建筑疏散走道两侧的隔墙，按表 2-4 规定执行有困难时，可采用 0.75 h 不燃烧体。

(5) 二级耐火等级的多层工业建筑内存放可燃物的平均重量超过 200 kg / m^2 的房间，其梁、楼板的耐火极限应符合一级耐火等级的要求，但设有自动灭火设备时，其梁、楼板的耐火极限仍可按二级耐火等级的要求。

(6) 承重构件为不燃烧体的工业建筑（甲、乙类库房除外），其非承重外墙为不燃烧体时，其耐火极限可降低到 0.25 h，为难燃烧体时，可降低到 0.5 h。

(7) 二级耐火等级建筑的楼板如耐火极限达到 1.0 h 有困难时，可降低到 0.5 h。上人的二级耐火等级建筑的平屋顶，其屋面板的耐火极限不应低于 1.0 h。

(8) 二级耐火等级建筑的屋顶如采用耐火极限不低于 0.5 h 的承重构件有困难时，可采用无保护层的金属构件。但甲、乙、丙类液体火焰能烧到的部位，应采取防火保护措施。

(9) 建筑物的屋面面层，应采用不燃烧体，但一、二级耐火等级的建筑，其不燃烧体屋面基层上可采用可燃卷材防水层。

三、建筑物耐火等级的选定

确定建筑物耐火等级的目的是使不同用途的建筑物具有与之相适应的耐火安全储备，以做到既有利于安全，又利于节约投资。

（一）选定耐火等级应考虑的因素

1．建筑物的重要性

建筑物的重要程度是确定其耐火等级的重要因素。对于性质重要，功能、设备复杂，规模大，建筑标准高的建筑，如国家机关重要的办公楼、中心通信枢纽大楼、中心广播电视大楼、大型影剧院、礼堂、大型商场、重要的科研楼、藏书楼、档案楼、高级旅馆、高层工业和民用建筑、高架仓库等，其耐火等级应选定一、二级。由于这些建筑一旦发生火灾，往往经济损失大、人员伤亡大、政治影响大，因此要求其有较高的耐火能力是完全必要的。

2．火灾危险性

建筑物的火灾危险性大小对选定其耐火等级影响很大，特别是对工业建筑。一般住宅的火灾危险性小，而使用人数多的大型公共建筑火灾危险性大，在耐火标准上就要区别对待。火灾危险性大的建筑应该具有相应的高的耐火等级。在工业建筑耐火等级选定时，把生产的火灾危险性和储存物品的火灾危险性划分为甲、乙、丙、丁、戊五类，然后根据其火灾危险性的大小、层数、面积确定建筑物的耐火等级。

3．建筑物的高度

建筑物高度越高，功能越复杂，火灾时人员的疏散和火灾扑救越困难，损失也越大。由于高层建筑的特殊性，有必要对其采取一些特别严格的措施。《高层民用建筑设计防火规范（2001 年版）》（GB50045—95）根据使用性质、火灾危险性、疏散和扑救难度等把高层建筑分为两类，要求一类建筑物的耐火等级应为一级；二类建筑物的耐火等级不应低于二级。

对高度较大的建筑物选定较高的耐火等级，提高其耐火能力，可以确保其在火灾条件下不发生倒塌破坏，给人员安全疏散和消防扑救创造有利条件。

4．火灾荷载

火灾荷载大的建筑物发生火灾后，火灾持续燃烧时间长，燃烧猛烈，火场温度高，对建筑构件的破坏作用大。为了保证火灾荷载较大的建筑物在发生火灾时建筑结构构件的安全，应相应地提高这种建筑的耐火等级，使建筑构件具有较高的耐火极限。

上述关于建筑物耐火等级选定应考虑的因素也同样适用于单、多层建筑以外的其他建筑。

(二)工业建筑耐火等级的选定

工业建筑的耐火等级主要是根据生产的火灾危险性分类和储存物品的火灾危险性分类确定的。此外，还考虑建筑物的规模大小和高度等。

1．生产和储存物品的火灾危险性分类

生产的火灾危险性是按生产过程中使用或产生物质的火灾危险性进行分类的，共分为甲、乙、丙、丁、戊五个类别，见表2-9。其分类举例见附录一。

表2-9　生产的火灾危险性分类

生产类别	火灾危险性特征
甲	使用或产生下列物质的生产： 1.闪点<28℃的液体 2.爆炸下限<10%的气体 3.常温下能自行分解或在空气中氧化即能导致迅速自燃或爆炸的物质 4.常温下受到水或空气中水蒸气的作用，能产生可燃气体并引起燃烧或爆炸的物质 5.遇酸、受热、撞击、摩擦、催化以及遇有机物或硫磺等易燃的无机物，极易引起燃烧或爆炸的强氧化剂 6.受撞击、摩擦或与氧化剂、有机物接触时能引起燃烧或爆炸的物质 7.在密闭设备内操作温度等于或超过物质本身自燃点的生产
乙	使用或产生下列物质的生产： 1.闪点≥28℃至<60℃的液体 2.爆炸下限≥10%的气体 3.不属于甲类的氧化剂 4.不属于甲类的化学易燃危险固体 5.助燃气体 6.能与空气形成爆炸性混合物的浮游状态的粉尘、纤维、闪点≥60℃的液体雾滴
丙	使用或产生下列物质的生产： 1.闪点≥60℃的液体 2.可燃固体
丁	具有下列情况的生产： 1.对非燃烧物质进行加工，并在高温或熔化状态下经常产生强辐射热、火花或火焰的生产 2.利用气体、液体、固体作为燃料或将气体、液体进行燃烧作其他用的各种生产 3.常温下使用或加工难燃烧物质的生产
戊	常温下使用或加工非燃烧物质的生产

注：①在生产过程中，如使用或产生易燃、可燃物质的量较少，不足以构成爆炸或火灾危险时，可以按实际情况确定其火灾危险性的类别。

②一座厂房内或防火分区内有不同性质的生产时，其分类应按火灾危险性较大的部分确定，但火灾危险性大的部分占本层或本防火分区面积的比例小于5%(丁、戊类生产厂房的油漆工段小于10%)，且发生事故时不足以蔓延到其他部位，或采取防火设施能防止火灾蔓延时，可按火灾危险性较小的部分确定。丁、戊类生产厂房的油漆工段，当采用封闭喷漆工艺时，封闭喷漆空间内保持负压、且油漆工段设置可燃气体报警系统时，油漆工段占其所在防火分区面积的比例不应超过20%。

库房存放物品的火灾危险性是按物品在储存过程中的火灾危险性进行分类的，共分为甲、乙、丙、丁、戊五个类别，见表2-10，相应的分类举例见附录二。

表2-10　储存物品的火灾危险性分类

储存物品类别	火灾危险性特征
甲	1.闪点<28℃的液体 2.爆炸下限<10%的气体，以及受到水或空气中水蒸气的作用，能产生爆炸下限<10%气体的固体物质 3.常温下能自行分解或在空气中氧化即能导致迅速自燃或爆炸的物质 4.常温下受到水或空气中水蒸气的作用能产生可燃气体并引起燃烧或爆炸的物质 5.遇酸、受热、撞击、摩擦以及遇有机物或硫磺等易燃的无机物，极易引起燃烧或爆炸的强氧化剂 6.受撞击、摩擦或与氧化剂、有机物接触时能引起燃烧或爆炸的物质
乙	1.闪点≥28℃至<60℃的液体 2.爆炸下限≥10%的气体 3.不属于甲类的氧化剂 4.不属于甲类的化学易燃危险固体 5.助燃气体 6.常温下与空气接触能缓慢氧化，积热不散引起自燃的物品
丙	1.闪点≥60℃的液体 2.可燃固体
丁	难燃烧物品
戊	不燃烧物品

注：难燃烧物品、不燃烧物品的可燃包装重量超过物品本身重量的1／4时，其火灾危险性应为丙类。

2．生产和储存物品的火灾危险性分类特点

1) 固体分类标准

把固体中在常温下能自行分解或在空气中氧化导致自燃或爆炸的物品，如硝化棉、赛璐珞、黄磷等放在甲类。

把固体中在常温下受到水或空气中水蒸气的作用，能产生可燃气体并引起燃烧或爆炸的物品，如钾、钠、锂、钙、氢化钠、氢化锂等放在甲类。

把固体遇酸、受热、撞击、摩擦以及遇有机物或硫磺等易燃的无机物，极易引起燃烧或爆炸的强氧化剂，如氯酸钾、氯酸钠、过氧化钾、过氧化钠等放在甲类。

凡不属于甲类的化学易燃危险固体，如镁粉、铝粉、萘、硝化纤维漆布等，不属于甲类的氧化剂，如硝酸铜、亚硝酸钾、漂白粉等，以及常温下与空气接触能缓慢氧化、积热不散引起自燃的危险物品，如桐油漆布、油纸、油绸、浸油金属屑等，都属乙类。

可燃固体，如竹、木、纸张、橡胶、粮食等属于丙类。

难燃固体，如酚醛塑料、水泥刨花板等属于丁类。

钢材、玻璃、混凝土制品等不燃固体，属于戊类。

2）液体分类标准

液体的分类标准是根据其闪点来划分的。所谓闪点是指液体挥发的蒸气与空气形成混合物遇点火源能够闪燃（一闪即灭）的最低温度。

将闪点小于28℃的液体，如二硫化碳、苯、甲苯、甲醇、乙醚、汽油、丙酮等划分为甲类；闪点等于或大于28℃到60℃的液体，如煤油、松节油、丁烯醇、糠醛、冰醋酸、溶剂油等划分为乙类；闪点大于或等于60℃的液体，如动物油、植物油、机油、重油、柴油等划分为丙类。

这里提到的闪点是用闭杯法测定的。把闪点28℃作为甲、乙类划分的界限是根据我国南方最热月平均气温是28℃左右，在这样的气温条件下，汽油等易燃液体蒸气遇到点火源就闪燃起火而确定的。

3）气体分类标准

气体的分类标准是根据其爆炸下限划分的。所谓爆炸下限是可燃蒸气、气体或粉尘与空气组成的混合物遇火源即能发生爆炸的最低浓度（可燃蒸气、气体的浓度按体积比计算）。

大多数可燃气体（或可燃蒸气）在空气中混合数量很少时遇点火源便会爆炸。把爆炸下限小于10%的气体，如甲烷、乙烷、乙烯、丙烯、氢气、液化石油气等划分为甲类；有少数可燃气体与空气混合数量很多时遇到点火源才能爆炸。把在空气中爆炸下限大于或等于10%的气体，以及助燃气体，如氨气、一氧化碳、氧气等划分为乙类；此外，把氦、氖、氩、氪等不燃气体划分为戊类。

由于生产和储存的条件不同，生产和储存物品的火灾危险性类别在划分上还有一些不同的特点。例如，在化工生产过程中，有一些可燃液体在生产的过程中其本身的温度超过了自燃点，具有较大的火灾危险性，因而属于甲类生产。而这种液体在储存中则属于丙类。生产中有一些浮游在空气中的可燃粉尘达到爆炸浓度，遇到点火源即能发生爆炸，火灾危险性较大，这类生产的火灾危险性类别划分为乙类，例如生产面粉的碾磨车间。但面粉在储存中火灾危险性则属于丙类。又如储存中属于戊类火灾危险性的钢材，在高温或熔融状态下进行加工时火灾危险性较大，这样的生产就不再属于戊类，而属于丁类。与之相反，个别物品，如桐油制的油布、油纸等在生产中不会发生自燃，比较安全，属于丙类生产。而在储存中，其在常温下与空气接触能缓慢氧化，积热不散而引起自燃，具有较大的火灾危险性，所以火灾危险性定为乙类。

3．厂房的耐火等级选定

厂房的耐火等级，主要根据其生产的火灾危险性类别而定。一般情况下，甲、乙类生产应采用一、二级耐火等级的建筑；丙类生产厂房的耐火等级不应低于三级。根据厂房的生产火灾危险性类别、厂房的层数和占地面积选定厂房耐火等级见表2-11。

甲类生产厂房，除生产上必须采用多层外，最好采用单层建筑。严禁将甲、乙类生产设在地下室或半地下室内。

对于甲、乙类生产厂房，当其面积很小，且为独立的厂房时，也可采用三级耐火等级建筑物。

对于火灾危险性较小，但设有特殊贵重的机器、仪表、仪器等的厂房，应采用一级耐火等级的建筑物。

表 2-11　厂房的耐火等级、层数和占地面积

生产类别	耐火等级	最多允许层数	防火分区最大允许占地面积(m²)			
			单层厂房	多层厂房	高层厂房	厂房的地下室和半地下室
甲	一级 二级	除生产必须采用多层者外，宜采用单层	4 000 3 000	3 000 2 000	— —	— —
乙	一级 二级	不限 6	5 000 4 000	4 000 3 000	2 000 1 500	— —
丙	一级 二级 三级	不限 不限 2	不限 8 000 3 000	6 000 4 000 2 000	3 000 2 000 —	500 500 —
丁	一、二级 三级 四级	不限 3 1	不限 4 000 1 000	不限 2 000 —	4 000 — —	1 000 — —
戊	一、二级 三级 四级	不限 3 1	不限 5 000 1 500	不限 3 000 —	6 000 — —	1 000 — —

注：①防火分区间应用防火墙分隔，一、二级耐火等级的单层厂房（甲类厂房除外）如面积超过本表规定，设置防火分区有困难时，可用防火水幕带或防火卷帘加水幕分隔；

②一级耐火等级的多层及二级耐火等级的单层、多层纺织厂房（麻纺厂除外），可按本表的规定增加 50%，单上述厂房的原棉开包，清花车间均应设防火墙分隔；

③一、二级耐火等级的单、多层造纸生产联合厂房，其防火分区最大允许占地面积可按本表规定增加 1.5 倍；

④甲、乙、丙类厂房装有自动灭火设备时，防火分区最大允许占地面积可按本表的规定增加 1 倍，丁、戊类厂房装有自动灭火设备时，其占地面积不限。局部设置时增加面积可按该局部面积的 1 倍计算；

⑤一、二级耐火等级的谷物筒仓工作塔，且每层人数不超过 2 人时，最多允许层数可不受本表限制；

⑥邮政楼的邮件处理中心可按丙类厂房确定。

在小型企业中，面积不超过 300 m² 独立的甲、乙类厂房，可采用三级耐火等级的单层建筑。

使用或产生丙类液体的厂房和有火花、赤热表面、明火的丁类厂房均应采用一、二级耐火等级的建筑，但上述丙类厂房面积不超过 500 m²，丁类厂房面积不超过 1 000 m²，也可采用三级耐火等级的单层建筑。

锅炉房应为一、二级耐火等级的建筑，但每小时锅炉的总蒸发量不超过 4 t 的燃煤锅炉房可采用三级耐火等级的建筑。

油浸电力变压器室应采用一级耐火等级的建筑，高压配电装置室的耐火等级不应低于二级。

4．库房的耐火等级选定

库房是物资集中的地方，在选定库房耐火等级时除了要根据其储存物品的火灾危险性类别及储存要求外，还应考虑储存物品的贵重程度。根据防火要求，甲、乙类库房的耐火等级一般不应低于二级。在小型企业中，占地面积小并为独立的建筑物的甲类物品库房，也可采用三级耐火等级建筑。根据库房储存物品的火灾危险性类别、层数和建筑面积选定其耐火等级见表 2-12。

表 2-12 库房耐火等级、层数和建筑面积

储存物品分类		耐火等级	最多允许层数	防火分区最大允许建筑面积(m^2)				
				单层库房		多层库房		库房的地下室、半地下室
				每座库房	防火墙间	每座库房	防火墙间	防火墙间
甲	3、4 项	一级	1	180	60	—	—	—
	1、2、5、6 项	一、二级	1	750	250	—	—	—
乙	1、3、4 项	一、二级	3	2 000	500	900	300	—
		三级	1	500	250	—	—	—
	2、5、6 级	一、二级	5	2 800	700	1 500	500	—
		三级	1	900	300	—	—	—
丙	1 项	一、二级	5	4 000	1 000	2 800	700	150
		三级	1	1 200	400	—	—	—
	2 项	一、二级	不限	6 000	1 500	4 800	1 200	300
		三级	3	2 100	700	1 200	400	—
丁		一、二级	不限	不限	3 000	不限	1 500	500
		三级	3	3 000	1 000	1 500	500	—
		四级	1	2 100	700	—	—	—
戊		一、二级	不限	不限	不限	不限	2 000	1 000
		三级	3	3 000	1 000	2 100	700	—
		四级	1	2 100	700	—	—	—

注：①高层库房、高层仓库和筒仓的耐火等级不应低于二级；二级耐火等级的筒仓可采用钢板仓；储存特殊贵重物品的库房，其耐火等级宜为一级；

②独立建造的硝酸铵库房、电石库房、聚乙烯库房、尿素库房、配煤库房以及车站、码头、机场内的中转仓库，其建筑面积可按本表的规定增加 1 倍，但耐火等级不应低于二级；

③装有自动灭火设备的库房，其建筑面积可按本表注②增加 1 倍；

④煤均化库防火分区最大允许建筑面积为 12 000 m^2，但耐火等级不应低于二级；

⑤在同一库房或同一个防火墙间内，如储存数种火灾危险性不同的物品时，其库房或隔间的最低耐火等级、最多允许层数应按其中火灾危险性最大的物品确定。

(三)民用建筑耐火等级的选定

对于公共建筑，《建筑设计防火规范(2001 年版)》(GBJ16—87)规定，重要的公共建筑应采用一、二级耐火等级的建筑。重要的公共建筑系指性质重要，建筑标准高，人员密集，发生火灾后经济损失大、政治影响大、人员伤亡大的公共建筑。如省、市级以上的机关办公楼、价值在 300 万元以上的电子计算机中心、藏书 100 万册以上的藏书楼、省级通信中心、中央级和省级广播电视建筑、省级邮政楼、大型医院以及大、中型体育馆、影剧院、百货楼、展览楼、综合楼等。

商店、学校、食堂、菜市场如采用一、二级耐火等级的建筑有困难时，可采用三级耐火等级的建筑。

其他民用建筑(如居住建筑)在层数较少时，可以采用三级或四级耐火等级的建筑。

第四节 高层民用建筑耐火设计

一、高层民用建筑的划分

我国《高层民用建筑设计防火规范（2001 年版）》(GB50045—95)规定，高层民用建筑系指：10 层及 10 层以上的居住建筑(包括首层设置商业服务网点的住宅)；建筑高度超过 24 m，且层数为两层及两层以上的其他民用建筑。

建筑高度为建筑物室外地面到其檐口或屋面面层的高度，屋顶上的瞭望塔、水箱间、电梯机房、排烟机房和楼梯出口小间等不计入建筑高度和层数内；住宅建筑的地下室、半地下室的顶板面高出室外地面不超过 1.5 m 时，不计入层数内。

确定高层民用建筑起始高度，主要考虑以下几个因素：

(1) 登高消防车的扑救高度。目前我国不少城市尚无登高消防车，部分城市配备了登高消防车，其最大工作高度多为 24 m 左右，24 m 以下的建筑发生火灾时可利用其进行扑救，再高一些的建筑就不能满足扑救需要了。

(2) 消防车的供水能力。目前我国城市消防队大多配备的消防车，在最不利情况下直接吸水扑救火灾的最大高度约为 24 m。

(3) 住宅建筑定为 10 层及 10 层以上的原因，除了考虑上述因素外，还考虑它有较好的防火分隔，火灾时蔓延扩大受到一定限制，危害性较小，故作了区别对待。为了适应部分住宅建筑的底层设置商店、修理部、邮电所、储蓄所等商业服务网点的实际需要，又不提高这类住宅的防火标准，规定底层设有上述服务网点的住宅建筑，仍划分在住宅建筑内。

(4) 参考了国外对高层建筑起始高度的划分。国外对高层建筑起始高度的划分不尽相同，其划分主要是根据本国的经济条件和消防装备情况等。

二、高层民用建筑的火灾特点

在防火条件相同的情况下，高层建筑比低层建筑火灾危害性大，而且发生火灾后容易造成重大的损失和伤亡，其火灾特点主要有以下四个方面。

(一) 火势蔓延途径多，速度快

高层建筑由于功能的需要，内部设有楼梯间、电梯井、管道井、电缆井、排气道、垃圾道等竖向管井。这些井道一般贯穿若干或整个楼层，如果在设计时没有考虑防火分隔措施或对防火分隔措施处理不好，发生火灾时，其好像一座座高耸的烟囱，抽拔烟火成为火势迅速蔓延的途径。试验证明，在火灾初起阶段，因空气对流而产生的烟气，在水平方向扩散速度为 0.3 m / s，在火灾燃烧猛烈阶段，由于高温的作用，热对流而产生的烟气扩散速度为 0.5 ~ 0.8 m / s，烟气沿楼梯间等竖向管井的垂直扩散速度为 3 ~ 4 m / s。即一座高度为 100 m 的高层建筑一般在 25 ~ 33 s，烟气就能沿着竖向井道从底层扩散到顶层。与此同时，火势也将很快蔓延扩大，使整个大楼形成大“火柱”。许多高层建筑火灾都证明了这一点。

助长高层建筑火灾迅速蔓延的还有风力因素，俗话说“风助火势”。建筑越高，风速越大。风能使通常不具威胁的火源变得非常危险，或使蔓延可能很小的火势急剧扩大成灾，风越大其严重程度也相应增大。

(二) 安全疏散困难

高层建筑的特点，一是层数多，垂直疏散距离远，需要较长的时间才能疏散到安全场所；二是人员比较集中，疏散时容易出现拥挤情况；三是发生火灾时的烟气和火势向竖向蔓延快，给安全疏散带来困难，而平时使用的电梯由于不防烟火和停电等原因停止使用。所以，火灾时，高层建筑的安全疏散主要靠疏散楼梯，如果楼梯间不能有效地防止烟火侵人，则烟气就会很快灌满楼梯间，从而严重阻碍人们的安全疏散，甚至威胁人们的生命安全。

(三)扑救难度大

扑救高层建筑火灾主要立足于室内消防给水设施，由于受到消防设施条件的限制，常常给扑救工作带来不少困难。比如，遇有大面积火灾，室内消防水量就不一定够用，不能及时、有效地控制火势蔓延。又如，万一消防水泵等室内消防给水设施发生故障，就得靠消防车抽吸室外消防用水进行扑救，对消防水带耐压要求很高，若其耐压力不够发生胀破，则会延误灭火时机，带来严重后果。

另外，有的高层建筑没有考虑消防电梯，扑救火灾时，消防人员只得“全副武装”冲向高楼，不仅消耗大量体力，还会与自上而下疏散的人员发生“对撞”，延误灭火时机；如遇到楼梯被烟火封住，消防人员冲不上去，消防扑救工作则更为困难。

(四)功能复杂，起火因素多

高层建筑一般来说其内部功能复杂，设备繁多，装修标准高，因此火灾危险性大，容易引起火灾事故。

综上所述，高层建筑的火灾危险性是十分严重的，一旦发生火灾损失将十分惨重。为了确保其消防安全，在高层建筑设计中，必须认真贯彻“以防为主，防消结合”的消防工作方针，针对火灾蔓延快，危害大和疏散、扑救困难等特点，给合实际情况，积极创造条件，在防火设计中采用先进的防火技术，消除和减少起火因素，在其一旦发生火灾时，能够及时、有效地进行扑救，减少损失。

三、高层民用建筑耐火等级的划分

根据高层民用建筑防火安全的需要和高层建筑结构的现实情况，将高层民用建筑的耐火等级分为两级，各级耐火等级对建筑构件的燃烧性能和耐火极限的规定见表 2-13。

表 2-13　高层民用建筑构件的燃烧性能和耐火极限

构件名称		燃烧性能和耐火极限(h) 耐火等级 一级	二级
墙	防火墙	不燃烧体 3.00	不燃烧体 3.00
墙	承重墙，楼梯间，电梯井和住宅单元之间的墙	不燃烧体 2.00	不燃烧体 2.00
墙	非承重外墙、疏散走道两侧的隔墙	不燃烧体 1.00	不燃烧体 1.00
墙	房间隔墙	不燃烧体 0.75	不燃烧体 0.50
柱		不燃烧体 3.00	不燃烧体 2.50
梁		不燃烧体 2.00	不燃烧体 1.50
楼板、疏散楼梯、屋顶承重构件		不燃烧体 1.50	不燃烧体 1.00
吊顶(包括吊顶搁栅)		不燃烧体 0. 25	难燃烧体 0.25

高层民用建筑耐火等级分级应注意以下几点：

(1)预制钢筋混凝土构件的节点缝隙或金属承重构件节点的外露部位.必须加设防火保

护层，其耐火极限不应低于表 2-13 中相应建筑构件的耐火极限。

(2) 二级耐火等级的高层建筑中，面积不超过 100 m^2 的房间隔墙，如执行表 2-13 的规定有困难时，可采用耐火极限不低于 0.50 h 的难燃烧体或耐火极限不低于 0.30 h 的不燃烧体。

(3) 二级耐火等级高层建筑的裙房，当屋顶不上人时，屋顶的承重构件可采用耐火极限不低于 0.50 h 的不燃烧体。

(4) 高层建筑内存放图书、资料、纺织品等可燃物的平均重量超过 200 kg / m^2 的房间，当不设自动灭火系统时，其柱、梁、楼板和墙的耐火极限应相应提高 0.50 h。

四、高层民用建筑耐火等级的选定

高层民用建筑耐火等级的选定是在高层建筑分类的基础上进行的。

(一) 高层民用建筑分类

对高层民用建筑进行分类，是为了便于针对不同类别的建筑物在耐火等级、防火间距、防火分区、安全疏散、消防给水、防排烟等方面分别提出不同的要求，以达到既保障各类高层建筑的消防安全，又节约投资的目的。根据使用性质、火灾危险性、疏散和扑救难度对高层民用建筑进行分类见表 2-14。

表 2-14　高层建筑分类

名称	一类	二类
居住建筑	高级住宅 19 层及 19 层以上的普通住宅	10 层至 18 层的 普通住宅
公共建筑	1.医院 2.高级旅馆 3.建筑高度超过 50 m 或每层建筑面积超过 1 000 m^2 的商业楼、展览楼、综合楼、电信楼、财贸金融楼 4.建筑高度超过 50 m 或每层建筑面积超过 1 500 m^2 的商住楼 5.中央级和省级（含计划单列市）广播电视楼 6.网局级和省级（含计划单列市）电力调度楼 7.省级（含计划单列市）邮政楼、防灾指挥调度楼 8.藏书超过 100 万册的图书馆、书库 9.重要的办公楼、科研楼、档案楼 10.建筑高度超过 50 m 的教学楼和普通的旅馆、办公楼、科研楼、档案楼等	1.除一类建筑以外的商业楼、展览楼、综合楼、电信楼、财贸金融楼、商住楼、图书馆、书库 2.省级以下的邮政楼、防灾指挥调度楼、广播电视楼、电力调度楼 3.建筑高度不超过 50 m 的教学楼和普通的旅馆、办公楼、科研楼

对高层民用建筑进行分类，是个比较复杂的问题。《高层民用建筑设计防火规范（2001 年版）》(GB50045—95) 将性质重要、火灾危险性大、疏散和扑救难度大的高层建筑划为一类。在一类建筑中，有的同时具有划分根据的几个方面，有的则具有较为突出的一两个方面。如医院病房楼，不计高度皆列为一类。这是由病人行动不便、疏散困难这一特点决定的。又如办公楼、科研楼，重要的划分为一类；对于普通的，又根据高度不同分别划分为一类和二类。因为高度增加，疏散和扑救难度随之增大。对于高层住宅楼，出于类似的考虑也分为一、二类。

(二) 高层民用建筑耐火等级选定

根据高层民用建筑类别，《高层民用建筑设计防火规范（2001 年版）》(GB50045—95)

对选定耐火等级作了严格规定，耐火设计时应严格执行，详见表 2-13。

一类高层建筑的耐火等级应为一级，二类高层建筑的耐火等级不应低于二级。

裙房的耐火等级不应低于二级，高层建筑地下室的耐火等级应为一级。

在选定了建筑物的耐火等级后，必须保证建筑物的所有构件均满足该耐火等级对构件耐火极限和燃烧性能的要求。

第五节　高层工业建筑耐火设计

高层工业建筑系指建筑高度超过 24 m 的两层及两层以上的厂房、库房，以及建筑高度超过 24 m 的高架仓库。

一、高层工业建筑耐火等级划分

高层工业建筑的耐火等级分为两级，具体分类方法详见第三节相关内容。其构件的燃烧性能和耐火极限不应低于表 2-15 的规定。

表 2-15　建筑构件的燃烧性能和耐火极限

构件名称		燃烧性能和耐火极限(h)	
		耐火等级	
		一级	二级
墙	防火墙	不燃烧体 4.00	不燃烧体 4.00
	承重墙，楼梯间、电梯井的墙	不燃烧体 3.00	不燃烧体 2.50
	非承重外墙、疏散走道两侧的隔墙	不燃烧体 1.00	不燃烧体 1.00
	房间隔墙	不燃烧体 0.75	不燃烧体 0.50
柱	支承多层的柱	不燃烧体 3.00	不燃烧体 2.50
	支承单层的柱	不燃烧体 2.50	不燃烧体 2.00
梁		不燃烧体 2.00	不燃烧体 1.50
楼板		不燃烧体 1.50	不燃烧体 1.00
屋顶承重构件		不燃烧体 1.50	不燃烧体 0.50
疏散楼梯		不燃烧体 1.50	不燃烧体 1.00
吊顶(包括吊顶搁栅)		不燃烧体 0.25	难燃烧体 0.25

在划分高层工业建筑的耐火等级时应注意：

(1) 预制钢筋混凝土装配式结构，其节点缝隙或金属承重构件节点的外露部位，应作防火保护层，其耐火极限不应低于表 2-15 中相应建筑构件的规定。

(2) 二级耐火等级的建筑物吊顶，如采用不燃烧体时，其耐火极限不限。

(3) 在二级耐火等级的建筑中，面积不超过 100 m^2 的房间隔墙，如执行本表的规定有困难时，可采用耐火极限不低于 0.3 h 的非燃烧体。

(4) 二级耐火等级建筑内存放可燃物的平均重量超过 200 kg / m^2 的房间，其梁、楼板的耐火极限应符合一级耐火等级的要求，但设有自动灭火设备时，其梁、楼板的耐火极限可按二级耐火等级的要求执行。

(5) 厂房的非承重外墙为不燃烧体时，其耐火极限可降低到 0.25 h，为难燃烧体时，可降低到 0.5 h。

(6) 上人的二级耐火等级建筑的平屋顶，其屋面板的耐火极限不应低于 1 h。

(7) 二级耐火等级建筑的屋顶如采用耐火极限不低于 0.5 h 的承重构件有困难时，可采用无保护层的金属构件。但甲、乙、丙类液体火焰能烧到的部位，应采取防火保护措施。

(8) 建筑物的屋面应采用不燃烧体，但一、二级耐火等级的建筑，其不燃烧体屋面基层上可采用可燃卷材防水层。

二、高层工业建筑耐火等级选定

为了保障高层工业建筑的消防安全，并为其火灾后迅速修复使用创造条件，高层工业建筑的耐火等级不应低于二级，并宜采用一级。

甲类生产不应设在高层厂房内；甲、乙类生产均不应设在建筑物的地下室或半地下室内。

甲、乙类物品和闪点大于 60℃的液体不应以高层库房作为储存库房。

思考题

1. 何谓耐火等级?在建筑防火设计时提高耐火等级有何意义?
2. 按现行《建筑设计防火规范》如何进行建筑耐火设计?
3. 建筑构件按燃烧性能分为哪几类?
4. 何谓建筑构件的耐火极限?
5. 什么是火灾标准升温曲线?
6. 判断建筑构件达到耐火极限的条件是什么?
7. 提高建筑构件耐火极限和改变其燃烧性能的方法有哪些?
8. 从消防角度划分高层、非高层建筑的标准是什么?
9. 建筑物的耐火等级是如何划分的?各级的特点是什么?
10. 选定建筑物耐火等级应考虑哪些因素?
11. 民用建筑的耐火等级应如何选定?
12. 工业建筑的耐火等级应如何选定?
13. 生产和储存物品的火灾危险性分类特点是什么?

第三章 建筑防火分区

第一节 概 述

一、防火分区的定义和作用

建筑物的某空间发生火灾后，火势便会因热气体对流、辐射作用，或者是从楼板、墙壁的烧损处和门窗洞口向其他空间蔓延扩大开来，最后发展成为整座建筑的火灾。因而，对一定规模、面积大，或多层、高层的建筑而言，在一定时间内把火势控制在着火的一定区域内，是非常重要的。

所谓防火分区就是采用具有一定耐火性能的分隔构件划分的，能在一定时间内防止火灾向同一建筑物的其他部分蔓延的局部区域(空间单元)。在建筑物内采取划分防火分区这一措施，可以在建筑物一旦发生火灾时，有效地把火势控制在一定的范围内，减少火灾损失，同时可以为人员安全疏散、消防扑救提供有利条件。

防火分区的有效性已被许许多多的建筑火灾实例所证明。位于美国纽约由两幢高 411 m、110 层建筑组成的世界贸易中心大厦，于 1975 年 2 月 14 日发生火灾，这次火灾发生在北边大楼的 11 层，该层建筑面积的 20%被烧毁。由于防火墙隔开了一个方向相邻的两个房间，火灾烧到这里就停止了蔓延。而另一个方向两个房间之间的墙壁，从墙根到顶棚不是防火墙，因此延烧未能幸免。

划分防火分区对消防扑救和人员安全疏散也是十分有利的。消防队员为了迅速而有效地扑灭火灾，以便减少损失，常常采取堵截包围、穿插分割、最后扑灭火灾的方法。而防火分区之间的防火分隔物体本身就起着堵截包围的作用，它能将火灾控制在一定范围内，从而避免了扑救大面积火灾而带来的种种困难。在发生火灾时，起火防火分区以外的分区是较为安全的区域，因此，对于安全疏散而言，人员只要从着火防火分区逃出，其安全就相对地得到了较好的保障，确保了安全疏散的顺利进行。

二、防火分区的类型

1．水平防火分区

所谓水平防火分区，就是采用具有一定耐火能力的墙体、门、窗等水平防火分隔物，按规定的建筑面积标准，将建筑物各层在水平方向上分隔为若干个防火区域。其作用是防止火灾在水平方向蔓延扩大。

2．竖向防火分区

为了把火灾控制在一定的楼层范围内，防止其从起火层向其他楼层垂直蔓延，应沿建筑高度划分防火分区。由于竖向防火分区是以每个楼层为基本防火区域的，所以也称为层间防火分区。竖向防火分区主要是用具有一定耐火性能的钢筋混凝土楼板、上下楼层之间的窗间墙作分隔构件。

3．特殊部位和重要房间的防火分隔

用具有一定耐火性能的分隔物将建筑物内某些特殊部位和重要房间等加以分隔，可以使其不构成蔓延火灾的途径，防止火势迅速蔓延扩大，或者保证其在火灾时不受威胁，为火灾扑救、人员安全疏散创造可靠条件，保护贵重设备、物品，减少损失。特殊部位和重要房间包括：各种竖向井道，附设在建筑物内的消防控制室、固定灭火装置的设备室(如钢瓶间、泡沫间)、通风空调机房，设置贵重设备和储存贵重物品的房间，火灾危险性大的房间，避难间等。

防火分隔划分的范围大小、分隔的对象和分隔物的耐火性能要求与上述两类防火分区有些不同。

第二节　防火分区的分隔物构造和要求

防火分区的分隔物是防火分区的边缘构件，一般有防火墙、耐火楼板、甲级防火门、防火卷帘、防火水幕带、上下楼层之间的窗间墙、封闭和防烟楼梯间等。其中，防火墙、甲级防火门、防火卷帘和防火水幕带是水平方向划分防火分区的分隔物，而耐火楼板、上下楼层之间的窗间墙、封闭和防烟楼梯间属于垂直方向划分防火分区的防火分隔物。

一、防火墙

根据防火墙在建筑中所处的位置和构造形式，分为横向防火墙(与建筑平面纵轴垂直)、纵向防火墙(与平面纵轴平行)、室内防火墙、室外防火墙和独立防火墙等。

对防火墙的耐火极限、燃烧性能、设置部位和构造的要求是：

(1)防火墙应为不燃烧体，耐火极限不应低于 4.0 h，对高层民用建筑不应低于 3.0 h。

(2)防火墙应直接设置在基础上或耐火性能符合有关防火设计规范要求的梁上。设计防火墙时，应考虑防火墙一侧的屋架、梁、楼板等受到火灾的影响破坏时，不致使防火墙倒塌。

(3)防火墙应截断燃烧体或难燃烧体的屋顶结构，且应高出燃烧体或难燃烧体的屋面不小于 50 cm(图 3-1)。防火墙应高出不燃烧体屋面不小于 40 cm(图 3-1)。但当建筑物的屋盖为耐火极限不低于 0.5 h 的不燃烧体时，高层建筑屋盖为耐火极限不低于 1.0 h 的不燃烧体时，防火墙(包括纵向防火墙)可砌至屋面基层的底部，不必高出屋面(图 3-2)。

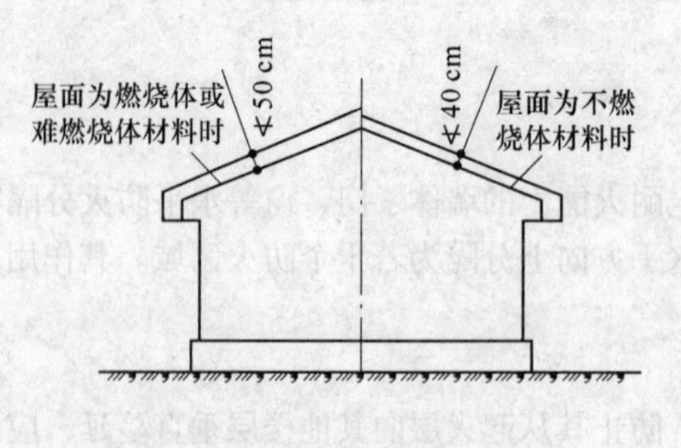

图 3-1　防火墙高度

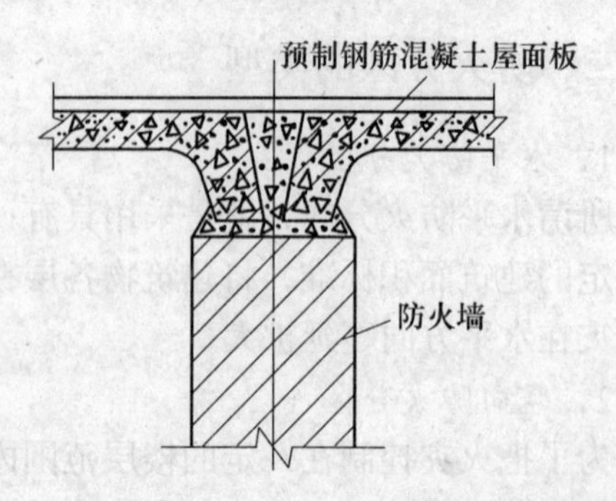

图 3-2　防火墙砌至屋面基层底部

(4) 建筑物的外墙如为难燃烧体时，防火墙应突出难燃烧体墙的外表面 40 cm(图 3-3)；防火带的宽度，从防火墙中心线起每侧不应小于 2 m(图 3-4)。幕带部位的上部和下部，不应有可燃和难燃的结构或设备。

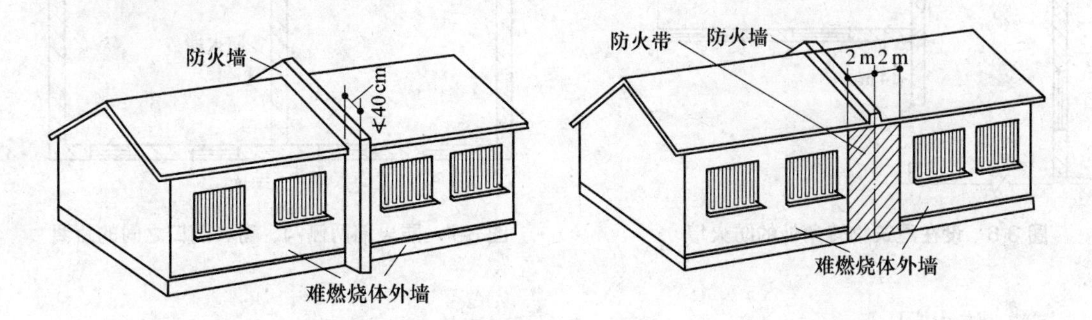

图 3-3　用防火墙分隔难燃烧体外墙　　图 3-4　用防火带分隔难燃烧体外墙

(5) 防火墙中心距天窗端面的水平距离小于 4 m，且天窗端面为燃烧体时，应将防火墙加高，使之超过天窗结构 40 ~ 50 cm，以防止火势蔓延(如图 3-5 所示)。

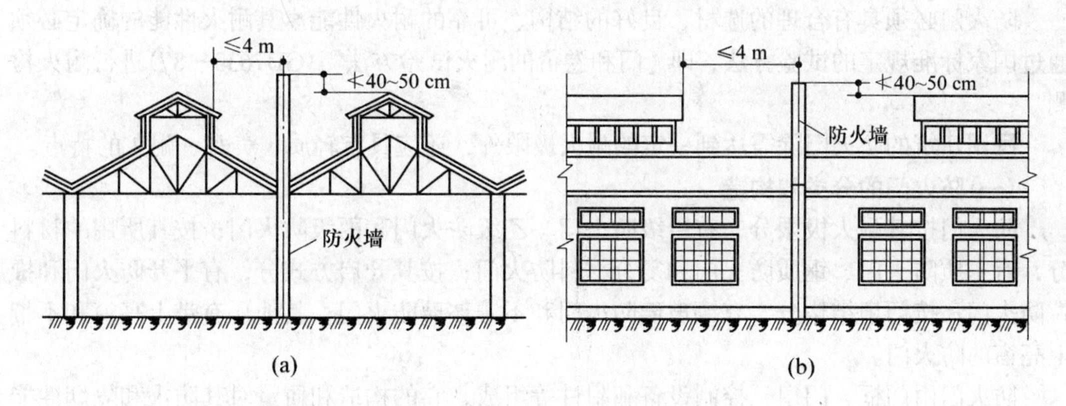

图 3-5　靠近天窗时的防火墙

(a) 与天窗平行时；(b) 与天窗垂直时

(6) 防火墙内不应设置排气道，民用建筑如必须设置时，其两侧的墙身截面厚度均不应小于 12 cm。

(7) 防火墙上不应开设门、窗、洞口，如必须开设时，应采用甲级防火门、窗(耐火极限 1.2 h)，并应能自行关闭。

(8) 输送可燃气体和甲、乙、丙类液体的管道不应穿过(高层民用建筑为严禁穿过)防火墙。其他管道不宜穿过防火墙，如必须穿过时，应采用不燃烧体将缝隙填塞密实。

穿过防火墙处的管道保温材料，应采用不燃烧材料。

(9) 建筑物内的防火墙不宜设在转角处。如设在转角附近，内转角两侧上的门、窗、洞口之间最近边缘的水平距离不应小于 4 m(图 3-6)；当相邻一侧装有固定乙级防火窗时，距离可不限。

(10) 紧靠防火墙两侧的门、窗、洞口之间最近边缘的水平距离不应小于 2 m(图 3-7)，如装有固定乙级防火窗时，可不受距离限制。

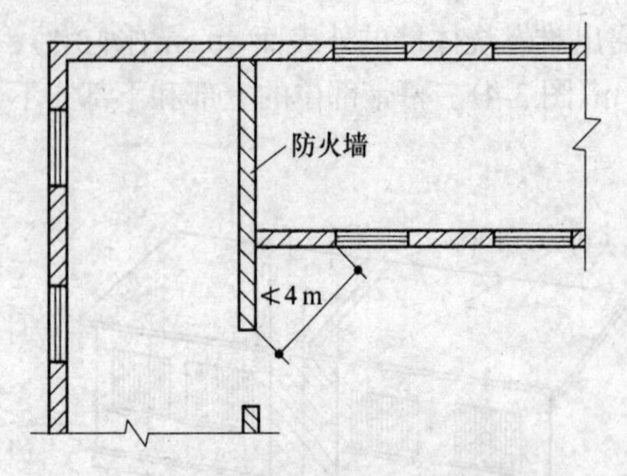

图 3-6　设在建筑物转角处的防火墙

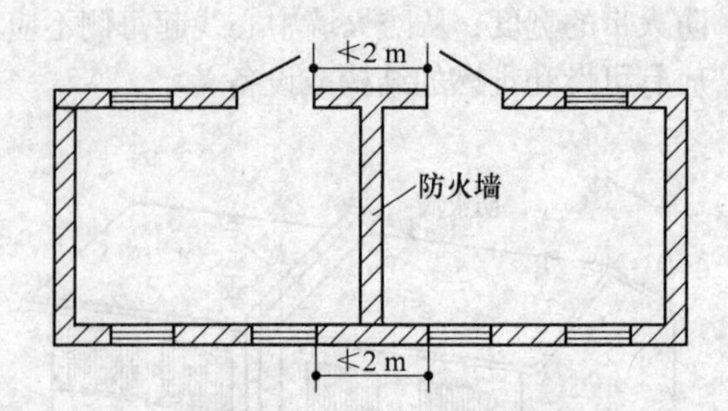

图 3-7　防火墙两侧门、窗、洞口之间的距离

二、防火门

防火门除具备普通门的作用外，还具有防火、隔烟的特殊功能。在建筑物的防火分区之间如需要通行时，应设置甲级防火门(耐火极限 1.2 h)。建筑物一旦发生火灾时，它能在一定程度上阻止或延缓火灾蔓延，确保人员安全疏散。

防火门必须具有合理的选材、良好的结构、可靠的耐火性能。其耐火性能的确定必须通过国家标准规定的试验方法，即《门和卷帘的耐火试验方法》(GB7633—87)进行耐火检测。

民用建筑的防火门除需达到一定的耐火极限外，还应具有轻质、美观、耐久的特点。

(一)防火门的分类和构造

防火门按其耐火极限分，有甲级防火门、乙级防火门和丙级防火门；按其所用的材料分，有木质防火门、钢质防火门和复合材料防火门；按其开启方式分，有平开防火门和推拉防火门；按门扇结构分，有镶玻璃防火门和不镶玻璃防火门；其他还有带上亮窗和不带上亮窗的防火门。

防火门由门框、门扇、控制设备和附件等组成，它的构造和质量对其防火和隔烟性能都有直接影响。确定防火门的耐火极限，主要是看门的稳定性、完整性是否被破坏和是否失去隔火作用。这主要与门扇的材料、构造、抗火烧能力(在一定时间内不垮塌、不发生穿透裂缝或孔洞)，门扇与门框之间的间隙、门扇的热传导性能，以及所选用的铰链等附件等有关。

各级防火门其最低耐火极限分别为：甲级防火门 1.20 h，乙级防火门 0.90 h，丙级防火门 0.60 h。通常甲级防火门用于防火墙上；乙级防火门用于疏散楼梯间；丙级防火门用于管道井等检查门。

我国常用的防火门有单扇或双扇的钢质防火门；单扇或双扇嵌夹丝玻璃钢质防火门、单扇或双扇嵌透明复合玻璃钢质防火门；单扇或双扇木质防火门、单扇或双扇嵌夹丝玻璃木质防火门、单扇或双扇嵌透明复合玻璃木质防火门；单扇玻璃钢防火门、单扇嵌夹丝玻璃钢防火门；全玻璃(复合玻璃)防火门；复合材料防火门等品种。

1．单扇钢质防火门

工业用钢质防火门多为无框门(没有门框)。门扇由薄壁型钢或角钢制成框架，两面焊贴厚度为 1.5 mm 以上的冷轧薄钢板，内填矿棉，门厚 60 mm。火灾时，门在平衡锤吊绳(易熔片系于绳的中段)断开后靠其自重沿斜轨下滑关闭，耐火极限可达 1.5 h(如图 3-8)。

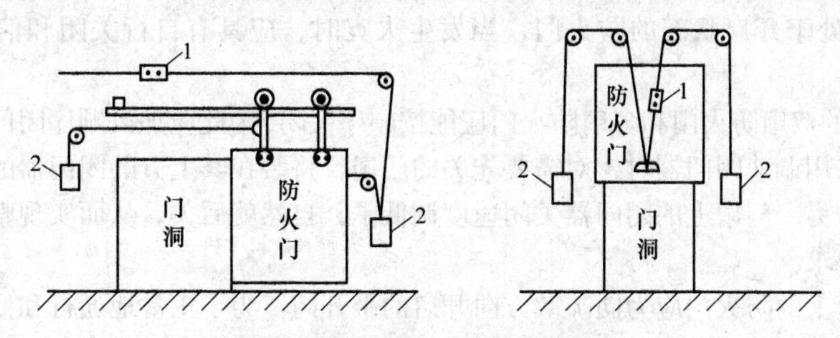

图 3-8　装有易熔合金元件的防火门

1—易熔合金元件；2—重锤

民用钢质防火门多为有框门。门框用 1.5 mm 冷轧薄钢板折弯成型。在中间的空腔中填满水泥砂浆或珍珠岩水泥砂浆；镶嵌在门洞中时与预埋铁件焊接；在门框与门扇的接合缝处设置能耐高温的密封条。门扇多用 0.8 ~ 1.0 mm 冷轧钢板卷边与加强筋点焊制成，空腔中以硅酸铝纤维毡或岩棉加硅酸钙板填实，门的标准厚度为 45 mm。填料若需拼接，宜用榫接，不宜对接。为避免高温时填料体积收缩致使门的耐火性能下降，填充时应加高温胶粘剂。

2．双扇钢质防火门

门框及门扇的构造与单扇钢质防火门相同。需注意的是，门锁应有一定的耐火性能，特别是锁舌，不应在火灾初期就被烧熔；铰链应有足够的强度，否则门扇容易掉角，使门缝局部扩大，失去隔火作用。双扇门的中缝是薄弱环节，门扇变形往往是中缝首先扩大，致使火灾蔓延。处理方法：一是将中缝做成半榫搭接；二是在中缝搭接的内拐角处设置密封条。

对于双扇门须装设闭门器和顺序器。常开防火门，必须加设释放器。

3．单扇木质防火门

门框所用木料需经浸渍阻燃处理，或成型后涂刷防火涂料。在门框与门扇的接合缝处嵌密封条，以阻止烟火从门缝隙处蔓延。门扇由面板、骨架及填芯材料组合而成。两面的面板用浸渍处理过的五层胶合板制成；中间的木骨架形成框档，在其中填充陶瓷棉、岩棉，并压实。对填充料拼接及填充时的要求与钢制防火门相同。门扇的标准厚度为 45 ± 2 mm。

4．双扇木质防火门

门框及门扇的构造与单扇木质防火门相同。对门锁、铰链和中缝的要求与双扇钢质防火门相同。木质防火门由于自重轻、制作较为简便和装修效果好，因此应用较广泛。木板铁皮门和钢质防火门则主要在厂房、仓库中使用。

(二)防火门的一般要求

防火门是一种活动的防火分隔物，不但要求具有较高的耐火极限，而且对它的构造、安装等方面都有一些要求，这就是应做到关闭紧密，不窜烟火；启闭性能好；木质防火门和含有木构件的难燃烧体防火门应设泄气孔；安装位置要合适等。

防火门的启闭性能应做到以下几点：

(1)在疏散走道和楼梯间的防火门应具有自动关闭的功能，火灾时应能迅速关闭，并可随时开启。譬如设置与防火门释放开关配套使用的闭门器，当防火门释放开关断开以后，闭开器应立即把门推至关闭位置，以阻止火势通过门洞蔓延。

⑵关闭后很难或不能随时开启的防火门，应在门扇上加开活动小门。

⑶经常处于开启状态的防火门，当发生火灾时，应具有自行关闭和信息反馈的功能。

⑷搭接的双扇防火门和多扇防火门应能按顺序关闭，为此应加设顺序闭门器或采用调速闭门器。采用调速闭门器时，对需要先关的门扇，将装在其上方的闭门器的关闭速度调高即可先关；另一门扇上的闭门器关闭速度调低了，自然就后关，从而实现整扇防火门按顺序关闭的要求。

疏散通道上的防火门应为向疏散方向开启的平开门。为了正常地通行和便于使用，在一般情况下，防火门是敞开着的。起火时由于人们急于抢救物资和逃命，最后，往往忘记关闭防火门；或者关门机构生锈失效；对于标准较高的高层旅馆等建筑物，走廊里都铺有地毯，使防火门关闭时受阻，这样就导致火灾的扩大蔓延。为了保证防火门能够在火灾时自动关闭，最好采用自动关门装置，如设与感烟、感温探测器联动的关门装置，或者弹簧自动关门装置。

目前，国内已开始采用与火灾探测器联动、由防灾中心遥控操纵的自动关闭的防火门。通常，由门扣把门固定在墙上，门是敞开的，当火灾探测器发现火灾，将信息输送到防灾中心，再由防灾中心通过控制电路启动关门装置的磁力开关；磁力开关动作使门脱扣，防火门自行关闭。

用于防火墙上的甲级防火门，宜做成自动兼手动的平开门或推拉门，并且关门后能从门的任何一侧用手开启，也可在门上装设便于通行的小门。用于疏散通道（如楼梯间）上的乙级防火门，宜做成单向开启的带有闭门器的防火门，以便紧急疏散时，人们离开后门能自行关闭，有效地防止火灾蔓延。

（三）防火门的适用范围及选用

根据建筑不同部位的分隔要求设置不同耐火极限的防火门。防火门主要用于下列场合：

⑴在防火墙上，不应开设门窗洞口，如必须开设时，应设置耐火极限不低于 1.2 h 的甲级防火门窗。

⑵对于附设在高层民用建筑内的固定灭火装置的设备室、通风、空调机房等，应采用不低于规定的耐火极限的隔墙与其他部位隔开，隔墙的门应采用耐火极限为 1.2 h 的甲级防火门（对非高层建筑为 0.9 h 的乙级防火门）。

⑶地下室、半地下室的楼梯间的防火墙上开洞时，应采用耐火极限为 1.2 h 的甲级防火门。

⑷燃油、燃气的锅炉，可燃油油浸电力变压器，充有可燃油的高压电容器和多油开关等设在高层民用建筑或裙房内时，其分隔墙上必须开门时应设甲级防火门。

⑸设在高层民用建筑或裙房内的柴油发电机房的储油间应采用防火墙与发电机间隔开；当必须在防火墙上开门时，应设置能自行关闭的甲级防火门。

⑹消防电梯井、机房与相邻电梯井机房之间隔墙上开门时应为甲级防火门。

⑺防烟楼梯间和通向前室的门，高层民用建筑封闭楼梯间的门，消防电梯前室的门应为乙级防火门。并应向疏散方向开启。

⑻高层民用建筑中竖向井道的检查门应为丙级防火门。

三、防火卷帘

用做建筑防火分区或防火分隔的防火卷帘，与一般卷帘在性能要求上的根本区别是，它必须具备必要的燃烧性能和耐火极限，以及防烟性能等。

(一)防火卷帘的分类和构造

防火卷帘是一种活动的防火分隔物，一般是用钢板等金属板材，以扣环或铰接的方法组成可以卷绕的链状平面，平时卷起放在需要分隔的部位上方的转轴箱中，起火时将其放下展开，用以阻止火势从该部位蔓延。

防火卷帘按帘板的厚度分为轻型卷帘和重型卷帘。轻型卷帘钢板的厚度为 0.5 ~ 0.6 mm；重型卷帘钢板的厚度为 1.5 ~ 1.6 mm。重型卷帘一般适用于防火墙或防火分隔墙上。

防火卷帘按帘板构造可分为普通型、钢质防火卷帘和复合型钢质防火卷帘。

前者由单片钢板制成，如图 3-9（a）、（b）；后者由双片钢板制成，中间加隔热材料，如图 3-9（c），代替防火墙时，如耐火极限达到 3.0 h 以上，可省去水幕保护系统。

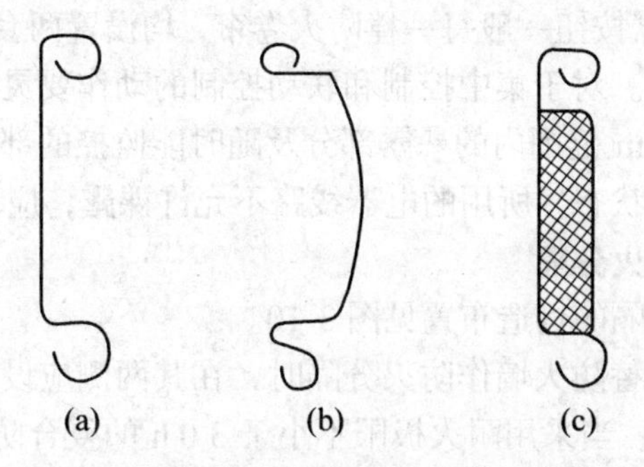

图 3-9　防火卷帘示意图

防火卷帘由帘板、滚筒、托架、导轨及控制机构组成。整个组合体包括封闭在滚筒内的运转平衡器、自动关闭机构、金属罩及帘板等部分。由帘板阻挡烟火和热气流。

卷帘的卷起方法有电动式和手动式两种。手动式常采用拉链控制。电动式卷帘是在转轴处安装电动机，电动机由按钮控制，一个按钮可以控制一个或几个卷帘门，也可以对所有卷帘进行远距离控制。

(二)防火卷帘的防火要求

(1)导轨应留有足够间隙，以保证受火作用时导轨垂直方向上的膨胀变形。安装在边框之间的导轨可以外露也可以在凹处暗装。导轨、卷帘箱、卷帘门扇接缝处等缝隙应该采取密封措施，防止窜烟火。对用做划分防火分区和其他重要部位的防火卷帘的漏烟量要求是，压力差为 20 Pa 时其小于 0.2 m^3 /（m^2 · min）。

(2)防火卷帘的自动启闭机构应在金属外壳内封闭，以保证不受损坏和在火灾时能正常运转。

(3)防火卷帘的自动启动探测器，或易熔环(片)应在墙的两面安装(一个靠近洞口的顶部安装，另一个在墙两侧的天花板上或靠近天花板处安装)，并和卷帘的开关联系起来，这样，任何一个探头或易熔环的动作都将使卷帘关闭。

(4)用防火卷帘代替防火墙时，其两侧应设水幕系统保护，或采用耐火极限不小于 3.0 h

的复合防火卷帘。

(5)设在疏散走道和前室的防火卷帘，应具有在降落时有短时间停滞以及能从两侧手动控制的功能，以保障人员安全疏散；应具有自动、手动和机械控制的功能。

防火卷帘的传动传置为卷门机，起驱动卷帘门的作用。根据消防的需要，卷门机形式分为电动式、手动电动两用式以及手动式三种。对卷门机一般要求具备以下功能及要求：

①应设置限位开关，门帘启闭至上下限时，能自动停止，其重复定位精度应小于 20 mm；应设有手动启闭装置，以备断电时使用；

②应具有依靠门帘自重下降的性能，并且有恒速性能；

③能使门帘在任何位置停止。可以附设以下控制保险装置，即联动装置、手动速放关闭装置、烟温感自动报警装置等。对于用在疏散走道、出口的防火卷帘门所选用的卷门机及电器控制箱，应具有距地面 1.5 ~ 1.8 m 处停降延时的功能，两侧设有手动开启装置。

(6)为保证火灾初起时人员的安全疏散及消防人员顺利扑救火灾，防火卷帘应有一定的启闭速度。

(7)控制卷门机的电器按钮一般每一樘防火卷帘，均设置两套，即门洞内外各一套，按钮要启动操纵灵活、可靠。对于集中控制和联动控制的动作要灵敏准确。自动控制的保险装置应安装在卷帘附近 2 m 范围内的暴露部分及随时能监控的部分；自动控制的电源，备用电源应能保证正常工作状态，所用的电器线路不允许裸露，应埋入墙内或有穿管。

(三)用防火卷帘作防火分隔

用防火卷帘作防火分隔的构造布置见图 3-10。

采用单板防火卷帘代替防火墙作防火分隔时，在其两侧应设自动喷水灭火系统保护，其喷头间距不应大于 2 m；当采用耐火极限不小于 3.0 h 的复合防火卷帘，且两侧在 50 cm 范围内无可燃构件和可燃物时，可不设自动喷头保护。

公共建筑中某些大厅的防火分隔：百货大楼的营业厅、展览馆内的展览厅等，不便设置防火墙或防火分隔墙的地方，最好利用防火卷帘，把大厅分隔成较小的防火分区。

在穿堂式建筑物内，可在房间之间的开口处设置上下开启或横向开启的卷帘。在多跨的大厅内，可将防火分区的界线放在一排中柱的轴线上，在柱间把卷帘固定在梁底下。起火后，放下卷帘，便形成一道临时性的防火分隔，如图 3-11 中虚线所示。

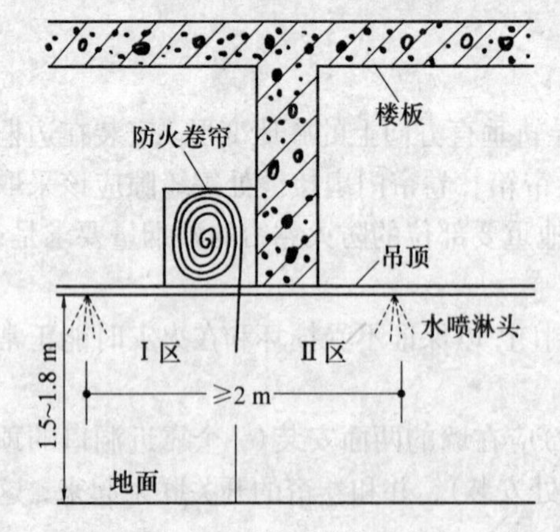

图 3-10　用防火卷帘作防火分隔剖面示意图

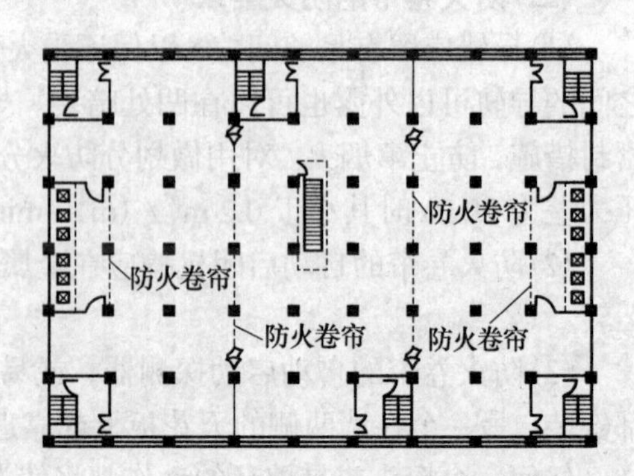

图 3-11　营业大厅的防火分隔

(四)防火卷帘的安装和使用要求

防火卷帘是通过门洞及墙体上的预埋件安装的。安装时，先将垫板焊接在预埋件上，再用螺栓固定卷筒支架，并安放卷筒轴。卷筒的回转中心应水平且运转灵活；安装卷门机及电控部分后，应进行无负荷试运转检查；合格后，再将卷帘板安装在卷轴上，并进行负荷试运转；合格后，再将卷帘板安装导轨，要求无卡死、阻滞、限位不准及异常噪声。

防火卷帘在安装完成后，要进行检查验收。防火卷帘在平时必须处于正常使用状态，遇火灾时，才能发挥作用。因此，应委托专业管理公司负责检查和管理维护，并每月运行检查不少于 2 次；电器控制应灵活可靠，机械传动正常；发现故障，必须及时排除；防火卷帘下面严禁堆放货物、杂品等，以防火灾时卷帘落不到底，造成火灾蔓延。

四、防火窗

防火窗是采用钢窗框、钢窗扇及防火玻璃(防火夹丝玻璃或防火复合玻璃)制成的，能起隔离和阻止火势蔓延作用的防火分隔物。

防火窗按照安装方法可分固定窗扇防火窗和活动窗扇防火窗两种。固定窗扇防火窗，不能开启，平时可以采光，遮挡风雨，发生火灾时可以阻止火势蔓延。活动窗扇防火窗，能够开启和关闭，起火时可以自动关闭，阻止火势蔓延，开启后可以排除烟气，平时还可以采光和遮挡风雨。为了使防火窗的窗扇能够开启和关闭，需要安装自动和手动开关装置。

防火窗按耐火极限可分为甲、乙、丙三级，其耐火极限甲级为 1.2 h；乙级为 0.9 h；丙级为 0.6 h。

五、防火水幕带

防火水幕带可以起防火墙的作用，在某些需要设置防火墙或其他防火分隔物而无法设置的情况下，可采用防火水幕带进行分隔。

防火水幕带宜采用喷雾型喷头，也可采用雨淋式水幕喷头。水幕喷头的排列不应少于 3 排，防火水幕带形成的水幕宽度不宜小于 5 m，形成的水幕距洞口尺寸不宜小于 2.5 m，如图 3-12 所示。应该指出的是，在设有防火水幕带的部位的上部和下部，不应有可燃和难燃的结构和设备。

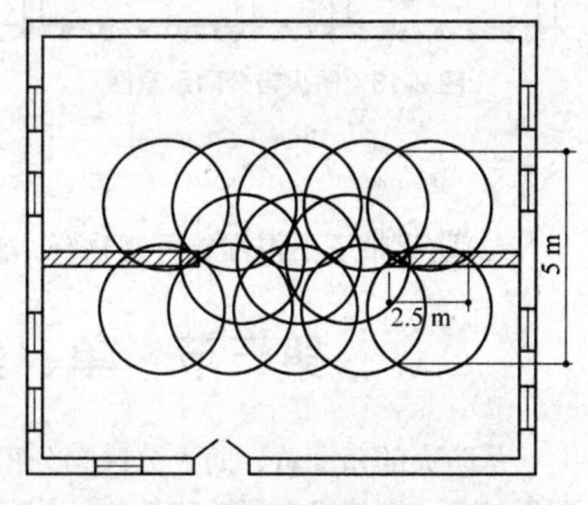

图 3-12　防火水幕带分隔示意图

六、上、下层窗间墙(窗槛墙)

为了防止火灾从外墙窗口向上层蔓延，一个最有效的办法就是增高上、下楼层间窗间墙，即窗槛墙的高度，或在窗口上方设置挑檐。在《建筑设计防火规范(2001 年版)》(GBJ16—87)中，虽然规定了划分防火分区的各种要求，但对于防止火灾通过外墙窗口向上层蔓延并没有规定明确的防范技术措施。然而这一部位又恰恰是火灾向上层蔓延的最危险部位。火灾实例说明，窗槛墙的高度如果小于 1 m，则很难起到防火作用。参照国外有关资料，建议窗槛墙高度不宜小于 1.2 m；若窗口上方设防火挑檐时，其挑出墙面的宽度不宜小于 0.5 m，檐板的长度应大于窗宽 1.2 m。设防火挑檐时的窗槛墙高度可减小，但其高度和挑檐宽度之和不应小于 1.2 m。防火挑檐可视具体情况灵活设置，并应采用不燃性材料制作，具有一定的耐火性能。

七、耐火楼板和防烟、封闭楼梯间

这两者均属于垂直方向划分防火分区的分隔物(防烟、封闭楼梯间的主要功能是保证人员安全疏散)。凡符合建筑耐火设计要求的楼板则为耐火楼板，即一级耐火等级建筑物的楼板应为不燃烧体，耐火极限应在 1.5 h 以上；二级耐火等级建筑物应为不燃烧体，耐火极限应在 1.0 h 以上。防烟、封闭楼梯间其墙体和门都有一定的耐火性能要求，具有一定的防烟火作用。所以按规范要求设置了这两种楼梯间时则可以很好地起到防止火灾通过楼梯间向上层蔓延的作用。

八、防火带

当厂房内由于生产工艺连续性的要求等原因，无法设防火墙时，可以改设防火带。防火带的具体做法：在有可燃构件的建筑物中间划出一段区域，将这个区域内的建筑构件全部改用不燃性材料，并采取措施能阻挡防火带一侧的烟火不会流窜至另一侧，从而起到防火分隔的作用。对防火带的要求是：

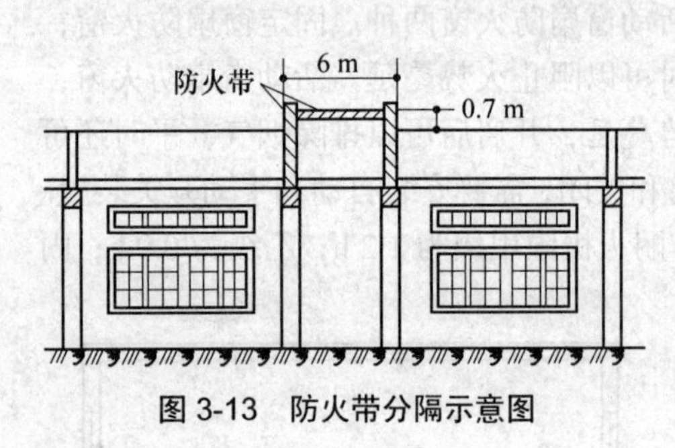

图 3-13 防火带分隔示意图

(1) 防火带中的屋顶结构应用不燃性材料制作，其宽度不应小于 6 m，并高出相邻屋脊 0.70 m，如图 3-13 所示。

(2) 防火带最好设置在厂房、仓库内的通道部位，以利于火灾时的安全疏散和扑救工作。

(3) 防火带下不得堆放可燃物资，或搭建可燃建(构)筑物。

第三节 单、多层建筑防火分区设计

从防火的角度看，防火分区划分得越小，越有利于保证建筑物的防火安全。但如果划分得过小，则势必会影响建筑物的使用功能，这样做显然是行不通的。防火分区面积大小的确定应考虑建筑物的使用性质、重要性、火灾危险性、建筑物高度、消防扑救能力以及火灾蔓延的速度等因素。

关于防火分区最大允许面积各国均作了具体规定：美国为 1 400 m^2；法国规定每个防火分区最大允许面积为 2 500 m^2；原西德规定高层住宅每隔 30 m 设一道防火墙，一般高层建筑每隔 40 m 设一道防火墙；苏联规定非单元式住宅每个分区面积为 500 m^2(地下室与此相同)；日本规定比较详细，对一座建筑物的高、低层部分分别对待：10 层以下每个防火分区面积为 1 500 m^2，11 层及以上则按室内装修材料燃烧性能分别规定为 500 m^2、200 m^2、100 m^2。

对比之下日本的规定更为合理。虽然各国划定防火分区的面积有一定的差别，但其目的和基本做法是一致的。

我国现行《建筑设计防火规范(2001 年版)》(GBJ16—87)对建筑的防火分区面积作了规定，在设计时必须结合工程实际，严格执行。

一、民用建筑防火分区

民用建筑防火分区面积是以建筑面积计算的。每个防火分区的最大允许建筑面积应符合表 3-1 的要求。

表 3-1　民用建筑的耐火等级、层数、长度和建筑面积

耐火等级	最多允许层数	防火分区间		备　注
		最大允许长度(m)	每层最大允许建筑面积(m^2)	
一、二级	见(GBJ16—87)1.0.3 条规定	150	2 500	1.体育馆、剧院、展览建筑等的观众厅、展览厅长度和面积可以根据需要确定 2.托儿所、幼儿园的儿童用房及儿童游乐厅等儿童活动场所不应设置在四层及四层以上或地下、半地下建筑内
三级	5 层	100	1 200	1.托儿所、幼儿园的儿童用房及儿童游乐厅等儿童活动场所和医院、疗养院的住院部分不应设置在三层及三层以上或地下、半地下建筑内 2.商店、学校、电影院、剧院、礼堂、食堂、菜市场不应超过二层
四级	2 层	60	600	学校、食堂、菜市场、托儿所、幼儿园、医院等不应超过一层

注：①重要的公共建筑应采用一、二级耐火等级的建筑。商店、学校、食堂、菜市场如采用一、二级耐火等级的建筑有困难，可采用三级耐火等级的建筑。

②建筑物的长度，系指建筑物各分段中线长度的总和。如遇有不规则的平面而有各种不同量法时，应采用较大值。

③建筑内设置自动灭火系统时，每层最大允许建筑面积可按本表增加 1 倍。局部设置时，增加面积可按该局部面积 1 倍计算。

④防火分区间应采用防火墙分隔，如有困难时，可采用防火卷帘和水幕分隔。

⑤托儿所、幼儿园及儿童游乐厅等儿童活动场所应独立建造。当必须设置在其他建筑内时，宜设置独立的出入口。

在进行防火分区设计时应注意以下几点：

(1)防火分区间应采用防火墙分隔，如有困难时，可采用复合防火卷帘(3.0 h 以上)、防火卷帘加水幕和防火水幕带分隔。防火墙上设门窗时，应采用甲级防火门窗，并应能自行关闭。

(2)建筑内设有自动灭火系统时，每层最大允许建筑面积可按表 3-1 增加 1 倍。局部设置时，增加面积可按该局部面积 1 倍计算。

(3)托儿所、幼儿园及儿童活动场所应独立建造，当必须设置在其他建筑物内时，宜设置独立的出入口。

(4)歌舞厅、录像厅、夜总会、放映厅、卡拉 OK 厅(含具有卡拉 OK 功能的餐厅)、游艺厅(含电子游艺厅)、桑拿浴室(除洗浴部分外)、网吧等歌舞娱乐放映游艺场所(以下简称歌舞娱乐放映游艺场所)，宜设置在一、二级耐火等级建筑内的首层、二层或三层的靠外墙部位，不应设置在袋形走道的两侧或尽端。当必须设置在建筑的其他楼层时，尚应符合下列规定：

①不应设置在地下二层及二层以下。当设置在地下一层时，地下一层地面与室外出入口地坪的高差不应大于 10 m；

②一个厅、室的建筑面积不应大于 200 m^2；

③应设置防烟、排烟设施。对于地下房间、无窗房间或有固定窗扇的地上房间，以及超过 20 m 且无自然排烟的疏散走道或有直接自然通风、但长度超过 40 m 的疏散内走道，应设机械排烟设施。

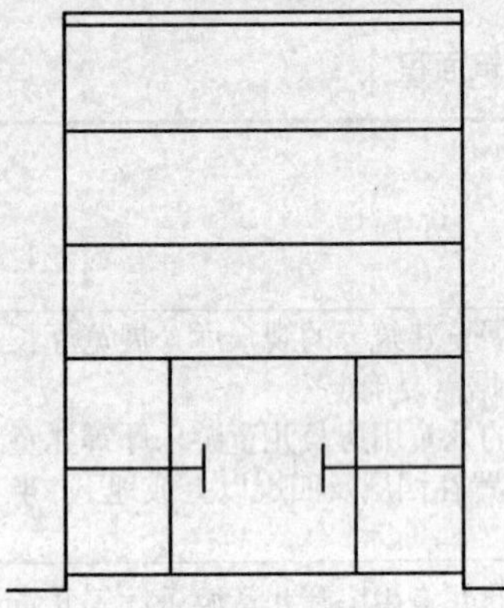

图 3-14　走马廊上、下连通层

(5) 建筑物内如设有上下层相连通的走马廊(图 3-14)、自动扶梯等开口部位时，应按上、下连通层作为一个防火分区，其建筑面积之和不宜超过表 3-1 的规定。

但多层建筑的中庭，当房间、走道与中庭相通的开口部位，设有可自行关闭的乙级防火门或防火卷帘；与中庭相通的过厅、通道等处，设有乙级防火门或卷帘；中庭每层回廊设有火灾自动报警系统和自动喷水灭火系统；以及封闭屋盖设有自动排烟设施时，中庭上下各层的建筑面积可不叠加计算。

(6) 地下室、半地下室发生火灾时，人员不易疏散，消防人员扑救困难，故对其防火分区面积应控制得严一些，规定建筑物的地下室、半地下室应采用防火墙划分防火分区，其面积不应超过 500 m^2。当设置自动灭火系统时，每个防火分区的最大允许建筑面积可增加到 1 000 m^2，局部设置时，增加面积按该局部面积的 1 倍计算。

(7) 地下商店应符合下列要求：

①营业厅不宜设置在地下三层及三层以下，且不应经营和储存火灾危险性为甲、乙类储存物品属性的商品；

②当设置火灾自动报警系统和自动喷水灭火系统，且建筑内部装修符合现行国家标准《建筑内部装修设计防火规范》（GB50222—95）的规定时，其营业厅每个防火分区的最大允许建筑面积可增加到 2 000 m^2。当地下商店总建筑面积大于 20 000 m^2 时，应采用防火墙分隔，且防火墙上不应开设门窗洞口；

③应设置防烟、排烟设施。防烟、排烟设施的设计应按现行国家标准《人民防空工程设计防火规范》（GB50098）的规定执行。

二、厂房的防火分区

厂房每个防火分区面积的最大允许占地面积应符合表 2-11 的要求。表中最大允许占地面积系指每层允许最大建筑面积。

三、库房的防火分区

库房及其每个防火分区的最大允许建筑面积应符合表 2-12 的要求。在进行防火分区设计时应注意以下几点：

(1) 防火分区间应采用防火墙分隔，其上开设门窗时，应采用甲级防火门窗。

(2) 独立建造的硝酸铵库房、电石库房、聚乙烯库房、尿素库房、配煤库房以及车站、码头、机场内的中转仓库，其建筑面积可按表 2-12 的规定增加 1 倍，但耐火等级不应低于二级。

(3)设有自动灭火系统的库房，其建筑面积可按表 2-12 及上述第(2)项的规定增加 1 倍。

(4)石油库内桶装油品库房面积可按现行的国家标准《石油库设计规范》执行。

(5)煤均化库防火分区最大允许建筑面积可为 12 000 m^2，但耐火等级不应低于二级。

(6)一、二级耐火等级的冷库，每座库房的最大允许建筑面积和防火墙间面积应符合表 3-2 的要求。

表 3-2　冷库最大允许建筑面积　（单位：m^2）

库房的耐火等级	最大允许层数	单层		多层	
		每座库房	防火墙间隔	每座库房	防火墙间隔
一、二级	不限	6 000	3 000	4 000	2 000
三级	3	2 000	700	1 200	400

注：多层冷库面积系指每层允许最大建筑面积。

(7)在同一座库房或同一个防火墙间内如储存数种火灾危险性不同的物品时，其库房或隔间的最大允许建筑面积，应按其中火灾危险性最大的物品确定。

四、特殊部位和房间的防火分隔和布置

防火分隔物主要有耐火隔墙、耐火楼板、防火门(甲、乙、丙级防火门)、防火卷帘等。主要分隔的部位、房间及其防火分隔要求是：

(1)电梯井和电梯机房的墙壁等均应采用耐火极限不低于 1 h 的不燃烧体。

(2)建筑物内的管道井、电缆井应每隔 2 ~ 3 层在楼板处用耐火极限不低于 0.5 h 的不燃烧体封隔，其井壁应采用耐火极限不低于 1 h 的不燃烧体(如图 3-15 所示)。井壁上的检查门应采用丙级防火门。

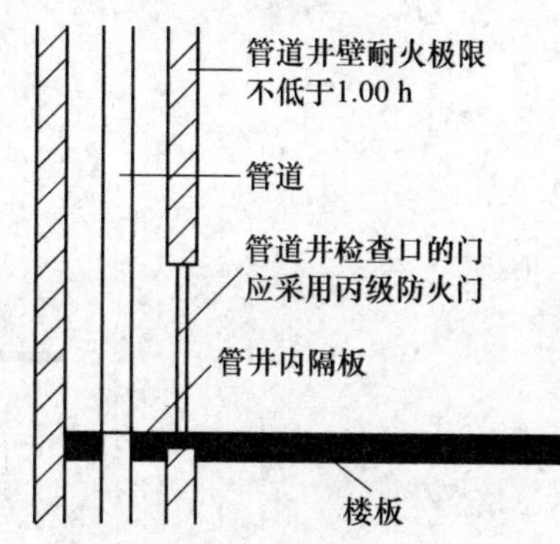

图 3-15　竖向管井的防火分隔

(3)附设在建筑物内的消防控制室、固定灭火装置的设备室(如钢瓶间、泡沫液间)、通风空气调节机房应采用耐火极限不低于 2.5 h 的隔墙和 1.5 h 的楼板与其他部位隔开。隔墙上的门应采用乙级防火门。

设在丁、戊类厂房中的通风机房，应采用耐火极限不低于 1 h 的隔墙和 0.5 h 的楼板与其他部位隔开。

(4)总蒸发量不超过 6 t，单台蒸发量不超过 2 t 的锅炉，总容量不超过 1 260 kVA，单台容量不超过 630 kVA 的可燃油油浸电力变压器以及充有可燃油的高压电容器和多油开关等，可贴邻民用建筑(除观众厅、教室等人员密集的房间和病房外)布置，但必须采用防火墙隔开。

上述房间不宜布置在主体建筑内，如受条件限制必须布置时，应采取下列防火措施：

①不应布置在人员密集的场所的上面、下面或贴邻，并应采用无门窗洞口的耐火极限不低于 3 h 的隔墙(包括变压器室之间的隔墙)和 1.5 h 的楼板与其他部位隔开，如必须开门时，应设甲级防火门。

变压器与配电间之间的隔墙应设防火墙。

②锅炉房、变压器室应布置在首层外墙部位，并应在外墙上开门。首层的外墙开口部位的上方均应设置宽度不小于 1 m 的防火挑檐，或高度不小于 1.50 m 的窗间墙。

③变压器下面应有储存变压器全部油量的事故储油设施。多油开关室、高压电容器室均应设有防止油品流散的设施。

(5) 存放和使用化学易燃易爆物品的商店、作坊和储藏间，严禁附设在民用建筑内。

住宅建筑的底层如设有商业服务网点时，应采用耐火极限不低于 3 h 的隔墙和耐火极限不低于 1 h 的不燃烧体楼板与住宅分隔开。

商业服务网点的安全出口必须与住宅部分隔开。

(6) 变电所、配电所不应设在有爆炸危险的甲、乙类厂房内或贴邻建造，但供上述甲、乙类厂房专用的 10 kV 及以下的变电所、配电所，当采用无门窗洞口的防火墙隔开时，可一面贴邻建造。

乙类厂房的配电所必须在防火墙上开窗时，应设不燃烧体的密封固定窗。

(7) 多功能的多层或高层厂房内，可设丙、丁、戊类物品库房，但必须采用耐火极限不低于 3 h 的不燃烧体墙和 1.5 h 的不燃烧体楼板与厂房隔开，库房的耐火等级和面积应符合表 2-12 的规定。

(8) 甲、乙类生产厂房和甲、乙类物品库房不应设在建筑物的地下室或半地下室内。

(9) 厂房内设甲、乙类物品的中间仓库时，其储量不宜超过一昼夜的需要量。

中间仓库应靠外墙布置，并应采用耐火极限不低于 3 h 的不燃烧体墙和 1.5 h 的不燃烧体楼板与其他部分隔开。

(10) 甲、乙、丙类液体库房，应设置防止液体流散设施。遇水燃烧爆炸的物品库房，应设有防止水浸渍损失的设施，如图 3-16 所示。

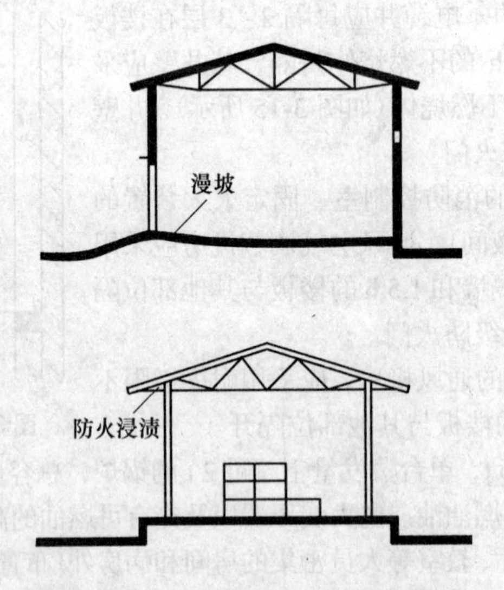

图 3-16 防止液体流散与水浸渍做法

(11) 除一、二级耐火等级的戊类多层库房外，供垂直运输物品的升降机，宜设在库房外。当必须设在库房内时，应设在耐火极限不低于 2.00 h 的井筒内，井筒壁上的门应采用乙级防火门。

(12) 甲、乙类库房内不应设置办公室。设在丙、丁类库房内的办公室、休息室应采用耐火极限不低于 2.50 h 的不燃烧体隔墙和 1.00 h 的楼板分隔开，其出口应直通室外或疏散走道。

(13) 在单元式住宅中单元之间的墙应为耐火极限不低于 1.5 h 的不燃烧体，并应砌至屋面板底部。

(14) 剧院等建筑的舞台与观众厅之间的隔墙，应采用耐火极限不低于 3.5 h 的不燃烧体。

舞台口上部与观众厅闷顶之间的隔墙，可采用耐火极限不低于 1.5 h 的不燃烧体，隔墙上的门应采用乙级防火门。

电影放映室(包括卷片室)应用耐火极限不低于 1 h 的不燃烧体与其他部分隔开，观察孔和放映孔应设阻火闸门。

(15) 医院中的手术室，居住建筑中的托儿所、幼儿园，应用耐火极限不低于 1 h 的不燃烧体与其他部分隔开。

(16) 下列建筑或部位的隔墙，应采用耐火极限不低于 1.5 h 的不燃烧体。①甲、乙类厂房和使用丙类液体的厂房；②有明火和高温的厂房；③剧院后台的辅助用房；④一、二、三级耐火等级建筑的门厅；⑤建筑内的厨房。

(17) 三级耐火等级的下列建筑或部位的吊顶，应采用耐火极限不低于 0.25 h 的难燃烧体。①医院、疗养院、托儿所、幼儿园；②三层及三层以上建筑内的楼梯间、门厅、走道。

(18) 舞台下面的灯光操作室和可燃物储藏室，应用耐火极限不低于 1 h 的不燃烧体墙与其他部位隔开。

(19) 消防水泵房应采用一、二级耐火等级的建筑，附设在建筑物内的消防水泵房，应采用耐火极限不低于 1 h 的不燃烧体墙和楼板与其他部位隔开。

第四节　高层民用建筑防火分区设计

一、防火分区

高层民用建筑内应采用防火墙等划分防火分区，每个防火分区最大允许建筑面积不应超过表 3-3 的规定。

表 3-3　每个防火分区最大允许面积

建筑类别	每个防火分区建筑面积(m^2)
一类建筑	1 000
二类建筑	1 500
地下室	500

在进行防火分区设计时应注意以下几点：

(1) 划分防火分区的防火分隔物除防火墙外，还可根据具体情况采用防火卷帘加水幕和防火水幕带等。

(2)设有自动灭火系统的防火分区，其允许最大建筑面积可按表 3-3 增加 1 倍；当局部设置自动灭火系统时，增加面积可按该局部面积的 1 倍计算。

(3)高层建筑内的商业营业厅、展览厅等，当设有火灾自动报警系统和自动灭火系统，且采用不燃烧或难燃烧材料装修时，地上部分防火分区的允许最大建筑面积为 4 000 m^2，地下部分防火分区的允许最大建筑面积为 2 000 m^2。

(4)当高层建筑与其裙房之间设有防火墙等防火分隔设施时，其裙房的防火分区允许最大建筑面积不应大于 2 500 m^2，当设有自动喷水灭火系统时，防火分区允许最大建筑面积可增加 1 倍。

(5)高层建筑内设有上下层相连通的走廊、敞开楼梯、自动扶梯、传送带等开口部位时，应按上下连通层作为一个防火分区，其允许最大建筑面积之和不应超过表 3-3 的规定。当上下开口部位设有耐火极限大于 3.00 h 的防火卷帘或水幕等分隔设施时，其面积可不叠加计算。

(6)高层建筑中庭防火分区面积应按上下层连通的面积叠加计算，当超过一个防火分区面积时，应采取本章第六节中有关中庭防火分隔的措施。

(7)设在变形缝处附近的防火门，应设在楼层数较多的一侧，且门开启后不应跨越变形缝。

(8)采用防火卷帘代替防火墙时，其防火卷帘应符合防火墙耐火极限的判定条件或在其两侧设闭式自动喷水灭火系统，其喷头间距不应大于 2.0 m。

(9)设在疏散走道上的防火卷帘应在卷帘的两侧设置启闭装置，并应具有自动、手动和机械控制的功能。

二、防火分区划分举例

划分防火分区时，要根据规定的防火分区面积，结合建筑的平面形状、使用功能、便于平时管理、人员交通和疏散要求、层间联系情况等，综合确定其分隔的具体部位。

例如中心塔楼为 22 层的某饭店平面为三叉形，体型上形成三翼围绕中心筒体，按体型交接部位划分为 4 个防火分区，如图 3-17 所示。

标准层平面的三翼划分为三个防火分区，各区之间设钢质防火门，平时以电磁开关吸附贴于走道两边墙上，当走道中烟感器发出火警讯号后则由消防中心控制盘自动关闭此门并显示所在位置，同时设有手动关闭装置。此门关后疏散人员则不能再进入该防火分区，但其中人员可推门而出至中心楼梯间进行疏散。

中心塔楼内设有带封闭前室的楼梯间及兼作服务的消防电梯，各翼均设封闭楼梯间，其平面布置基本形成双向疏散。由中心楼梯间可达三翼之屋顶，连通处钢质防火门为推扛式，出楼梯间到屋顶后则不能再行返回(服务员等可开锁而返)。各封闭楼梯间顶层可通过垂直爬梯及带盖洞口上到该翼屋面。前室内除设有烟感器外，每隔三层还设有与消防中心直通的紧急电话及事故广播等。中心及各翼楼梯间防火门均为钢制，设有门顶弹簧及电磁式门锁，当分区防火门通过烟感器联动关闭时，楼梯间防火门电磁锁则自动打开而供疏散人员进入。

又如某饭店新楼，标准层面积为 2 800 m^2，结合防震缝和平面形状，用防火墙划分为三个面积不等的防火分区，如图 3-18 所示。

再如英国泰拉旅馆平面呈错开的一字形，在两个体量交接部位为交通枢纽，结合平面功能划分，在中部楼电梯厅两侧设置防火门，将每层划分为两个防火分区，如图 3-19 所示。

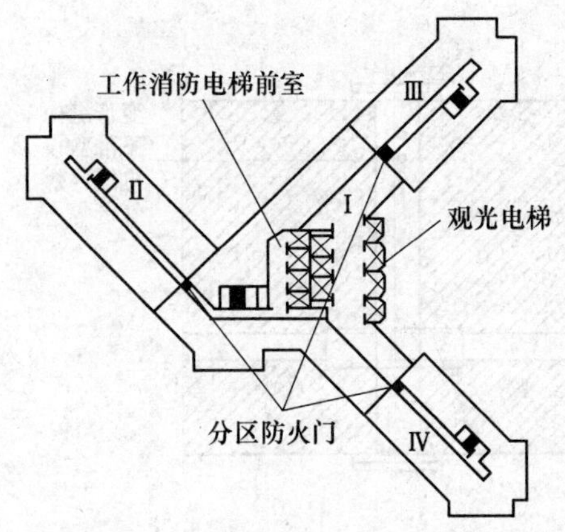

图 3-17　某饭店标准层防火分区示意图

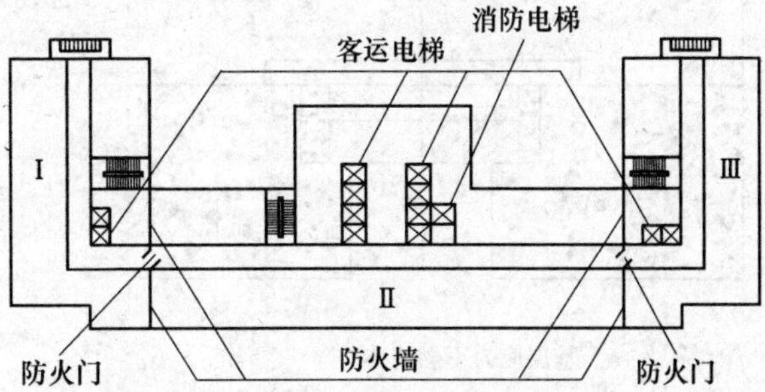

图 3-18　某饭店新楼防火分区示意图

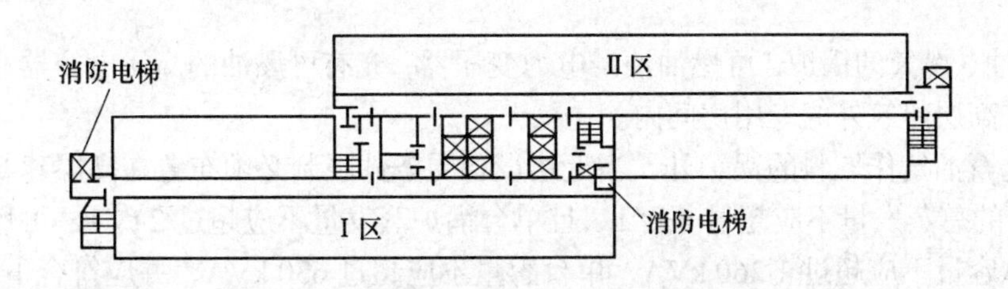

图 3-19　英国泰拉旅馆防火分区示意图

三、特殊部位和房间的防火分隔和布置

(1) 电梯井应独立设置，井内严禁敷设可燃气体和甲、乙、丙类液体管道，不应敷设与电梯无关的电缆、电线等。电梯井井壁除开设电梯门洞和通气孔洞外，不应开设其他洞口。电梯门不应采用栅栏门。

(2) 电缆井、管道井、排烟道、排气道、垃圾道等竖向管道井，应分别独立设置；其井壁应为耐火极限不低于 1.00 h 的不燃烧体；井壁上的检查门应采用丙级防火门。

(3) 建筑高度不超过 100 m 的高层建筑，其电缆井、管道井应每隔 2 ~ 3 层在楼板处用相当于楼板耐火极限的不燃烧体作防火分隔；建筑高度超过 100 m 的高层建筑，应在每层楼板处用相当于楼板耐火极限的不燃烧体作防火分隔。

电缆井、管道井与房间、走道等相连通的孔洞，其空隙应采用不燃烧材料填塞密实。

(4) 垃圾道宜靠外墙设置，不应设在楼梯间内，垃圾道的排气口应直接开向室外。垃圾斗宜设在垃圾道前室内，该前室应采用丙级防火门。垃圾斗应采用不燃烧材料制作，并能自行关闭。

(5) 建筑物的伸缩缝、沉降缝、抗震缝等各种变形缝是火灾蔓延的途径之一，尤其纵向变形缝具有很强的拔烟火作用，为此，必须做好防火处理。变形缝的基层应采用不燃烧材料，其表面装饰层宜采用不燃烧材料，严格限制可燃材料使用，如图 3-20 所示。变形缝内不准敷设电缆、可燃气体管道和甲、乙、丙类液体管道。如上述电缆、管道需穿越变形缝时，应在穿过处加不燃材料套管保护，并在空隙处用不燃材料严密填塞，如图 3-21 所示。

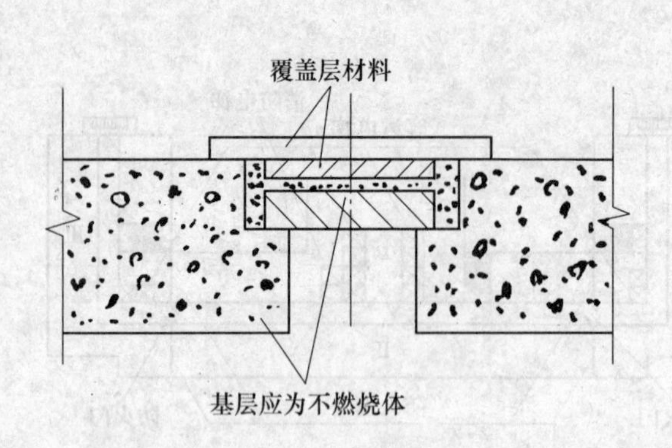

图 3-20　变形缝的基层和覆盖层示意图

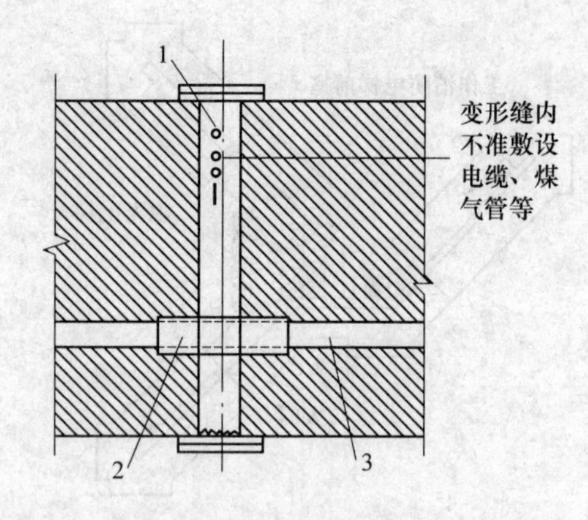

图 3-21　变形缝内穿越管线时的防火处理示意图

1—变形缝；2—护套；3—管道

(6)燃油、燃气的锅炉，可燃油油浸电力变压器，充有可燃油的高压电容器和多油开关等宜设置在高层建筑外的专用房间内。

除液化石油气作燃料的锅炉外，当上述设备受条件限制必须布置在高层建筑或裙房内时，其锅炉的总蒸发量不应超过 6 t / h，且单台锅炉蒸发量不应超过 2 t / h；可燃油油浸电力变压器总容量不应超过 1 260 kVA，单台容量不应超过 630 kVA，并应符合下列规定：

①不应布置在人员密集场所的上一层、下一层或贴邻，并采用无门窗洞口的耐火极限不低于 2.00 h 的隔墙和 1.50 h 的楼板与其他部位隔开。当必须开门时，应设置甲级防火门。

②锅炉房、变压器室，应布置在首层或地下一层靠外墙部位，并应设直接对外的安全出口。外墙开口部位的上方，应设置宽度不小于 1.00 m 的不燃烧体防火挑檐。

③变压器下面应设有储存变压器全部油量的事故储油设施；变压器、多油开关室、高压电容器室，应设置防止油品流散的设施。

④应设置火灾自动报警装置和自动灭火系统。

(7)柴油发电机房可布置在高层建筑、裙房的首层或地下一层，并应符合下列规定：

①柴油发电机房应采用耐火极限不低于 2.00 h 的隔墙和 1.50 h 的楼板与其他部位隔开。

②柴油发电机房内应设置储油间，其总储存量不应超过 8.00 h 的需要量，储油间应采用防火墙与发电机间隔开；当必须在防火墙上开门时，应设置能自行关闭的甲级防火门。

③应设置火灾自动报警系统和自动灭火系统。

(8)消防控制室宜设在高层建筑的首层或地下一层，且应采用耐火极限不低于 2.00 h 的隔墙和 1.50 h 的楼板与其他部位隔开，并应设直通室外的安全出口。

(9)高层建筑内的观众厅、会议厅、多功能厅等人员密集场所，应设在首层或二、三层；当必须设在其他楼层时，除《高层民用建筑设计防火规范(2001 年版)》(GB50045—95)另有规定外，尚应符合下列规定：

①一个厅、室的建筑面积不宜超过 400 m^2。

②一个厅、室的安全出口不应少于两个。

③必须设置火灾自动报警系统和自动喷水灭火系统。

④幕布和窗帘应采用经阻燃处理的织物。

(10)高层建筑内的歌舞厅、卡拉 OK 厅(含具有卡拉 OK 功能的餐厅)、夜总会、录像厅、放映厅、桑拿浴室(除洗浴部分外)、游艺厅(含电子游艺厅)、网吧等歌舞娱乐放映游艺场所(以下简称歌舞娱乐放映游艺场所)，应设在首层或二、三层；宜靠外墙设置，不应布置在袋形走道的两侧和尽端，其最大容纳人数按录像厅、放映厅为 1.0 人／m^2，其他场所为 0.5 人／m^2 计算，面积按厅室建筑面积计算；并应采用耐火极限不低于 2.00 h 的隔墙和 1.00 h 的楼板与其他场所隔开，当墙上必须开门时应设置不低于乙级的防火门。

当必须设置在其他楼层时，尚应符合下列规定：

①不应设置在地下二层及二层以下，设置在地下一层时，地下一层地面与室外出入口地坪的高差不应大于 10 m；

②一个厅、室的建筑面积不应超过 200 m^2；

③一个厅、室的出口不应少于两个，当一个厅、室的建筑面积小于 50 m^2，可设置一个出口；

④应设置火灾自支报警系统和自动喷火灭火系统；

⑤应设置防烟、排烟设施，并应符合《高层民用建筑设计防火规范(2001 年版)》(GB50045—95)有关规定；

⑥疏散走道和其他主要疏散路线的地面或靠近地面的墙上应设置发光疏散指示标志。

(11)地下商店应符合下列规定：

①营业厅不宜设在地下三层及三层以下；

②不应经营和储存火灾危险性为甲、乙类储存物品属性的商品；

③应设火灾自动报警系统和自动喷水灭火系统；

④当商店总建筑面积大于 20 000 m^2 时，应采用防火墙进行分隔，且防火墙上不得开设门窗洞口；

⑤应设防烟、排烟设施，并应符合《高层民用建筑设计防火规范(2001 年版)》(GB50045—95)有关规定；

⑥疏散走道和其他主要疏散路线的地面或靠近地面的墙面上应设置发光疏散指示标志。

(12)托儿所、幼儿园、游乐厅等儿童活动场所不应设置在高层建筑内，当必须设在高层建筑内时，应设置在建筑物的首层或二、三层，并应设置单独出入口。

(13)独立设置的消防水泵房，其耐火等级不应低于二级。在高层建筑内设置消防水泵房时，应采用耐火极限不低于 2.00 h 的隔墙和 1.50 h 的楼板与其他部位隔开，并应设甲级防火门。

(14)地下室、半地下室的楼梯间，在首层应采用耐火极限不低于 2.00 h 的隔墙与其他部位隔开并宜直通室外。当必须在隔墙上开门时，应采用乙级防火门。

地下室或半地下室与地上层不宜共用楼梯间，当必须共用楼梯间时，宜在首层与地下或半地下层的入口处，设置耐火极限不低于 2.00 h 的隔墙和乙级防火门隔开，并应有明显标志。

(15)设在高层建筑内的汽车停车库，其设计应符合现行国家标准《汽车库、修车库、停车场设计防火规范》(GB50067—97)的规定。

(16)管道穿过隔墙、楼板时，应采用不燃烧材料将其周围的缝隙填塞密实。当管道允许有较大位移时，宜采用矿棉或岩棉、硅酸铝棉等松散不燃烧的纤维物填塞。

(17)高层建筑内的隔墙应砌至梁板底部，且不宜留有缝隙。

(18)设在高层建筑内的自动灭火系统的设备室，应采用耐火极限不低于 2.00 h 的隔墙、

1.50 h 的楼板和甲级防火门与其他部位隔开。

(19) 地下室内存放可燃物平均重量超过 30 kg / m^2 的房间的隔墙，其耐火极限不应低于 2.00 h，房间的门应采用甲级防火门。

第五节　高层工业建筑防火分区设计

一、高层厂房防火分区

高层厂房每个防火分区最大允许建筑面积不应超过表 3-4 的规定。

表 3-4　高层厂房防火分区面积

生产火灾危险性类别	耐火等级	防火分区最大允许建筑面积(m^2)
乙	一级	2 000
	二级	1 500
丙	一级	3 000
	二级	2 000
丁	一、二级	4 000
戊	一、二级	6 000

防火分区间应采用防火墙分隔。

乙、丙类厂房设有自动灭火系统时，防火分区最大允许建筑面积可按表 3-4 的规定增加 1 倍；丁、戊类厂房设自动灭火系统时，其建筑面积不限。局部设置时，增加面积可按该局部面积的 1 倍计算。

二、高层库房的防火分区

高层库房最大允许建筑面积不应超过表 3-5 的规定。

表 3-5　高层库房最大允许建筑面积

储存火灾危险性类别	耐火等级	每座库房(m^2)	防火墙间(m^2)
丙类 2 项	一、二级	4 000	1 000
丁类	一、二级	4 800	1 200
戊类	一、二级	6 000	1 500

高层库房设有自动灭火系统时，建筑面积可按表 3-5 增加 1 倍，局部设置时，增加面积可按该局部面积的 1 倍计算。

三、特殊部位与房间的防火分隔和布置

(1) 高层工业建筑的室内电梯井和电梯机房的墙壁应采用耐火极限不低于 2.5 h 的不燃烧体。

(2) 高层厂房内，可设丙、丁、戊类物品库房，但必须采用耐火极限不低于 3.0 h 的不燃烧体墙和 1.5 h 的不燃烧体楼板与厂房隔开，库房的耐火等级和面积应符合表 3-5 的规定。高层工业建筑其他特殊部位和房间的防火分隔和布置要求见本章第三节的有关内容。

第六节　特殊建筑形式防火分隔设计

一、玻璃幕墙的防火分隔

玻璃幕墙作为一种新型建筑构件，以其自重轻、装饰艺术效果好及便于施工等优点，越来越多地被应用在高层建筑及大型公共建筑之中。

(一)玻璃幕墙的火灾危险性

玻璃幕墙用大片的玻璃作建筑物的围护墙，而且多采用全封闭式。因此，一旦建筑物发生火灾，火势蔓延的危险性很大，主要表现在以下方面：

(1)建筑物一旦发生火灾，室内温度便急剧上升，用做幕墙的玻璃在火灾初期由于温度应力的作用即会炸裂破碎，导致火灾由建筑物外部向上蔓延。一般幕墙玻璃在 250℃左右即会炸裂，使大面积的玻璃幕墙成为火势向上蔓延的重要途径。

(2)垂直的玻璃幕墙与水平楼板之间的缝隙，是火灾发生时烟火扩散的路径。由于建筑物构造的要求，在幕墙和楼板之间留有较大的缝隙，若对其没有进行密封或密封不好，烟火就会由此向上层扩散，造成蔓延。

(二)玻璃幕墙的防火分隔

为了防止建筑发生火灾时通过玻璃幕墙造成大面积蔓延，在设置玻璃幕墙时应符合下列规定：

(1)窗间墙、窗槛墙的填充材料应采用不燃烧材料。当其外墙面采用耐火极限不低于 1.00 h 的不燃烧体时，其墙内填充材料可采用难燃烧材料。

(2)无窗间墙和窗槛墙的玻璃幕墙，应在每层楼板外沿设置耐火极限不低于 1.00 h、高度不低于 0.80 m 的不燃烧实体裙墙，如图 3-22 所示。

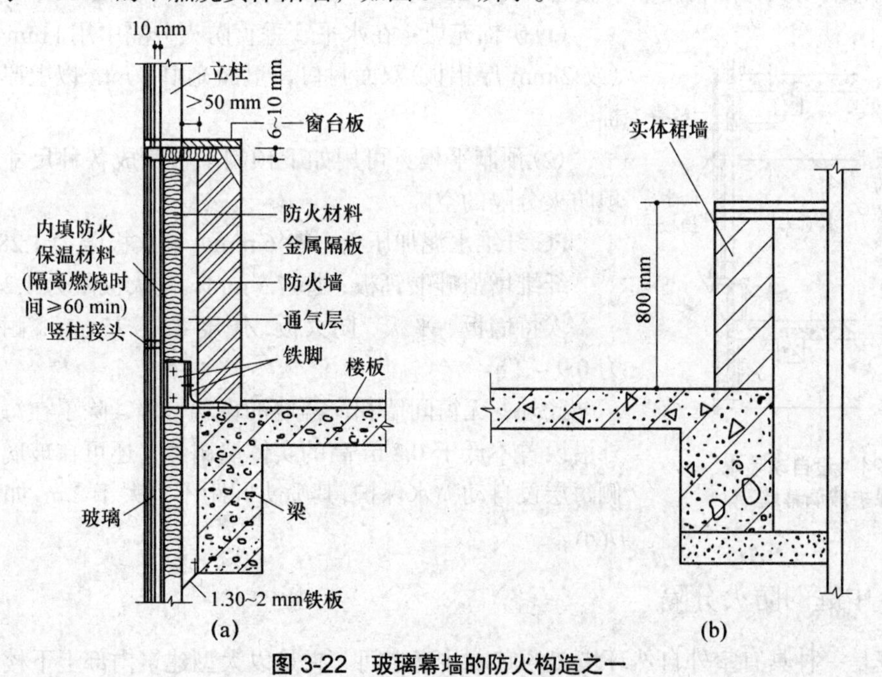

图 3-22　玻璃幕墙的防火构造之一

(3) 玻璃幕墙与每层楼板、隔墙处的缝隙，应采用不燃烧材料严密填实，如图 3-23 所示。

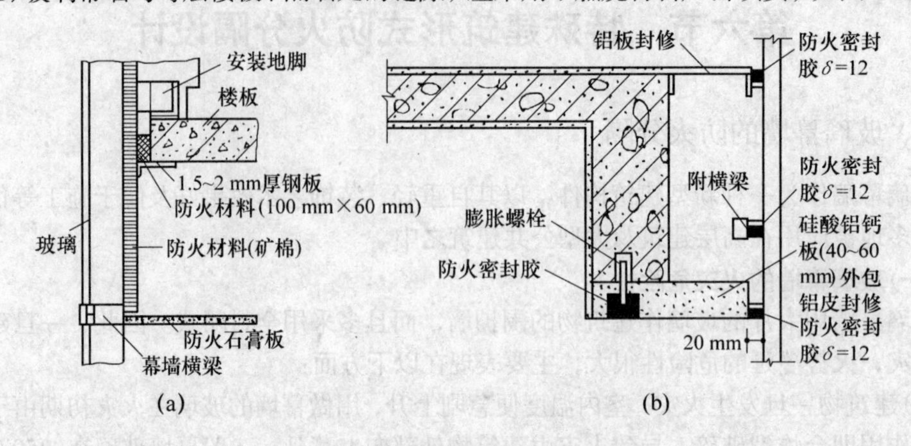

图 3-23 玻璃幕墙的防火构造之二

窗间墙的宽度在防火墙处不应小于 2.0 m，在内转角的防火墙其宽度应保证相邻窗间墙边缘之间的水平距离不小于 4.0 m。在不能采用窗间墙或窗间墙宽度不能满足上述要求的特殊情况下，可在此部位采用耐火极限不低于 1.2 h 的防火玻璃幕墙加以解决，防火玻璃可采用复合防火玻璃、透明防火玻璃和防火夹丝玻璃等。

外包幕墙柱与实体墙之间的空隙一般为 3 ~ 5 cm，若无特殊装饰要求，可用细石混凝土填实；若有装饰性要求，可用矿棉填实，外用铝扣板或装饰板收口。用这种方法处理时，应沿每层柱高每隔 1 ~ 1.5 m 用不锈钢或铝板将立柱与实墙体连接，以防负风压时形成空隙。防火分隔应与幕墙框料相连，不应与玻璃相连。若特殊要求与玻璃相连时，该玻璃应采用耐火极限为 1 h 的防火玻璃。

玻璃幕墙防火分隔常用如下做法：

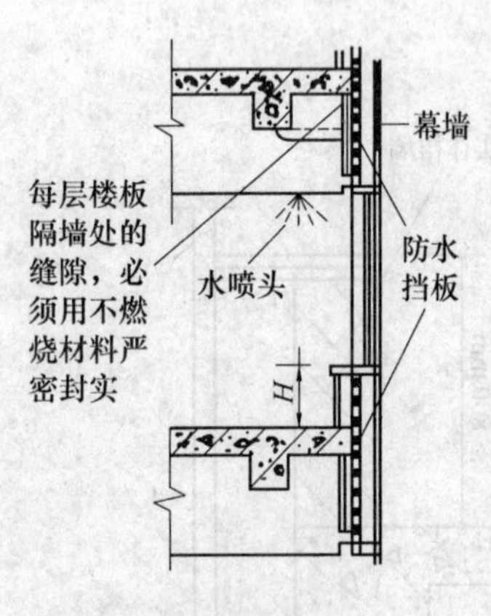

图 3-24 设自动喷水保护玻璃幕墙

(1) 矿棉充填：在水平、垂直防火分隔中用 1 mm 厚钢板（或 2 mm 厚铝板）双面封口，里面充填 5 mm 以上厚度的矿棉。

(2) 预制平板：可用如下预制平板割成各种尺寸块料充填防火分隔的空隙。

FC 纤维水泥加压板，厚 6 mm，耐火极限为 1.28 h；

纤维增强硅酸钙板，厚 7.5 mm，耐火极限为 1.2 h；

埃特墙板、平板、防火板，厚度 4.5 ~ 25 mm，耐火极限为 0.9 ~ 2 h。

此外，无窗间墙和窗槛墙的玻璃幕墙，除了在每层楼板外沿设置不低于 0.8 m 高的实体墙裙外，还可在玻璃幕墙内侧每层设自动喷水保护，其喷头间距不宜大于 2 m，如图 3-24 所示。

二、中庭的防火分隔

中庭是一种具有室外自然环境美的室内共享空间。它是以大型建筑内部上下楼层贯通的大空间为核心而创造的一种特殊建筑形式。中庭的高度不等，有的与建筑物同高，有的则在建筑物的上部或下部。由于中庭是上下贯通的大空间，故给防火设计提出了许多新的课题。

(一) 中庭的火灾危险性

(1) 中庭一旦失火，火势和烟气可以不受限制地急剧扩大。中庭空间形似烟囱，因此易产生烟囱效应。若在中庭下层发生火灾，烟气便会十分容易地进入中庭空间；若在中庭上层发生火灾，中庭空间的烟气不能向外排出时，就会向建筑物中其他空间扩散，并进而导致整个建筑物全部起火。

(2) 疏散十分困难。中庭起火时，由于烟气的迅速扩散，必须同时对整幢建筑物的人员进行疏散，加之其是联系各功能的枢纽，人员集中，因而增加了疏散的难度。

(3) 灭火和救援工作开展困难。消防员要在数个楼层同时展开灭火战斗行动，牵涉的灭火力量大；建筑物的各主要出口有可能被紧急疏散的人员所占用，迫使消防员另外寻找进攻路线；火灾迅速蔓延成空间立体火灾，很难正确判断应当从何处切断火势，并组织进攻；烟气迅速扩散并充满中庭，严重影响人员疏散和灭火战斗行动，难以确定起火点，难以寻找和营救尚未撤离火场的人员。

(二) 中庭的防火分隔

中庭内部空间十分高大，若采用防火卷帘加以分隔，需要使用大量的防火卷帘，其造价也很高，而且发生火灾时，这些防火卷帘是否能全部迅速降落下来尚有疑问，为此必须认真研究中庭建筑防火技术措施的可靠性及可行性。

根据国内外高层建筑中庭防火设计的实际做法，并参考国外有关防火规范的有关规定，《高层民用建筑设计防火规范(2001 年版)》(GB50045—95)提出如下防火技术措施：

高层建筑中庭防火分区面积应按上下层连通的面积叠加计算，当超过一个防火分区面积时，应采用如下措施：

(1) 房间与中庭回廊相通的门、窗应设能自行关闭的乙级防火门、窗。

(2) 与中庭相通的过厅、通道等应设乙级防火门或耐火极限大于 3.00 h 的防火卷帘分隔。

(3) 为了控制火势，中庭每层回廊应设自动喷水灭火系统，喷头间距应采用 2 ~ 2.8 m。

(4) 中庭每层回廊应设火灾自动报警系统。

(5) 由于自然排烟受到自然条件及建筑物本身热压、密闭性等因素的影响，只允许净空高度不超过 12 m 的中庭可采用自然排烟，但可开启的天窗或高侧窗的面积不应小于该中庭地面面积的 5%，其他情况下应采用机械排烟设施。

对中庭采取上述防火措施后，中庭的防火分区面积则不按上、下层连通的面积叠加计算，这样就很容易满足防火分区的划分要求。

(三) 中庭建筑防火分区设计举例

西安凯悦饭店总占地 16 330 m^2，总建筑面积 44 642 m^2。建筑总高度为 40.5 m，地下一层，地上 12 层。

饭店主楼呈东座、西座及中间体相连接布置。东座内设有高达 40 m 的中庭，即中庭空间贯通整个上下楼层，与楼层同高。东、西座建筑物向上层层内退，外形呈塔形。东座是围绕中庭周边布置的塔楼。中庭空间内设有两部观光电梯，连贯整个共享空间。

该饭店地下层为后勤服务用房，一、二层楼为各类公共用房，三层以上为客房。

该饭店在防火分区设计方面采取了如下措施。

1．防火分区

建筑物地下一层建筑面积为 5 790 m^2，共划分为 8 个防火分区。最大的防火分区为 953 m^2，最小的为 391 m^2(整个地下室均设有自动灭火系统)。

一层为大厅、中庭、娱乐中心、商店、中西餐厅等公共用房和消防控制室，建筑面积共计 6 902 m^2，分为 8 个防火分区。最大的防火分区面积为 1 930 m^2，最小的为 362 m^2。由于首层功能复杂，个别分区设置了复合防火卷帘并加水幕保护。

二层为健身中心、会议厅、宴会厅和电话总机室等。总建筑面积为 6 644 m^2。防火分区面积的划分基本与一层的相同。

三层以上为标准客房层，由于建筑设计上是向上层层内缩，所以每层面积不等。从第三层起，所有客房层均划分为两个防火分区。

2．中庭防止火势扩大的设计

该建筑物东座设有平面尺寸为 18.45 m × 18.45 m 的中庭。中庭部分与客房相邻，其空间贯通整个上下楼层(12 层)。为了防止火势向上蔓延和不使这两部分某一方发生火灾，殃及他方，在垂直方向采取了防火分隔措施。除中庭四周内墙为耐火构造外，各层回廊周围面向中庭所有客房的门均采用乙级防火门，所有安全疏散楼梯间及其前室，包括消防电梯前室的门均采用乙级防火门。同时，各层回廊吊顶上安设了间距为 3 m 的自动喷水头，并在中庭的玻璃金属构架屋顶上也安装了自动喷水头，以保护屋顶盖的安全。

三、自动扶梯的防火分隔

大型公共建筑内，常设有自动扶梯。由于自动扶梯不但体积庞大，而且往往成组设置而占地宽阔、开口大，发生火灾时易于蔓延扩大。因此，建筑内设有自动扶梯时，应按上、下层连通作为一个防火分区计算面积。设有自动扶梯的建筑物因其防火分区面积叠加计算，往往超过规定的面积，而需对自动扶梯进行分隔。目前，对自动扶梯进行防火分隔的方法有：

(1) 在自动扶梯上方四周安装喷水头，喷头间距为 2 m。发生火灾时，喷头开启喷水，可以起到防火分隔作用，阻止火势竖向蔓延。

(2) 在自动扶梯四周安装水幕喷头。目前我国已建成的一些安装自动扶梯的高层建筑，采用这种方法较多。如北京京广中心地上 1 ~ 4 层的自动扶梯洞口的分隔处就设置了水幕系统。

(3) 在自动扶梯四周设置防火卷帘(如图 3-25 所示)或在其出入的两对面设防火卷帘，另外两对面设置固定防火墙(如图 3-26 所示)。北京国际贸易中心和长富宫饭店的自动扶梯就采用了这种方法。

(4) 在自动扶梯穿过楼板处设水平防火卷帘，如图 3-27 所示。

四、风道、管线、电缆贯通部位的防火分隔

在现代建筑中，为了交通、输送能源和情报等的需要，设置了大量的竖井和管道，而且，有些管道相互连通、交叉，火灾时形成了蔓延的通道。

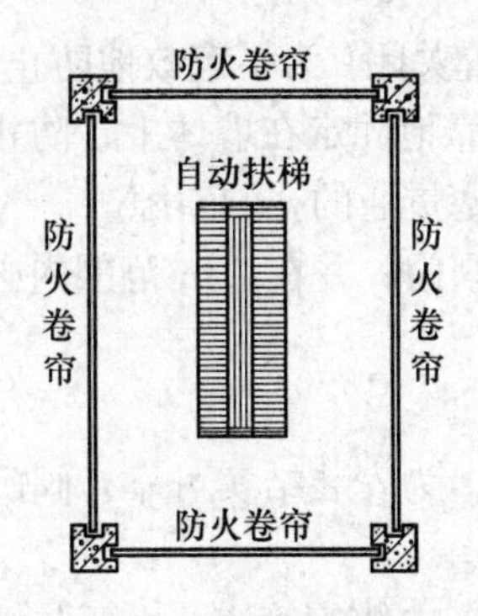

图 3-25　自动扶梯四周设防火卷帘

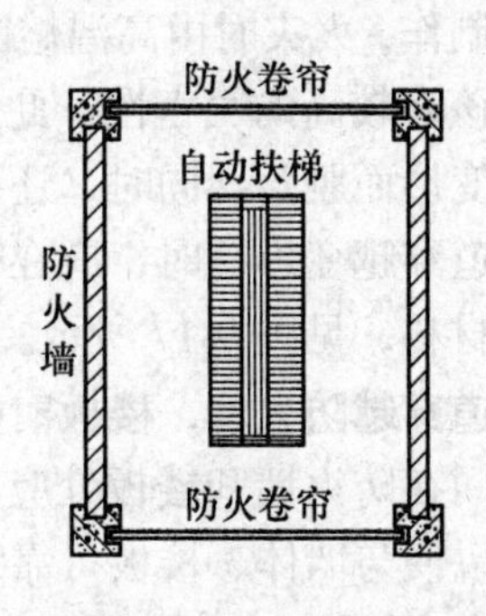

图 3-26　自动扶梯四周设防火卷帘和防火墙

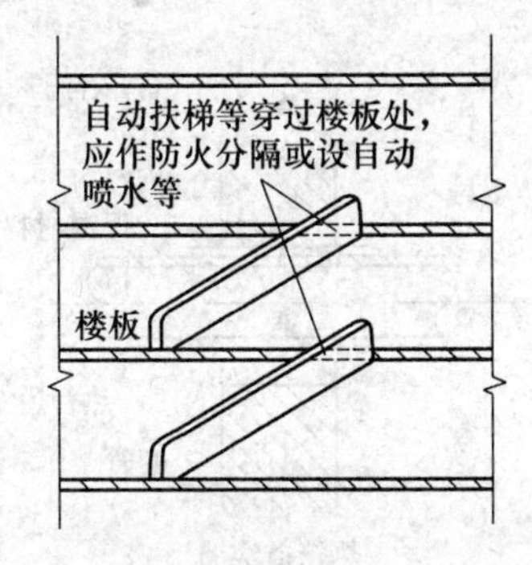

图 3-27　自动扶梯穿过楼板处进行水平分隔

风道、管线、电缆等贯通防火分区的墙体、楼板时，就会引起防火分区在贯通部位的耐火性能降低。所以，应尽量避免管道穿越防火分区。不得已时，也应尽量限制开洞的数量和面积。为了防止火灾从贯通部位蔓延，所用的风道、管线、电缆等，要具有一定的耐火能力，并用不燃材料填塞管道与楼板、墙体之间的空隙，使烟火不得窜过防火分区。

(一) 风道贯通防火分区时的构造

空调、通风管道一旦窜入烟火，就会导致火灾大范围蔓延。因此，在风道贯通防火分区的部位(防火墙)，必须设置防火阀门。防火阀门如图 3-28 所示，必须用厚 1.5 mm 以

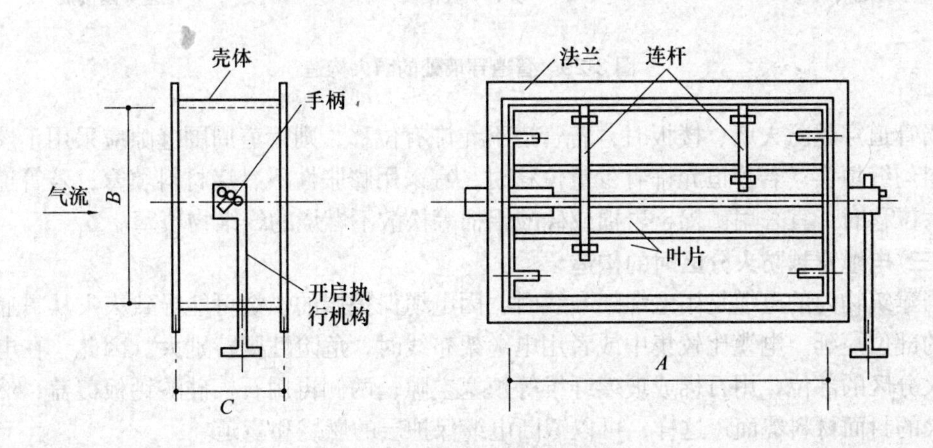

图 3-28　防火阀门构造示意图

上的薄钢板制作，火灾时由高温熔断装置或自动关闭装置关闭。为了有效地防止火灾蔓延，防火阀门应该有较高的气密性。此外，防火阀门应该可靠地固定在墙体上，防止火灾时因阀门受热、变形而脱落。同时，还要用水泥砂浆紧密填塞贯通的孔洞空隙。

通风管道穿越变形缝时，应在变形缝两侧均设防火阀门，并在 2 m 范围内必须用不燃烧保温隔热材料，见图 9-17 所示。

(二)管道穿越防火墙、楼板时的构造

防火阀门在防火墙和楼板处应用水泥砂浆严密封堵，为安装结实可靠，阀门外壳可焊接短钢筋，以便与墙体、楼板可靠结合，见图 9-17 所示。

如图 3-29 所示，对于贯通防火分区的给排水、通风、电缆等管道，也要与楼板或防火墙等可靠固定，并用水泥砂浆或石棉等，紧密填塞管道与楼板、防火墙之间的空隙，防止烟、热气流窜过防火分区。

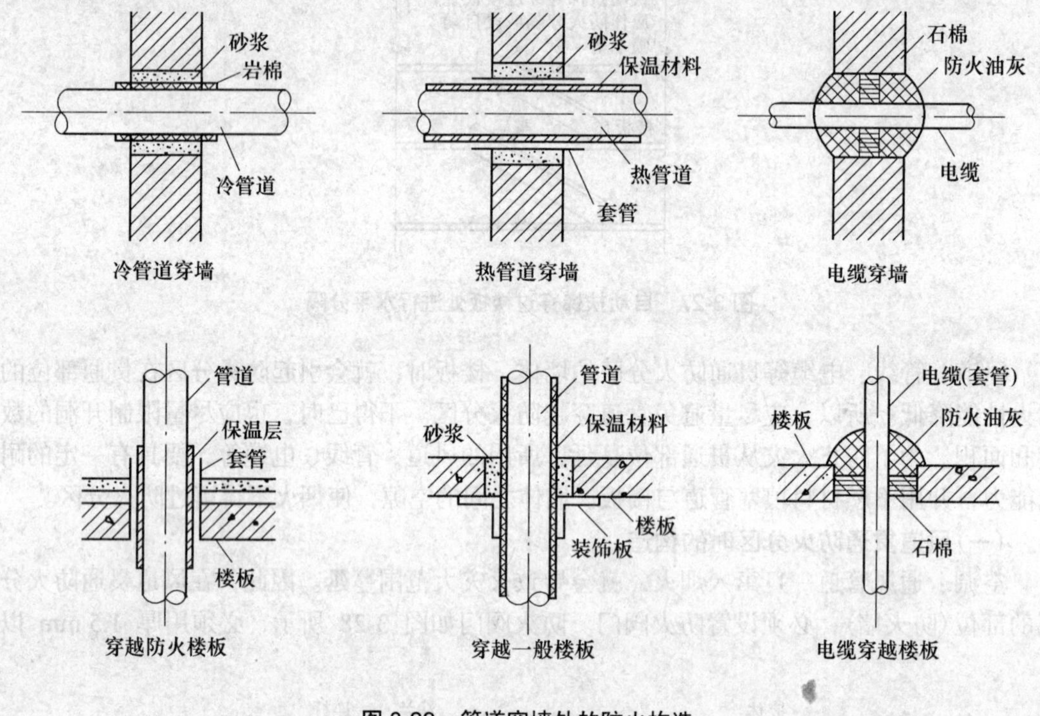

图 3-29 管道穿墙处的防火构造

当管道穿越防火墙、楼板时，若管道不允许有位移，则管道周围缝隙应采用不燃烧胶结材料勾缝填实；若管道允许有少量位移时，宜采用膨胀性不燃烧材料填塞；若管道允许有较大位移时，宜采用矿棉、岩棉或硅酸铝棉等松散不燃烧的纤维物填塞。

(三)电缆穿越防火分区时的构造

当建筑物内的电缆是用电缆架布线时，因电缆保护层的燃烧可能导致火灾从贯通防火分区的部位蔓延。电缆比较集中或者用电缆架布线时，危险性则特别大。因此，在电缆贯通防火分区的部位，用石棉或玻璃纤维等填塞空隙，两侧再用石棉硅酸钙板覆盖，然后再用耐火的封面材料覆面。这样，可以截断电缆保护层的燃烧和蔓延。

如上所述，贯通防火分区部位的耐火性能，与施工详图的设计和施工质量密切相关。

贯通防火分区的孔洞面积虽然小，但是，当施工质量不合格时，就会失去防火分区的作用。因此，对于防火分区贯通部位的耐火安全问题，必须予以高度重视。最好在施工期间进行中期检查监督和隐蔽工程验收，以确保防火分区耐火性能的可靠性。

思考题

1. 何谓防火分区?其可分为几种类型?
2. 何谓防火墙?其设置及构造要求是什么?
3. 防火门分为哪几个级别?各主要用于哪些场合?
4. 对防火门的性能要求主要有哪些?
5. 对防火卷帘的设置要求是什么?
6. 民用建筑的防火分区是如何划分的?
7. 工业建筑的防火分区是如何划分的?
8. 对哪些主要部位和房间须进行防火分隔?
9. 对玻璃幕墙应如何进行防火分隔?
10. 对中庭应如何进行防火分隔?
11. 对自动扶梯应如何进行防火分隔?
12. 管、线等贯通部位的防火分隔要求是什么?

第四章　安全疏散

第一节　概　述

建筑物发生火灾时，为避免建筑内人员因火烧、烟熏中毒和房屋倒塌而遭到伤害，其必须尽快撤离；室内的物资财富也要尽快抢救出来，以减少火灾损失；同时，消防人员也要迅速接近起火部位，扑救火灾。为此，对建筑物需要设计完善的安全疏散设施，为火灾紧急情况下的安全疏散创造良好的条件。

建筑物的安全疏散设施包括：主要安全疏散设施，如安全出口、疏散楼梯、走道和门等；辅助安全疏散设施，如疏散阳台、缓降器、救生袋等；对超高层民用建筑还有避难层（间）和屋顶直升飞机停机坪等。安全疏散设计是建筑防火设计的一项重要内容。在设计时，应根据建筑物的规模、使用性质、重要性、耐火等级、生产和储存物品的火灾危险性、容纳人数以及火灾时人的心理状态等情况，合理设置安全疏散设施，做好设计，以便为人员安全疏散提供有利条件。

一、火灾时人的心理与行为

在布置安全疏散路线时，必须充分考虑火灾时人们在异常心理状态下的行动特点，在此基础上作出相应的设计，达到确保疏散安全可靠的目的。发生火灾，疏散人员的心理状态与行动特点见表 4-1。

表 4-1　疏散人员的心理与行动

(1) 向经常使用的出入口、楼梯避难	在旅馆、剧场内一般总是朝进来的出入口或走过的楼梯避难，而很少使用不熟悉的出入口或楼梯；就连在自己的住处也是要从常用的楼梯去避难。只有当这一退路被火焰、烟气封闭了时，才不得不另寻其他退路
(2) 习惯于向明亮的方向避难	人具有朝着光明处运动的习性，以明亮的方向为行动的目标。例如，在旅馆、饭店等建筑物内，假设从房间内出来后走廊里充满了烟雾，这时如果一个方向黑暗，相反方向明亮，就会向明亮的方向避难
(3) 以开阔空间为行动目标	这一点，与上述趋向明亮处的心理是同一性质的。在饭店火灾及其他火灾中，常常可以看到这方面的实例
(4) 对烟火怀有恐惧心理	对于红色火焰怀有恐惧心理是动物的一般习性。人一旦被烟火包围则不知所措，因此，即使在安全之处，亦要逃向相反的方向
(5) 因危险迫近而陷入极度慌乱中时可能会逃向狭小角落	在出现死亡事故的火灾中，常可看到缩在房角、厕所或者把头插进橱柜而死亡的例子
(6) 越慌乱越容易随从他人	人在极度慌乱之中，往往会失去正常判断能力，于是一旦他人有行动，便马上追随
(7) 紧急情况下能发挥出预想不到的力量	遇到紧急情况时，失去了正常的理智行为，把全部精力集中在应付紧急情况上，有时面临紧急情况，会作出平时预想不到的举动。如遭遇火灾时从高处跳下去的例子是很多的

二、疏散线路及设施的布置要求

在进行安全疏散设计时应遵照下列原则：

(1)疏散路线要简捷明了，便于寻找、辨别。考虑到紧急疏散时人们缺乏思考疏散方法的能力和时间紧迫，所以疏散路线要简捷，易于辨认，并需设置简明易懂、醒目易见的疏散指示标志。

(2)疏散路线要做到步步安全。疏散路线一般可分为四个阶段：第一阶段是从着火房间内到房间门，第二阶段是公共走道中的疏散，第三阶段是在楼梯间内的疏散，第四阶段为出楼梯间到室外等安全区域的疏散。这四个阶段必须是步步走向安全，以保证不出现“逆流”。疏散路线的尽端必须是安全区域。

(3)疏散路线设计要符合人们的习惯要求。人们在紧急情况下，习惯走平常熟悉的路线，因此在布置疏散楼梯的位置时，将其靠近经常使用的电梯间布置，使经常使用的路线与火灾时紧急使用的路线有机地结合起来，则很有利于迅速而安全地疏散人员。图 4-1 即是疏散楼梯靠近电梯布置示意图。

此外，要利用明显的标志引导人们走向安全的疏散路线。

(4)尽量不使疏散路线和扑救路线相交叉，避免相互干扰。疏散楼梯不宜与消防电梯共用一个前室，因为两者共用前室时，会造成疏散人员和扑救人员相撞，妨碍安全疏散和消防扑救。图 4-2 是一种不理想的疏散楼梯布置方法。

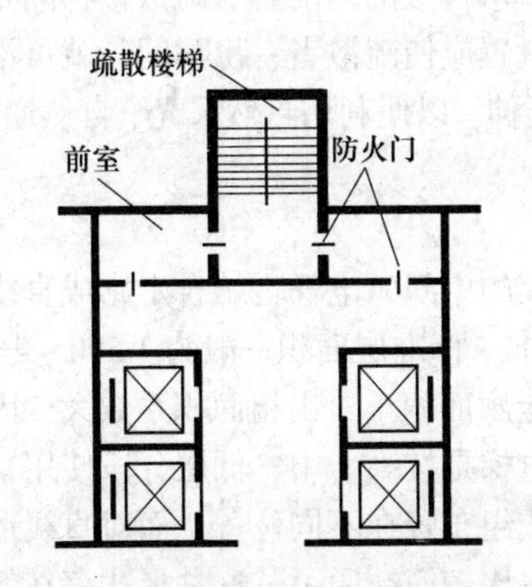

图 4-1　疏散楼梯靠近电梯布置示意图

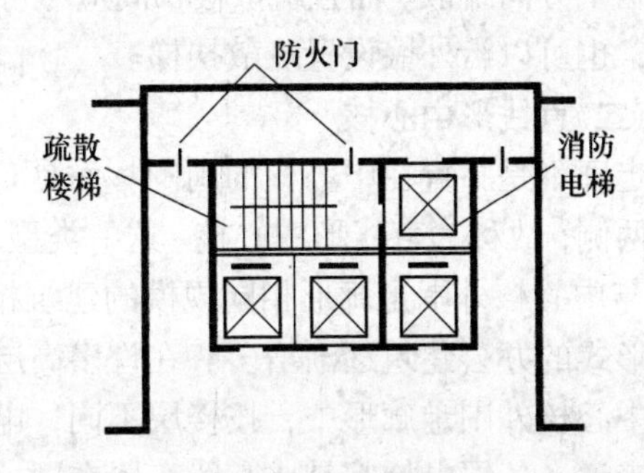

图 4-2　不理想的疏散楼梯布置示意图

(5)疏散走道不要布置成不甚畅通的“S”形或“U”形，也不要有变化宽度的平面，走道上方不能有妨碍安全疏散的凸出物，下面不能有突然改变地面标高的踏步，即应避免出现图 4-3、图 4-4 所示的现象。

(6)在建筑物内任何部位最好同时有两个或两个以上的疏散方向可供疏散。避免把疏散走道布置成袋形，因为袋形走道的致命弱点是只有一个疏散方向，火灾时一旦出口被烟火堵住，其走道内的人员就很难安全脱险。

(7)合理设置各种安全疏散设施，做好其构造等设计。如疏散楼梯，要确定好其数量、布置位置、形式等，其防火分隔、楼梯宽度以及其他构造都要满足相关规范的有关要求，确保其在建筑物发生火灾时充分发挥作用，保证人员疏散安全。

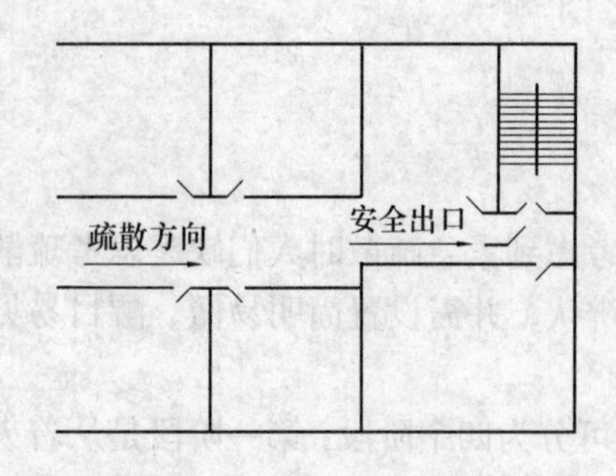

图 4-3　在疏散方向上疏散通道不应变窄

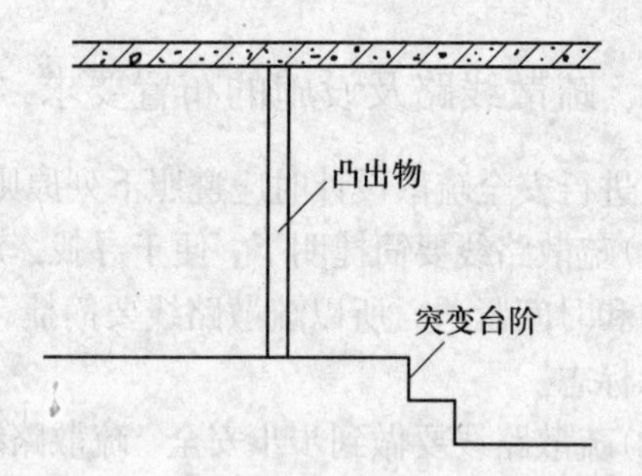

图 4-4　在人体高度内不应有凸出的障碍物或突变台阶

三、建筑平面中心核布置的疏散对策

在平面设计时，建筑中心核的布置，确定了疏散的方向性、多方向疏散的可能性以及疏散线路的明快性等。在中心核内，一般包含了建筑的疏散楼梯间、电梯间、竖向系统的设备空间、卫生间、开水间等公用设施。其中，疏散楼梯间应防止烟气侵入，确保多方向的疏散，所以应尽可能地分散布置。当中心核在平面上偏于一侧布置时，最好能在另一侧也设置疏散楼梯间；若设置疏散楼梯间有困难时，至少也应设有疏散阳台、凹廊等疏散设施。

(一) 中心核外围走廊

这一形式是在中心核外围设置走廊。其适合于标准层面积在 3 000 m^2 左右的办公楼、宾馆等建筑，特点是能得到宽阔的、使用方便的空间。从疏散的角度看，疏散楼梯间布置宜适当隔离开来，但不能偏置于某一侧；疏散楼梯间设置应使疏散者一出房间，就可沿走廊向两个方向疏散。而且疏散楼梯间应尽可能向外墙延伸，以便利用自然采光、自然通风。当然，也可以沿外墙设置疏散扶梯。

(二) 直线形中心核

走廊不是布置在中心核的周围，而是布置在中心核的中间，电梯也结合走廊成直线排列在两侧，故称为直线形中心核。这一类型多用于办公楼，标准层面积一般为 1 500 ~ 4 000 m^2。与中心核外围走廊形相同规模的建筑相比，由于走廊面积小，出租面积系数大，因此这种形式的办公建筑逐渐增多。在许多高层建筑中，电梯是按高、中、低层分段使用，所以在中心核外围走廊形中，按楼层不同，电梯厅大多成组布置在不同位置。而对直线形中心核来说，各层电梯都是成直线布置在同一走廊，所以比较简捷明了。这种形式存在的缺点是，从办公室出来向疏散楼梯间疏散时，也要经过电梯厅，故对电梯厅和走廊应采取可靠的防烟措施。

(三) 中筒形中心核

这一形式多用于超高层建筑，标准层面积一般为 2 000~4 500 m^2，可以得到四周相同的开阔空间，多用于办公楼、宾馆等。中心核内的走廊作为疏散安全分区，为了便于疏散，一般把疏散楼梯延伸至建筑的外墙，利于自然采光、自然通风。

(四) 对称中心核

这种形式是在使用面积的两侧基本上对称地布置公共设施，使用房间的隔墙可灵活布置，能够得到较大的使用空间，可以用做办公、医院建筑，扩大规模后也可以用做商场建筑，其标准层面积一般不小于 1 500 m^2。这种形式，不仅在公共设施的两侧设多个出入口，有时还在外侧设置环形走廊，便于安全疏散和短时间避难。

(五) 偏置中心核

这种形式的建筑标准层面积一般为 1 500～2 000 m^2。这种规模的建筑，若将公共设施布置在中心，则使用房间的进深受到限制，因此将其核心偏置。当平面设计采用这种形式时，应尽可能将两座疏散楼梯间远离布置，以利于双向安全疏散。

(六) 分散中心核

中心核分散布置，也可以说是无中心核布置，多见于百货大楼、办公楼等平面建筑面积大的建筑。这种形式的疏散楼梯间在平面上均匀布置，可以保证多个方向的疏散路线，但是常用的电梯、自动扶梯等与疏散路线分开布置，不利于引导人们紧急疏散。因此，应设法让人们熟知疏散路线，例如采取设疏散指示标志；在疏散楼梯间旁边布置卫生间，使活动路线接近疏散路线。

(七) 中间中心核

这是一种使用比较广泛的布局形式，是用走廊在中间联系两侧的房间，即内廊式布局，宾馆、医院多用这种形式。其两端的疏散楼梯有时采用室外楼梯，平常一般不用，走廊两端与疏散楼梯相连，是一种最为安全的疏散设计。但是，中间走廊要采取可靠的防烟措施，防止烟气进入走廊，造成疏散困难。

第二节 疏散楼梯和消防电梯

一、疏散楼梯

(一) 疏散楼梯形式和构造

疏散楼梯是供人员在火灾紧急情况下安全疏散所用的楼梯。其形式按防烟火作用可分为防烟楼梯、封闭楼梯、室外疏散楼梯、敞开楼梯，其中防烟楼梯防烟火作用、安全疏散程度最好，而敞开楼梯最差。

1. 防烟楼梯间

平面设计时，在楼梯间入口之前设有能阻止烟火进入的前室(或设专供排烟用的阳台、凹廊等)，且通向前室和楼梯间的门均为乙级防火门的楼梯间称为防烟楼梯间。防烟楼梯间在设置时应符合以下要求：

(1) 楼梯间入口处应设前室、阳台或凹廊。

(2) 前室的面积，公共建筑、工业建筑不应小于 6.00 m^2，居住建筑不应小于 4.50 m^2。

(3) 前室和楼梯间的门均应为乙级防火门，并应向疏散方向开启。

(4) 前室应设有防烟或排烟设施。

受平面布置的限制，前室不能靠外墙设置时，必须在前室和楼梯间采用机械加压送风设施，以保障防烟楼梯间的安全。

利用阳台或凹廊进行排烟时，不应设置外窗，如必须设置时，每层内可开启外窗面积不应小于 2 m^2。

防烟楼梯间前室不仅起防烟火作用，还能使不能同时进入楼梯间的人，在前室内短暂地等待，以减缓楼梯间的拥挤程度。

防烟楼梯间有如下几种类型：

(1)带开敞前室的疏散楼梯间：这种楼梯间的特点是以阳台或凹廊作前室，疏散人员须通过开敞的前室和两道防火门，才能进入封闭的楼梯间内。其优点是自然风力能将随人流进入阳台的烟气迅速排走，同时转折的路线也使烟很难袭入楼梯间中，无须再设其他的排烟装置。因此，这是安全性最高和最为经济的一种类型。但是，只有当楼梯间靠外墙时才能采用，故有一定的局限性。其设计形式如下：

①用阳台作开敞前室(图 4-5、图 4-6)。图 4-5 的两种形式看来大致相同，但实际效果并不完全一样。第一种形式须通过阳台才能进入楼梯间，风可将窜入阳台的烟气立即吹走，且不受风向的影响，所以防烟、排烟的效果很好。第二种形式不通过阳台便进入楼梯间，窜入第一道防火门的烟气靠风力排除的效果较差。当风垂直吹向走道时，还有可能把烟压入楼梯间内，因而防、排烟的效果并不理想。

图 4-6 的布置形式不仅采用了阳台作开敞前室，还将楼梯和消防电梯间结合布置，形成一个良好的安全区，对安全疏散和消防扑救都比较有利，在设计中宜创造性地加以采用。

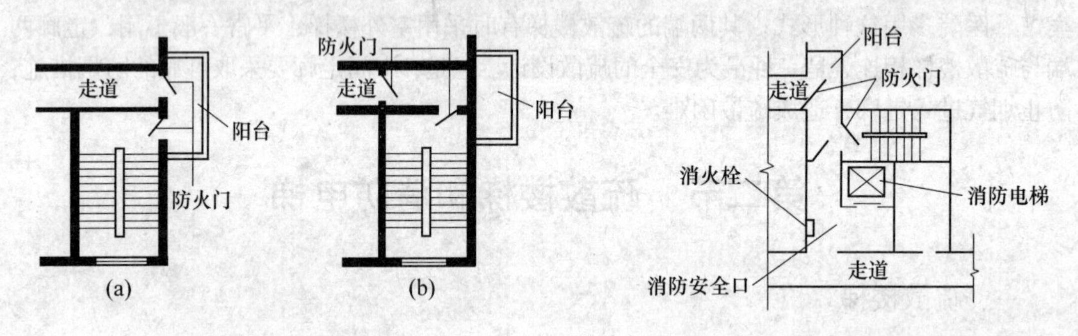

图 4-5 用阳台作开敞前室

图 4-6 用阳台作开敞前室的楼梯间（与消防电梯结合布置）

②以凹廊作为开敞前室(图 4-7 ~ 图 4-10)。图 4-7 ~ 图 4-10 所列举的形式除自然排烟效果都较好外，在平面的布置上也各有特点。在图 4-7 及图 4-8 中，均将疏散楼梯和电梯厅结合布置，使经常用的流线和火灾时的疏散路线结合起来。图 4-8 的疏散楼梯还配合了消防电梯，且两者之间有一定的分隔措施，对安全疏散都十分有利。

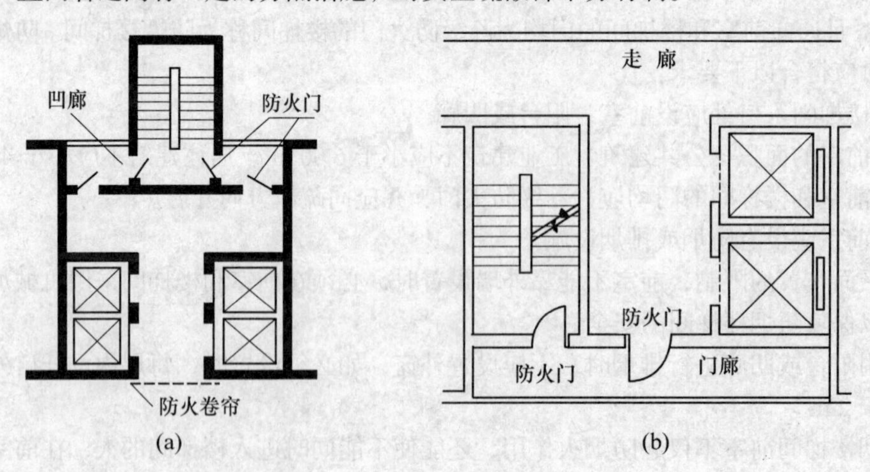

图 4-7 凹廊作前室的楼梯间示例一

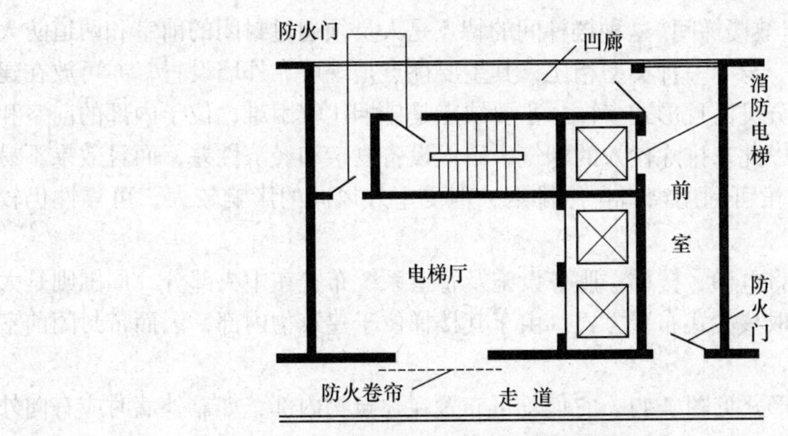

图 4-8 凹廊作前室的楼梯间示例二
(与消防电梯结合布置)

图 4-9 是某旅游楼的疏散楼梯间形式，它位于口字形平面的两对角，另两角为结合消防电梯的疏散楼梯间，一为垂直疏散口，四者的搭配充分保证了疏散的安全可靠性。

图 4-10 是日本东京帝国旅馆的疏散楼梯间，它设在十字形平面的四个端头，且与布置在建筑中部并靠近电梯的疏散楼梯间相呼应，平面上任一位置均可向两个方向疏散，故其处理也是相当完善的。

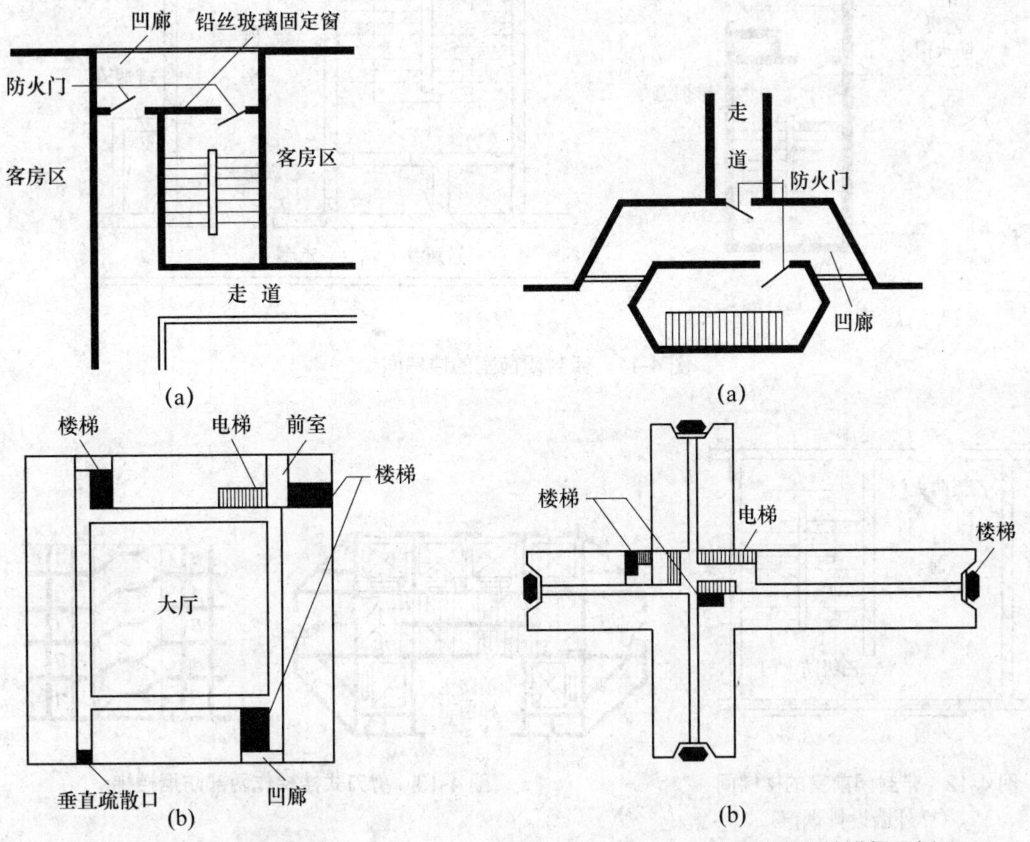

图 4-9 凹廊作前室的楼梯间示例三
(a) 楼梯间；(b) 楼梯位置

图 4-10 凹廊作前室的楼梯间示例四
(a) 楼梯间；(b) 楼梯位置

(2) 带封闭前室的疏散楼梯间。这种楼梯间的特点是人员须通过封闭的前室和两道防火门，才能到达楼梯间内。与前一种类型相比，其主要优点是既可靠外墙设置，亦可放在建筑物内部，平面布置十分灵活且形式多样。主要缺点是排烟比较困难；位于内部的前室和楼梯间须设排烟装置，以此来排除侵入的烟气，不但设备复杂和经济性差，而且效果不易完全保证。当靠外墙时虽可利用窗口自然排烟，但受室外风向的影响较大，可靠性仍较差。

筒体结构的建筑常将电梯、楼梯、服务设施及管道系统布置在中央部分，周围则是大面积的主要用房，即采取核心式布置方式。由于其楼梯位于建筑物内部，因而带封闭前室的形式对它特别适合。

这种楼梯间的一般形式见图 4-11，它们均可布置在建筑物内部，如靠外墙时应有向外开启的窗户（如图 4-12 所示）。

用剪刀式楼梯作两部防烟楼梯的形式见图 4-13。可利用剪刀式楼梯作两部疏散楼梯双向疏散，当作为防烟楼梯时，防烟楼梯间应彼此分开。每层的前室及防火门上应设置明显的楼层标志。

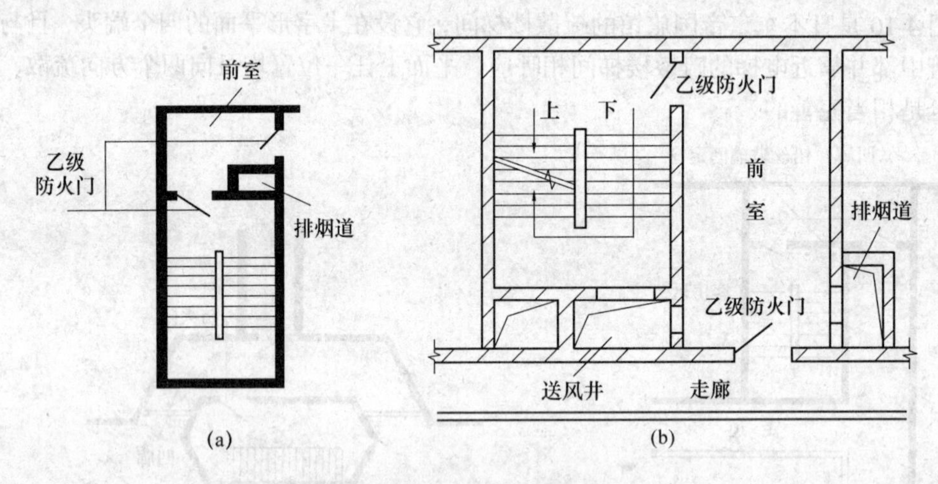

图 4-11 带封闭前室的楼梯间

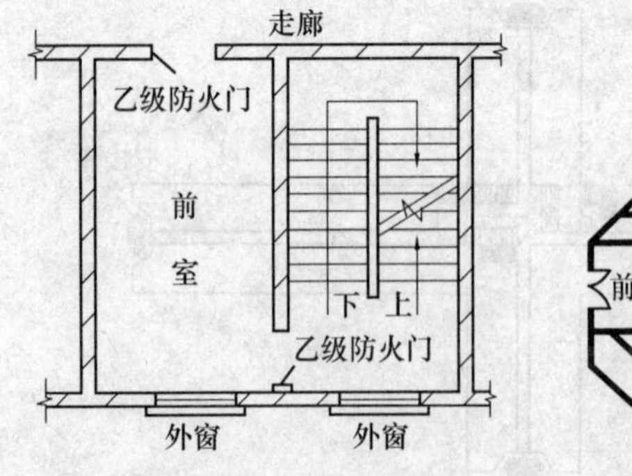

图 4-12 带封闭前室的楼梯间（靠外墙设排烟窗）

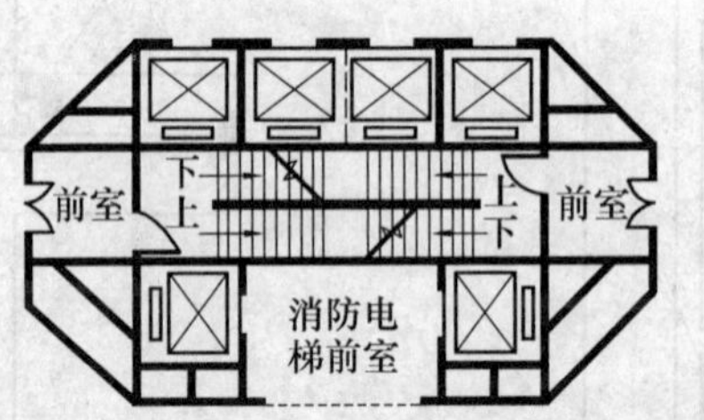

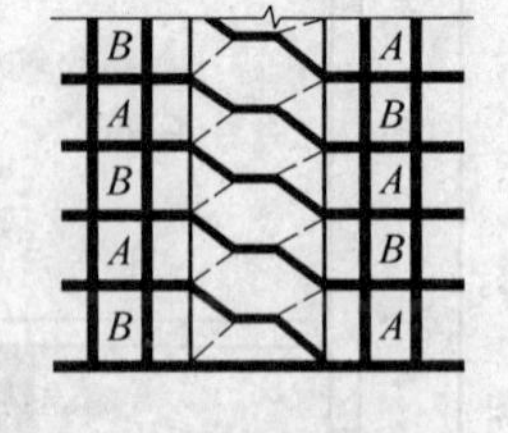

图 4-13 剪刀式楼梯作两部防烟楼梯

2．封闭楼梯间

设有能阻挡烟气的双向弹簧门（对单、多层建筑）或乙级防火门（对高层建筑）的楼梯间称为封闭楼梯间。封闭楼梯间的设置应符合下列规定：

⑴楼梯间应靠外墙，并应直接天然采光和自然通风，当不能直接天然采光和自然通风时，应按防烟楼梯间规定设置。

⑵对高层建筑楼梯间应设乙级防火门，并应向疏散方向开启。对单、多层建筑应设双向弹簧门。

⑶楼梯间的首层紧接主要出口时，可将走道和门厅等包括在楼梯间内，形成扩大的封闭楼梯间，但应采用乙级防火门(对高层建筑)等防火措施与其他走道和房间隔开。

封闭楼梯间的形式如图 4-14 所示。

如有条件还可把楼梯间适当加长，设置两道防火门而形成门斗(因其面积很小，与前室有所区别)，这样处理之后可以提高它的防护能力，并给疏散以回旋的余地。上述封闭楼梯间形式见图 4-15。

在建筑设计时，为了丰富门厅的空间艺术处理，并使交通流线清晰流畅，常把首层的封闭楼梯间敞开在大厅中。此时须对整个门厅作扩大的封闭处理，以乙级防火门或防火卷帘等将门厅与其他走道和房间等分隔开，门厅内应采用不燃化内装修。

底层扩大封闭楼梯间见图 4-16 所示。

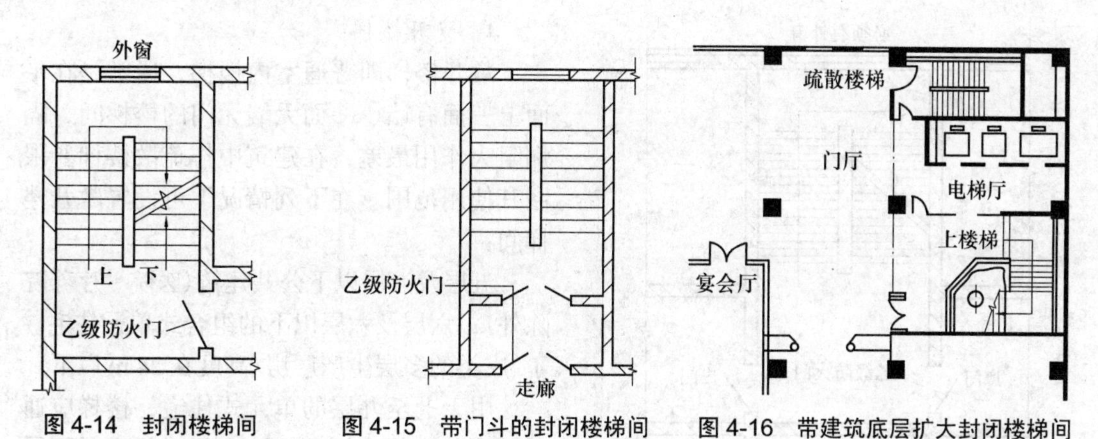

图 4-14 封闭楼梯间　图 4-15 带门斗的封闭楼梯间　图 4-16 带建筑底层扩大封闭楼梯间

3．室外疏散楼梯

这种楼梯的特点是设置在建筑外墙上、全部开敞于室外，且常布置在建筑端部。它不易受到烟火的威胁，既可供人员疏散使用，又可供消防人员登上高楼扑救使用。在结构上，它利于采取简单的悬挑方式，不占据室内有效的建筑面积。此外，侵入楼梯处的烟气能迅速被风吹走，亦不受风向的影响。因此，它的防烟效果和经济性都很好，当造型处理得当时，还可为建筑立面增添风采。但是，它也存在一些问题：由于只设一道防火门而防护能力较差，且易造成心理上的高空恐怖感，人员拥挤时还可能发生意外事故，所以安全性不很大，宜与前两种楼梯配合使用。

在设置室外疏散楼梯时应符合下列要求：

室外楼梯可作为辅助防烟楼梯，其最小净宽不应小于 0.9 m，当倾斜角度不大于 45°，栏杆扶手的高度不小于 1.1 m 时，可计入疏散楼梯总宽度内。

室外楼梯和平台应采用耐火极限不低于 1 h 的不燃烧体。在楼梯周围 2 m 的墙面上，除设疏散门外，不应开设其他门、窗、洞口，疏散门应采用乙级防火门，且不应正对楼梯段。

对于不需设防烟楼梯间的建筑的室外疏散楼梯，其倾斜角度可不大于 60°，净宽可不小于 0.8 m。

室外疏散楼梯的平面形式如图 4-17 所示，室外疏散楼梯的布置见图 4-18 所示。

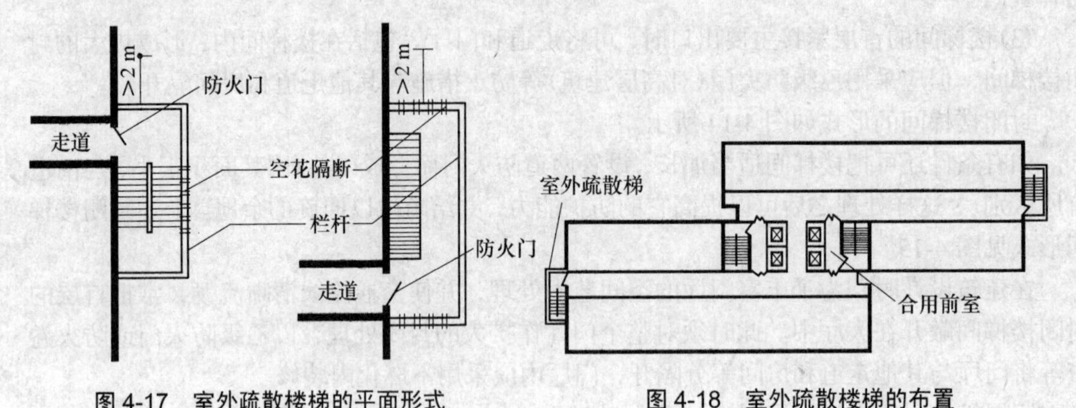

图 4-17　室外疏散楼梯的平面形式

图 4-18　室外疏散楼梯的布置

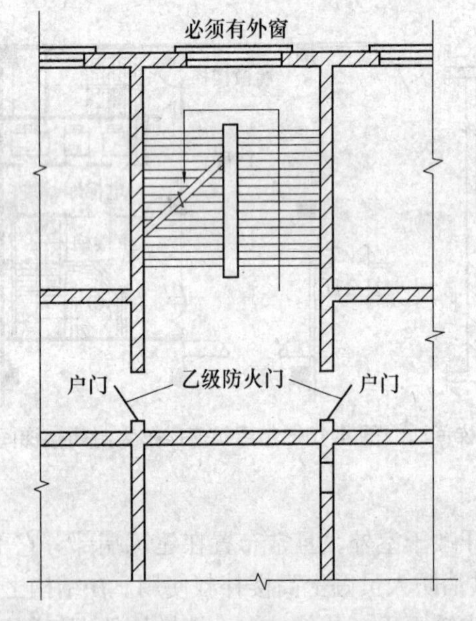

图 4-19　用于 10～11 层的单元式住宅的敞开楼梯

4．敞开楼梯

敞开楼梯即普通室内楼梯，通常是在平面上三面有墙、一面无墙无门的楼梯间，隔烟阻火作用最差，在建筑中作疏散楼梯要限制其使用范围。在下列情况下可设置敞开楼梯间：

五层及五层以下公共建筑(医院、疗养院除外)；六层及六层以下的组合式单元住宅。丁、戊类的多层生产厂房(高度在 24 m 以下)。

用于七至九层的单元式住宅，楼梯应通至屋顶，房门采用乙级防火门时可不通至屋顶。

在高层建筑中，只能用于十至十一层的单元式住宅，但要求开向楼梯间的户门采用乙级防火门，且楼梯间应靠外墙，并应直接天然采光和自然通风。其用于单元式住宅的平面形式如图 4-19 所示。

(二) 疏散楼梯的设计原则

1．设计原则

在进行疏散楼梯设计时，应根据建筑物的性质、规模、高度、容纳人数以及火灾危险性等合理确定疏散楼的形式、数量，按规定做好疏散楼梯间的构造设计。

2．平面布置

为了保证疏散的安全性，在楼梯间的平面布置上宜满足以下要求：

(1) 靠近标准层(或防火分区)的两端设置。这种布置方式便于进行双向疏散，提高疏散的安全可靠性。

(2)靠近电梯间设置。发生火灾时，人们习惯于利用经常走的疏散路线进行疏散。靠近电梯间设置疏散楼梯，可将经常用疏散路线和紧急疏散路线结合起来，有利于引导人们快速而安全地疏散。如果电梯厅为开敞式时，两者之间宜有一定的分隔，以免电梯井道引起烟火蔓延而切断通向楼梯的道路。

(3)靠近外墙设置。这种布置方式有利于采用安全性高、经济性好，带开敞前室的疏散楼梯间形式。同时，也便于自然采光、通风和进行火灾扑救。

3．竖向布置

(1)疏散楼梯应保持上、下畅通。高层民用建筑的疏散楼梯应通向屋顶，以便当向下疏散的通道发生堵塞或被烟气切断时，人员可上到屋顶暂时避难，等待消防人员利用登高车或直升机进行救援。

(2)应避免不同的疏散人流相互交叉。对于高层民用建筑，其高层部分的疏散楼梯不应与低层公共部分(裙房)的交通过厅、楼梯间或自动扶梯混杂交叉，以免紧急疏散时两部分人流发生冲撞拥挤，引起堵塞和意外伤亡。

疏散楼梯是安全疏散道路中一个主要组成部分，应设明显指示标志并宜布置在易于寻找的位置。普通楼梯不能作为疏散用楼梯。疏散楼梯的多少，可按宽度指标结合疏散路线的距离、安全出口的数目确定。

二、消防电梯

消防电梯是高层建筑中特有的消防设施。高层建筑发生火灾时，要求消防队员迅速到达高层起火部位，去扑救火灾和救援遇难人员。但普通电梯在火灾时往往失去作用，而消防队员若从疏散楼梯登楼，体力消耗很大，难以有效地进行灭火战斗，而且还要受到疏散人员的阻挡。为了给消防队员扑救高层建筑火灾创造条件，对高层建筑必须结合其具体情况，合理设置消防电梯。

(一)设置要求

消防电梯的设置应符合下列规定：

(1)消防电梯间应设前室，其面积：居住建筑不应小于4.50 m^2，其他建筑不应小于6.00 m^2。当与防烟楼梯间合用前室时，其面积：居住建筑不应小于6.00 m^2，其他建筑不应小于10 m^2。

(2)消防电梯间前室宜靠外墙设置，在首层应设直通室外的出口或经过长度不超过30 m的通道通向室外。

(3)消防电梯间前室的门，应采用乙级防火门或具有停滞功能的防火卷帘。

(4)消防电梯的载重量不应小于800 kg。

(5)消防电梯井、机房与相邻其他电梯井、机房之间，应采用耐火极限不低于2.00 h的隔墙隔开，当在隔墙上开门时，应设甲级防火门。

(6)消防电梯的行驶速度，应按从首层到顶层的运行时间不超过60 s计算确定。

(7)消防电梯轿厢的内装修应采用不燃烧材料。

(8)消防电梯轿厢内应设专用电话，并应在首层设供消防队员专用的操纵按钮。

(9)消防电梯间前室门口宜设挡水设施。

消防电梯井底应设排水设施，排水井容量不应小于 2.00 m^3，排水泵排水量不应小于 10 t / s。

(10) 动力与控制电缆、电线应采取防水措施。

(11) 消防电梯可与客梯或工作电梯兼用，但应符合上述各项要求。

(二) 布置形式

在高层建筑中布置消防电梯时，应考虑消防人员使用的方便性，并且宜与疏散楼梯间结合布置。消防电梯与防烟楼梯合用前室时的布置如图 4-6、图 4-8、图 4-20、图 4-21 所示。

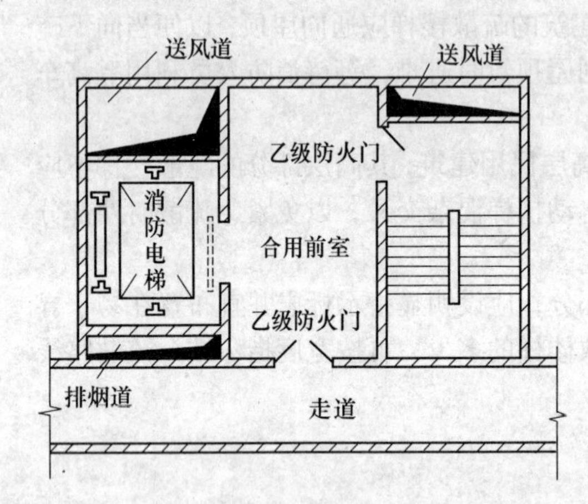

图 4-20　消防电梯与防烟楼梯合用前室时的布置示意图

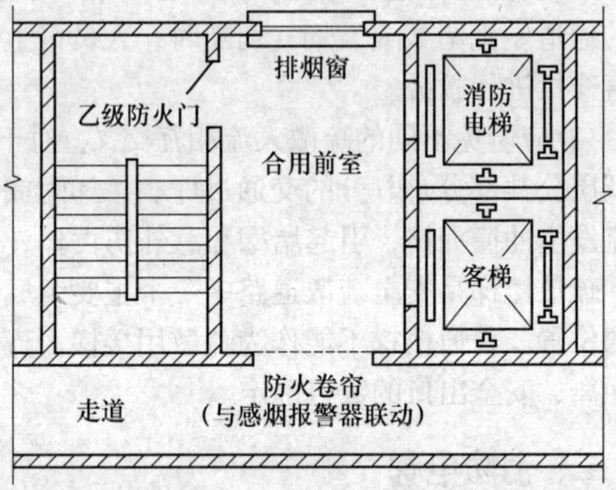

图 4-21　消防电梯与客梯、防烟楼梯合用前室时的布置示意图(可开启排烟窗≥3 m^2)

第三节　工业建筑安全疏散

一、安全出口及数量

安全出口是指符合相关规范规定的疏散楼梯或直通室外地平面的出口。为了在发生火灾时，能够迅速、安全地疏散人员和搬出贵重物资，减少火灾损失，在设计建筑物时必须设计足够数量的安全出口。安全出口应分散布置，且易于寻找，并应设明显标志。对厂房、库房安全出口的数量规定是：

(1) 厂房安全出口的数量不应少于两个。但符合下列要求的可设一个：

①甲类厂房，每层建筑面积不超过 100 m^2 且同一时间的生产人数不超过 5 人；

②乙类厂房，每层建筑面积不超过 150 m^2 且同一时间的生产人数不超过 10 人；

③丙类厂房，每层建筑面积不超过 250 m^2 且同一时间的生产人数不超过 20 人；

④丁、戊类厂房，每层建筑面积不超过 400 m^2 且同一时间的生产人数不超过 30 人。

(2) 厂房的地下室、半地下室的安全出口的数量不应少于两个，但使用面积不超过 50 m^2 且人数不超过 15 人时可设一个。

(3) 地下室、半地下室如用防火墙隔成几个防火分区时，每个防火分区可利用防火墙上通向相邻分区的防火门作为第二安全出口，但每个防火分区必须有一个直通室外的安全出口，如图 4-22 所示。

(4) 库房或每个隔间（冷库除外）的安全出口数量不宜少于两个。但一座多层库房的占地面积不超过 300 m^2 时，可设一个疏散楼梯，面积不超过 100 m^2 的防火隔间，可设置一个门。

(5) 库房（冷库除外）的地下室、半地下室的安全出口不应少于两个，但面积不超过 100 m^2 时可设一个。

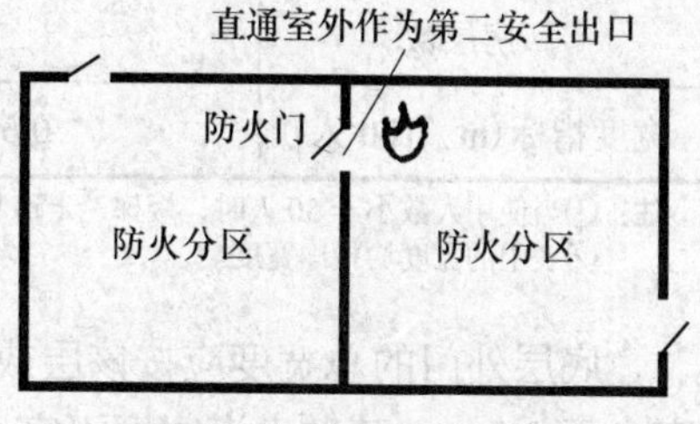

图 4-22　地下室的安全出口

二、安全疏散距离

厂房的安全疏散距离是指厂房内最远工作地点到外部出口或楼梯的最大允许距离。规定安全疏散距离的目的在于缩短人员疏散的距离，使人员尽快安全地疏散到安全地点。

厂房内最远工作地点到外部出口或楼梯间的距离（图 4-23），不应超过表 4-2 的规定。

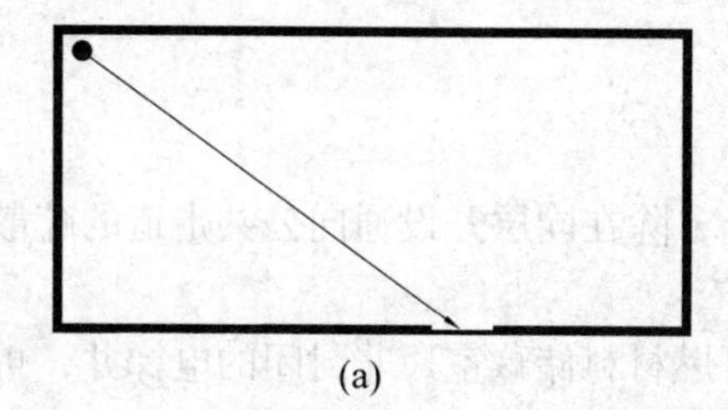

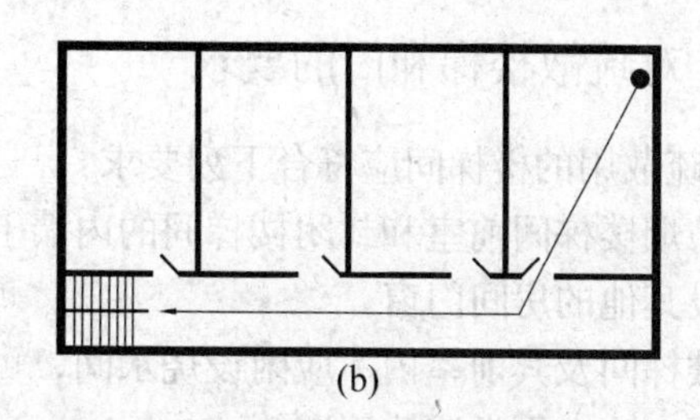

图 4-23　厂房内最远工作地点到外部出口或楼梯间的距离

表 4-2　厂房的安全疏散距离

（单位：m）

生产类别	耐火等级	单层厂房	多层厂房	高层厂房	厂房的地下室、半地下室
甲	一、二级	30	25	—	—
乙	一、二级	75	50	30	—
丙	一、二级	80	60	40	30
	三级	60	40	—	—
丁	一、二级	不限	不限	50	45
	三级	60	50	—	—
	四级	50	—	—	—
戊	一、二级	不限	不限	75	60
	三级	100	75	—	—
	四级	60	—	—	—

库房的安全疏散距离可参照厂房的安全疏散距离规定执行。

三、安全出口、走道、楼梯的宽度

厂房每层的疏散楼梯、走道、门的各自总宽度应按表 4-3 的规定计算。当各层人数不相等时，其楼梯总宽度应分层计算，下层楼梯总宽度按其上层人数最多的一层计算，但楼梯最小宽度不宜小于 1.1 m。

表 4-3 厂房疏散楼梯、走道和门的宽度指标

厂房层数	一、二层	三层	≥四层
宽度指标(m / 100 人)	0.6	0.8	1.0

注：①当使用人数小于 50 人时，楼梯、走道和门的最小宽度可适当减小，但门的最小宽度不应小于 0.8 m。
②表中的宽度均指净宽度。

底层外门的总宽度应按该层或该层以上人数最多的一层计算，但疏散门的最小宽度不宜小于 0.9 m；疏散走道宽度不宜小于 1.4 m。

四、疏散楼梯设置

甲、乙、丙类厂房和高层厂房、高层库房的疏散楼梯应采用封闭楼梯间，高度超过 32 m 且每层人数超过 10 人的高层厂房宜采用防烟楼梯间或室外疏散楼梯。

丁、戊类的单、多层厂房(高度在 24 m 以下)可用敞开楼梯作疏散楼梯。

五、对疏散楼梯和门的要求

(1)疏散用的楼梯间应符合下列要求：

①防烟楼梯间前室和封闭楼梯间的内墙上，除在同层开设通向公共走道的疏散门外，不应开设其他的房间门窗。

②楼梯间及其前室内不应附设烧水间，可燃材料储藏室，非封闭的电梯井，可燃气体管道，甲、乙、丙类液体管道等。

③楼梯间内宜有天然采光，并不应有影响疏散的凸出物。

④在住宅内，可燃气体管道如必须局部水平穿过楼梯间时应采取可靠的保护设施。

(2)作为丁、戊类厂房内的第二安全出口的楼梯，可采用净宽不小于 0.8 m 的金属梯。

(3)丁、戊类高层厂房，当每层工作平台人数不超过 2 人，且各层工作平台上同时生产人数总和不超过 10 人时，可采用敞开楼梯，或采用净宽不小于 0.8 m、坡度不大于 60°的金属梯兼作疏散梯。

(4)疏散用楼梯和疏散通道上的阶梯，不应采用螺旋楼梯和扇形踏步，但踏步上下两级所形成的平面角度不超过 10°，且每级离扶手 25 cm 处的踏步宽度超过 22 cm 时可不受此限(图 4-24)，适合于疏散楼梯踏步的高宽关系见图 4-25。

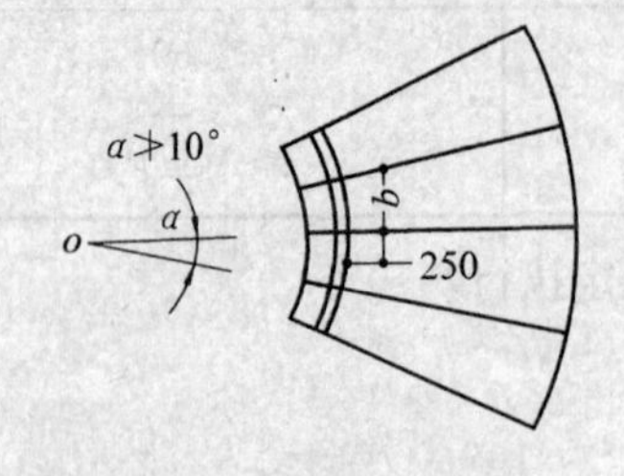

图 4-24 螺旋楼梯踏步关系

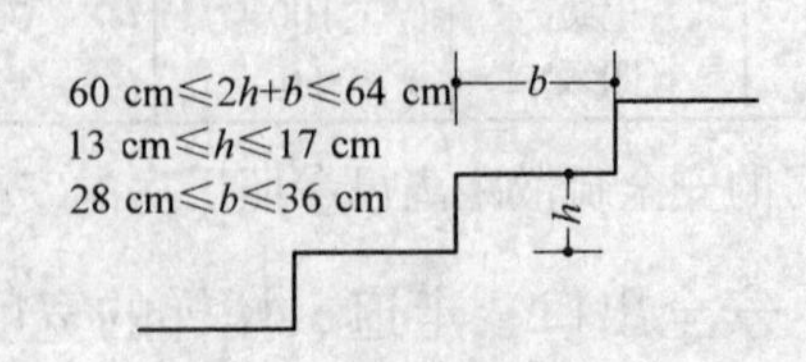

图 4-25 楼梯踏步关系

(5)高度超过 10 m 的三级耐火等级建筑，应设有通至屋顶的室外消防梯，但不应面对老虎窗，并宜离地面 3 m 设置，宽度不应小于 50 cm。

(6)民用建筑及厂房的疏散用门应向疏散方向开启，人数不超过 60 人的房间且每樘门的平均疏散人数不超过 30 人时(甲、乙类生产房间除外)，其门的开启方向不限。

疏散用的门不应采用侧拉门(库房除外)，严禁采用转门。

(7)库房门应向外开或靠墙的外侧设推拉门，但甲类物品库房不应采用侧拉门。

(8)库房、筒仓的室外金属梯可兼作疏散楼梯，但其净宽度不应小于 60 cm，倾斜度不应大于 60°，栏杆扶手的高度不应小于 80 cm。

六、消防电梯

高度超过 32 m 的设有电梯的厂房，每个防火分区内应设 1 台消防电梯(可与客、货梯兼用)。高度超过 32 m 的设有电梯的塔架，当每层工作平台人数不超过 2 人时，可不设消防电梯。丁、戊类厂房，当局部建筑高度超过 32 m 且局部升起部分的每层建筑面积不超过 50 m^2 时，可不设消防电梯。

高度超过 32 m 的高层库房应设消防电梯。设在库房连廊、冷库穿堂或谷物筒仓工作塔内的消防电梯，可不设前室。

第四节　单、多层民用建筑安全疏散

一、安全出口的数量和布置

单、多层民用建筑安全出口数量和布置应符合下列规定：

(1)公共建筑和通廊式居住建筑安全出口的数量不应少于两个，但符合下列要求的可设一个：

①一个房间的面积不超过 60 m^2，且人数不超过 50 人时，可设一个门；位于走道尽端的房间(托儿所、幼儿园除外)内由最远一点到房门口的直线距离不超过 14 m 且人数不超过 80 人时，也可设一个向外开启的门，但门的净宽不应小于 1.4 m。

②二、三层的建筑(医院、疗养院、托儿所、幼儿园除外)符合表 4-4 的要求时，可设一个疏散楼梯。

表 4-4　设置一个疏散楼梯的条件

耐火等级	层数	每层最大建筑面积(m^2)	人数
一、二级	一、二层	500	第二层和第三层人数之和不超过 100 人
三级	二、三层	200	第二层和第三层人数不和不超过 50 人
四级	一层	200	第二层人数不超过 30 人

③单层公共建筑(托儿所、幼儿园除外)如面积不超过 200 m^2 且人数不超过 50 人时，可设一个直通室外的安全出口。

④设有不少于两个疏散楼梯的一、二级耐火等级的公共建筑，如顶层局部升高时，其高出部分的层数不超过两层，每层面积不超过 200 m^2，人数之和不超过 50 人时，可设一个楼梯，但应另设一个直通平屋面的安全出口。

⑤歌舞娱乐放映游艺场所的疏散出口不应少于两个。当其建筑面积不大于 50 m^2 时，可设置一个疏散出口。

(2)九层及九层以下，建筑面积不超过 500 m^2 的塔式住宅，可设一个楼梯。

九层及九层以下的每层建筑面积不超过 300 m^2，且每层人数不超过 30 人的单元式宿舍，可设一个楼梯。

(3)超过六层的组合式单元住宅和宿舍，各单元的楼梯间均应通至平屋顶，如户门采用乙级防火门时，可不通至屋顶。

(4)剧院、电影院、礼堂的观众厅安全出口的数量均不应少于两个，且每个安全出口的平均疏散人数不应超过 250 人。容纳人数超过 2 000 人时，其超过 2 000 人的部分，每个安全出口的平均疏散人数不应超过 400 人。

(5)体育馆观众厅安全出口的数目不应少于两个，且每个安全出口的平均疏散人数不宜超过 400 ~ 700 人。设计时，规模较小的观众厅，宜采用接近下限值；规模较大的观众厅宜采用接近上限值。

(6)地下室、半地下室每个防火分区的安全出口数目不应少于两个。但面积不超过 50 m^2，且人数不超过 10 人时可设一个。

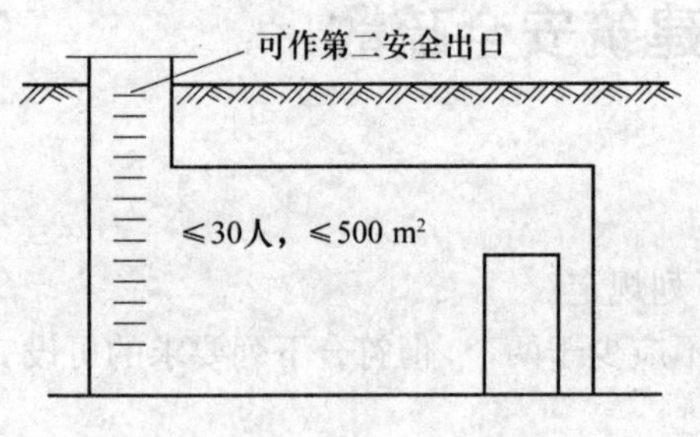

图 4-26　地下室金属梯

地下室、半地下室有两个或两个以上防火分区时，每个防火分区可利用防火墙上一个通向相邻分区的防火门作为第二安全出口，每个防火分区必须有一个直通室外的安全出口。人数不超过 30 人且面积不超过 500 m^2 的地下室、半地下室，其垂直金属梯可作为第二安全出口(图 4-26)。

(7)歌舞娱乐放映游艺场所的疏散出口不应少于两个。当其建筑面积不大于 50 m^2 时，可设置一个疏散出口，其疏散出口总宽度应根据其通过人数按不小于 1.0 m / 100 人计算确定。

地下室、半地下室的楼梯间，在首层应采用耐火极限不低于 2.00 h 的隔墙与其他部位隔开并应直通室外，当必须在隔墙上开门时，应采用不低于乙级的防火门。

地下室或半地下室与地上层不应共用楼梯间，当必须共用楼梯间时，应在首层与地下或半地下层的出入口处，设置耐火极限不低于 2.00 h 的隔墙和乙级的防火门隔开，并应有明显标志。

建筑物中的安全出口或疏散出口应分散布置。建筑物中相邻两个安全出口或疏散出口最近边缘之间的水平距离不应小于 5.0 m。

(8)公共建筑的室内疏散楼梯宜设置楼梯间。医院、疗养院的病房楼，设有空气调节系统的多层旅馆和超过五层的其他公共建筑的室内疏散楼梯均应设置封闭楼梯间(包括底层扩大封闭楼梯间)。

疏散楼梯间在各层的平面位置不应改变(国家相关规范另有规定者除外)。

(9)公共建筑的室内疏散楼梯宜设置楼梯间。医院、疗养院的病号楼，设有空气调节系统的多层旅馆和超过五层的其他公共建筑的室内疏散楼梯均应设置封闭楼梯间(包括底层扩大封闭楼梯间)。

设有歌舞娱乐放映游艺场所且超过三层的地上建筑，应设置封闭楼梯间。

地下商店和设有歌舞娱乐放映游艺场所的地下建筑，当其地下层数为三层及三层以上，以及地下层数为一层或二层且其室内地面与室外出入口地坪高差大于 10 m 时，均应设置防烟楼梯间；其他的地下商店和设有歌舞娱乐放映游艺场所的地下建筑可设置封闭楼梯间，其楼梯间的门应采用不低于乙级的防火门。

二、安全疏散距离

民用建筑的安全疏散距离应符合下列要求：

(1) 直接通向公共走道的房间门至最近的外部出口或封闭楼梯间的距离，应符合表 4-5 的要求。

表 4-5　安全疏散距离　（单位：m）

建筑物名称	直接通向公共走道的房间至外部出口或封闭楼梯间的最大距离 (m)					
	位于两个外部出口或楼梯间之间的房间			位于袋形走道两侧或尽端的房间		
	耐火等级			耐火等级		
	一、二级	三级	四级	一、二级	三级	四级
托儿所、幼儿园	25	20	—	20	15	—
医院、疗养院	35	30	—	20	15	—
学校	35	30	—	22	20	—
其他民用建筑	40	35	25	22	20	15

注：①敞开式外廊建筑的房间门至外部出口或楼梯间的最大距离可按本表增加 5 m。
②设自动喷水灭火系统的建筑物，其安全疏散距离可按本表规定增加 25%。

(2) 房间的门至最近的非封闭楼梯间的距离，如房间位于两个楼梯间之间时，应按表 4-5 减少 5 m；如房间位于袋形走道两侧或尽端时，应按表 4-5 减少 2 m。

楼梯间的底层处应设置直接对外的出口。当层数不超过四层，可将对外出口设置在离楼梯间不超过 15 m 处。

(3) 不论采用何种形式的楼梯间，房间内最远一点到房门的距离，不应超过表 4-5 中规定的袋形走道两侧或尽端的房间从房门到外部出口或楼梯间的最大距离。

三、安全出口、走道、楼梯的宽度

(1) 剧院、电影院、礼堂、体育馆等人员密集的公共场所，其观众厅内的疏散走道宽度应按其通过人数每 100 人不小于 0.6 m 计算，但最小净宽度不应小于 1.0 m，边走道不宜小于 0.8 m。

在布置疏散走道时，横走道之间的座位排数不宜超过 20 排。纵走道之间的座位数，剧院、电影院、礼堂等每排不超过 22 个，体育馆每排不宜超过 26 个，但前后排座椅的排距不小于 90 cm 时，可增至 50 个，仅一侧有纵走道时座位减半（图 4-27）。

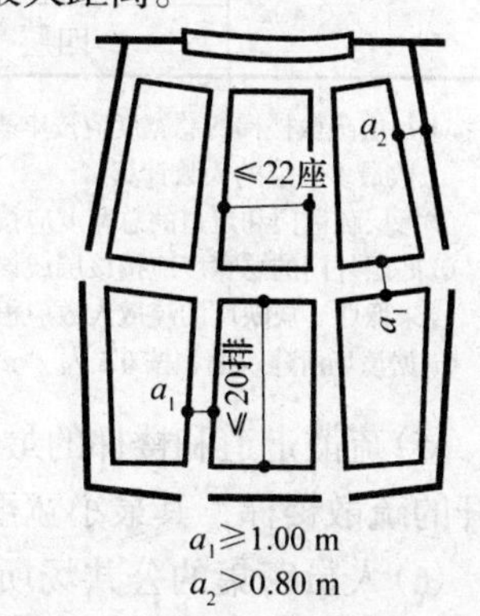

图 4-27　观众厅走道、座位布置

(2) 剧院、电影院、礼堂等人员密集的公共场所观众厅的疏散内门和观众厅外的疏散外门、楼梯和走道各自总宽度，均应按不小于表 4-6 的规定计算。

(3)体育馆观众厅的疏散门以及疏散外门、楼梯和走道各自宽度，均应按不小于表 4-7 的规定计算。

(4)学校、商店、办公楼、候车室等民用建筑底层疏散外门、楼梯、走道的各自总宽度，应通过计算确定，疏散宽度指标不应小于表 4-8 的规定。

表 4-6　剧院、电影院、礼堂观众厅疏散宽度指标　　单位：(m / 100 人)

观众厅座位数(个)			≤2 500	≤1 200
耐火等级			一、二级	三级
疏散部位	门和走道	平坡地面	0.65	0.85
		阶梯地面	0.75	1.00
	楼梯		0.75	1.00

注：有等场需要的入场门，不应作为观众厅的疏散门。

表 4-7　体育馆观众厅疏散宽度指标　　单位：(m / 100 人)

观众厅座位数(个)			3 000~5 000	5 001~10 000	10 001~20 000
耐火等级			一、二级	一、二级	一、二级
疏散部位	门和走道	平坡地面	0.43	0.37	0.32
		阶梯地面	0.50	0.43	0.37
	楼梯		0.50	0.43	0.73

注：表中较大座位数档次按规定指标计算出来的疏散总宽度，不应小于相邻较小座位数档次按其最多座位数计算出来的疏散总宽度。

表 4-8　学校、商店、办公楼、候车室等民用建筑底层疏散宽度指标　单位：(m / 100 人)

耐火等级		一、二级	三级	四级
层　数	一、二层	0.65	0.75	1.00
	三层	0.75	1.00	—
	≥四层	1.00	1.25	—

注：①每层疏散楼梯的总宽度应按本表规定计算。当每层人数不等时，其总宽度可分层计算，下层楼梯的总宽度按其上层人数最多一层的人数计算。
②每层疏散门和走道的总宽度应按本表规定计算。
③底层外门的总宽度应按该层或该层以上人数最多的一层人数计算，不供楼上人员疏散的外门，可按本层人数计算。
④录像厅、放映厅的疏散人数应根据该场所的建筑面积按 1.0 人 / m^2 计算；其他歌舞娱乐放映游艺场所的疏散人数应根据该场所建筑面积按 0.5 人 / m^2 计算。

(5)疏散走道和楼梯的最小宽度不应小于 1.1 m，不超过六层的单元式住宅中一边设有栏杆的疏散楼梯，其最小宽度可不小于 1.0 m。

(6)人员密集的公共场所观众厅的入场门、太平门，不应设置门槛，其宽度不应小于 1.4 m，紧靠门口 1.4 m 范围内不应设置踏步。

太平门必须向外开，并宜装置自动门闩。

人员密集的公共场所的室外疏散小巷，其宽度不应小于 3 m。

四、疏散楼梯

单、多层民用建筑疏散楼梯设置应符合下列规定：

⑴公共建筑的室内疏散楼梯宜设置楼梯间。医院、疗养院的病房楼，设有空气调节系统的多层旅馆和超过五层的其他公共建筑的室内疏散楼梯均应设置封闭楼梯间(包括底层扩大封闭楼梯间)。

超过六层的塔式住宅应设封闭楼梯间，如户门采用乙级防火门时，可不设。

公共建筑门厅的主楼梯如不计入总疏散宽度，可不设楼梯间。

⑵五层及五层以下的公共建筑(病房楼除外)、六层及六层以下的组合式单元住宅和宿舍，可设敞开楼梯。

⑶六层以上的组合单元式住宅和宿舍也可采用敞开楼梯，但各单元的楼梯间均应通至平屋顶(若户门采用乙级防火门时，可不通至屋顶)。

第五节　高层民用建筑安全疏散

一、安全出口、疏散出口的数量和布置

安全出口和疏散出口既有区别又有联系。安全出口是指保证人员安全疏散的楼梯或直通室外地平面的门。而疏散出口则指的是房间连通疏散走道或过厅的门，同时还包括安全出口。高层建筑出口的数量和布置应符合下列要求：

⑴高层建筑每个防火分区的安全出口不应少于两个。但符合下列条件之一的，可设一个安全出口：

①十八层及十八层以下，每层不超过 8 户、建筑面积不超过 650 m^2，且设有一座防烟楼梯间和消防电梯的塔式住宅。

②每个单元设有一座通向屋顶的疏散楼梯，且从第十层起每层相邻单元设有连通阳台或凹廊的单元式住宅。

③除地下室外的相邻两个防火分区，当防火墙上有防火门连通，且两个防火分区的建筑面积之和不超过规定的一个防火分区面积的 1.4 倍的公共建筑。

⑵塔式高层建筑，两座疏散楼梯宜独立设置，当确有困难时，可设置剪刀式楼梯，并应符合下列规定：

①剪刀式楼梯间应为防烟楼梯间。

②剪刀式楼梯的梯段之间，应设置耐火极限不低于 1.00 h 的实体墙分隔。

剪刀式楼梯是垂直方向的两条疏散通道，两梯段之间若没有隔墙，则两条通道是处在同一个空间内。一旦楼梯间的一个出入口进烟，就会使整个楼梯间充满烟雾。为了防止这种情况的发生，在两个楼梯段之间设分隔墙，使两条疏散通道成为相互隔绝的独立空间，即使有一个楼梯进烟，也能保证另一个楼梯无烟，这样就提高了剪刀式楼梯疏散的可靠性。

③剪刀式楼梯应分别设置前室。塔式住宅确有困难时可设置一个前室，但两座楼梯应分别设加压送风系统。就是说，当剪刀式楼梯的两个入口合用一个防烟前室时，它的加压送风量和送风口设置数量，应按两个楼梯间的要求叠加计算，以保证发生火灾时，前室有

可靠的送风和足够的风量，阻挡烟气的进入，使防烟楼梯间前室发挥应有的作用。

实践证明，高层建筑采用剪刀式楼梯作为两个安全出口，是一种既节约建筑面积和投资，又能满足火灾时紧急疏散的较好措施，但由于有的设计人员对剪刀式楼梯在安全疏散上应具备的功能不甚了解，在设计上出现了一些缺陷。例如，有的剪刀式楼梯的梯段之间没有用隔墙隔开，不能形成每座楼梯的上面和下面为各自独立的楼梯间，起不到真正两个疏散楼梯的作用；又如有的剪刀式楼梯只有一个与电梯厅合用的前室，失火后，一旦合用前室被烟火封住，人员无法通过楼梯疏散脱险，等等。

塔式高层建筑设置剪刀式楼梯如图 4-28、图 4-29 所示。建筑平面布置均设有不同方向的前室，走道为环形走道。

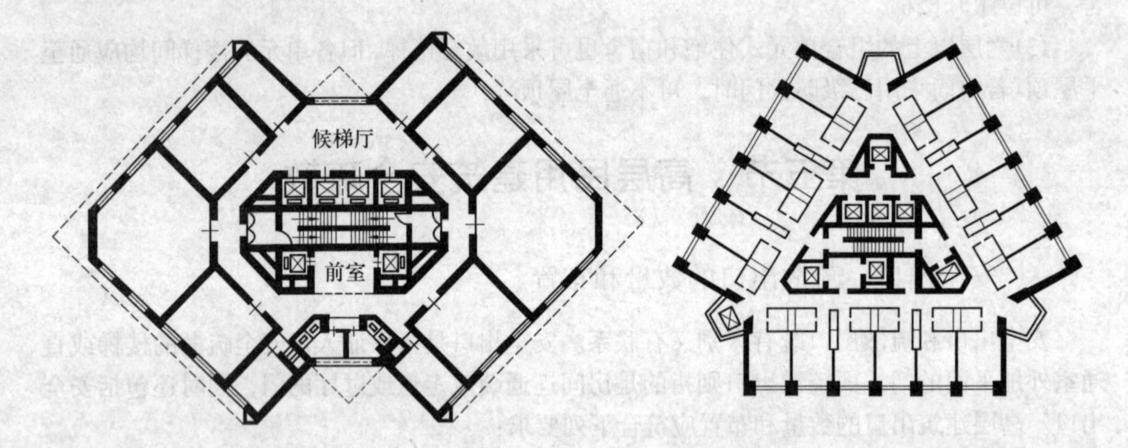

图 4-28　各自设前室的剪刀式防烟楼梯示例一　　图 4-29　各自设前室的剪刀式防烟楼梯示例二

塔式高层建筑，不论是住宅还是公共建筑，其剪刀式楼梯间在同一楼层应有两个出入口，设置各自独立的两个前室，或是由两个出入口合用一个前室。从国内外高层住宅采用剪刀式楼梯实际情况看，采用两个不同方向的独立前室往往有困难的，因此可以利用走道作为扩大的前室，即开向走道的户门和走道进入楼梯间的门，均应采用乙级防火门。

采用了剪刀式楼梯的高层住宅户门、主楼梯间的门，一般与共同使用的过道相通，使过道具有扩大前室的功能。这样，必须有相应的防火措施作保障：

①所有的住户与走道、楼梯间、电梯井相邻的墙体，都具有防火墙的作用；

②各住户之间的分户隔墙有足够的耐火极限；

③各住宅通往走道的户门，都采用乙级防火门，并采用闭门器。采取这些措施后，住宅内人员的生命安全得到保障，并能够把火灾限制在最小的范围内。

(3)高层居住建筑的户门不应直接开向前室，当确有困难时，部分开向前室的户门均应为乙级防火门。

(4)高层建筑地下室、半地下室每个防火分区的安全出口不应少于两个。当有两个或两个以上防火分区，且相邻防火分区之间的防火墙上设有防火门时，每个防火分区可分别设一个直通室外的安全出口。

房间面积不超过 50 m^2，且经常停留人数不超过 15 人的房间可设一个门。

(5)高层建筑的安全出口应分散布置，两个安全出口之间的距离不应小于 5.00 m。

(6) 高层建筑（除十八层及十八层以下的塔式住宅和顶层为外通廊式住宅）通向屋顶的疏散楼梯不宜少于两座，且不应穿越其他房间，通向屋顶的门应向屋顶方向开启。

单元式住宅每个单元的疏散楼梯均应通至屋顶。

(7) 位于两个安全出口之间的房间，当面积不超过 60 m^2 时，可设置一个门，门的净宽不应小于 0.90 m。位于走道尽端的房间，当面积不超过 75 m^2 时，可设置一个门，门的净宽不应小于 1.40 m。

(8) 高层建筑内设有固定座位的观众厅，每个疏散出口的平均疏散人数不应超过 250 人。

二、安全疏散距离

(1) 高层建筑的安全疏散距离应符合表 4-9 的规定。

表 4-9　安全疏散距离　（单位：m）

高层建筑		房间门或住宅户门至最近的外部出口或楼梯间的最大距离	
		位于两个安全出口之间的房间	位于袋形走道两侧或尽端的房间
医院	病房部分	24	12
	其他部分	30	15
旅馆、展览楼、教学楼		30	15
其他		40	20

(2) 跃廊式住宅的安全疏散距离，应从户门算起，小楼梯的一段距离按其 1.5 倍水平投影计算。跃廊式住宅的一种布置形式见图 4-30。

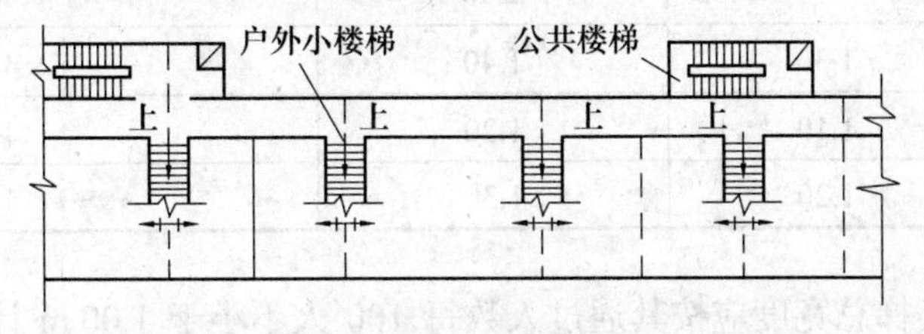

图 4-30　跃廊式住宅的一种布置形式

(3) 高层建筑内的观众厅、展览厅、多功能厅、餐厅、营业厅和阅览室等，其室内任何一点至最近的疏散出口的直线距离不宜超过 30 m；其他房间内最远一点至房门的直线距离不宜超过 15 m。

(4) 高层建筑内设有固定座位的观众厅座位的布置，横走道之间的排数不宜超过 20 排，纵走道之间每排座位不宜超过 22 个；当前后排座位的排距不小于 0.90 m 时，每排座位可为 44 个；只一侧有纵走道时，其座位数应减半。

(5) 位于两座疏散楼梯之间的袋形走道（图 4-31）两侧或尽端的房间，其安全疏散距离应按下式计算：

$$a+2b \leqslant c$$

式中　a—— 一般走道与位于两座楼梯之间的袋形走道的中心线交叉点至较近楼梯间门的

距离；

b——两座楼梯之间的袋形走道尽端的房间门或住宅户门至一般走道中心线交叉点的距离；

c——两座楼梯间或两个外部出口之间最大允许距离的一半，即表 9-9 规定的位于两个安全出口之间房间的安全疏散距离。

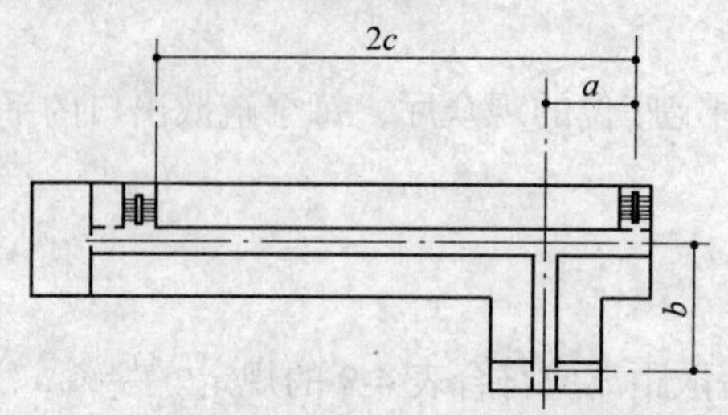

图 4-31 位于两座疏散楼梯之间袋形走道示意图

三、安全出口、走道、楼梯的宽度

(1)高层建筑内走道的净宽，应按通过人数每 100 人不小于 1.00 m 计算；高层建筑首层疏散外门的总宽度，应按人数最多的一层每 100 人不小于 1.00 m 计算。首层疏散外门和走道的净宽不应小于表 4-10 的规定。

表 4-10 首层疏散外门和走道的净宽 (单位：m)

高层建筑	每个外门的净宽	走道净宽	
		单面布房	双面布房
医院	1.30	1.40	1.50
居住建筑	1.10	1.20	1.30
其他	1.20	1.30	1.40

(2)每层疏散楼梯总宽度应按其通过人数每 100 人不小于 1.00 m 计算，各层人数不相等时，其总宽度可分段计算，下层疏散楼梯总宽度应按其上层人数最多的一层计算。疏散楼梯的最小净宽不应小于表 4-11 的规定。

表 4-11 疏散楼梯的最小净宽度 (单位：m)

高层建筑	疏散楼梯的最小净宽度	高层建筑	疏散楼梯的最小净宽度
医院病房楼	1.30	其他建筑	1.20
居住建筑	1.10		

(3)疏散楼梯间及其前室的门的净宽应按通过人数每 100 人不小于 1.00 m 计算，但最小净宽不应小于 0.90 m。单面布置房间的住宅，其走道出垛处的最小净宽不应小于 0.90 m。

(4)高层建筑内设有固定座位的观众厅、会议厅等人员密集场所，其疏散走道、出口等宽度应符合下列规定：

①厅内的疏散走道的净宽应按通过人数每 100 人不小于 0.80 m 计算，并且不宜小于 1.00 m；边走道的最小净宽不宜小于 0.80 m。

②厅的疏散出口和厅外疏散走道的总宽度，平坡地面应分别按通过人数每 100 人不小于 0.65 m 计算，阶梯地面应分别按通过人数每 100 人不小于 0.80 m 计算。疏散出口和疏散走道的最小净宽均不应小于 1.4 m。

(5) 高层建筑地下室、半地下室的人员密集的厅、室疏散出口总宽度，应按其通过人数每 100 人不小于 1.00 m 计算。

四、疏散楼梯和消防电梯设置

1．疏散楼梯

(1) 下列高层建筑应设防烟楼梯间：

①一类建筑和建筑高度超过 32 m 的二类建筑(单元式和通廊式住宅除外)，以及塔式住宅。

②十九层及十九层以上的单元式住宅。

③十二层及十二层以上的通廊式住宅。

室外疏散楼梯可作为辅助的防烟楼梯。

(2) 下列高层建筑应设封闭楼梯间：

①裙房和建筑高度不超过 32 m 的二类建筑(单元式和通廊式住宅除外)。

②十二层至十八层的单元式住宅。

③十层及十一层的通廊式住宅。

值得注意的是，十层及十一层的单元式住宅可不设封闭楼梯间，但开向楼梯间的户门应为乙级防火门，且楼梯间应靠外墙，并应直接天然采光和自然通风，如图 3-18 所示。

2．消防电梯

(1) 下列高层建筑应设消防电梯：

①一类公共建筑。

②塔式住宅。

③十二层及十二层以上的单元式住宅和通廊式住宅。

④高度超过 32 m 的其他二类公共建筑。

(2) 高层建筑消防电梯的设置数量应符合下列规定：

①当每层建筑面积不大于 1 500 m^2 时，应设 1 部。

②当大于 1 500 m^2 但不大于 4 500 m^2 时，应设 2 部。

③当大于 4 500 m^2 时，应设 3 部。

④消防电梯可与客梯或工作电梯兼用，但应符合消防电梯的要求。

(3)消防电梯宜分别设在不同的防火分区内。

五、对疏散楼梯、门等疏散设施的要求

(1) 楼梯间及防烟楼梯间前室应符合下列规定：

①楼梯间及防烟楼梯间前室的内墙上，除开设通向公共走道的疏散门外，不应开设其

他门、窗、洞口。

②楼梯间及防烟楼梯间前室内不应敷设可燃气体管道和甲、乙、丙类液体管道，并不应有影响疏散的凸出物。

③居住建筑内的煤气管道不应穿过楼梯间，当必须局部水平穿过楼梯间时，应穿钢套管保护，并应符合现行国家标准《城镇燃气设计规范》的有关规定。

⑵除通向避难层错位的楼梯外，疏散楼梯间在各层的位置不应改变，首层应有直通室外的出口。

疏散楼梯和走道上的阶梯不应采用螺旋楼梯和扇形踏步，但踏步上下两级所形成的平面角不应超过 10°，且每级离扶手 0.25 m 处的踏步宽度超过 0.22 m 时，可不受此限。

⑶高层建筑内设有固定座位的观众厅、会议厅等人员密集场所，其疏散出口的门内、门外 1.4 m 范围内不应设踏步，且门必须向外开，并不应设置门槛。观众厅的疏散外门，宜采用推闩式外开门。

⑷高层公共建筑的大空间设计，必须符合双向疏散或袋形走道的规定。

⑸除设有排烟设施和应急照明者外，高层建筑内的走道长度超过 20 m 时，应设置直接天然采光和自然通风的设施。

⑹高层建筑的公共疏散门均应向疏散方向开启，且不应采用侧拉门、吊门和转门。自动启闭的门应有手动开启装置。

⑺建筑物直通室外的安全出口上方，应设置宽度不小于 1.00 m 的防火挑檐。

六、避难层等其他疏散设施

公共建筑内袋形走道尽端的阳台、凹廊，宜设上、下层连通的辅助疏散设施，详见本章第七节。

建筑高度超过 100 m 的公共建筑，应设置避难层(间)，其设计见本章第六节。

建筑高度超过 100 m，且标准层建筑面积超过 1 000 m^2 的公共建筑，宜设置屋顶直升机停机坪或供直升机救助的设施，其设计见本章第六节。

第六节　避难层

避难层和屋顶直升机停机坪是超高层建筑（建筑高度超过 100 m）中特别设置的安全疏散设施，是保障超高层建筑内人员在火灾紧急情况下安全脱险的一项有效措施。

避难层是超高层建筑中供发生火灾时人员临时避难使用的楼层。如果作为避难使用的只有几个房间，则这几个房间称为避难间。

建筑高度超过 100 m 的旅馆、办公楼和综合楼等公共建筑，由于楼层很高，人员很多，尽管已设有防烟楼梯间等安全疏散设施，火灾时在其内的人员仍很难迅速地疏散到地面。如果人员大量地拥塞在楼梯间内，以及楼梯间出现什么问题，其后果很难设想。因此，对超高层公共建筑在其适当楼层设置供疏散人员暂时躲避火灾和喘息的一块安全地区——避难层或避难间，是极为重要的。

国内建成的许多超高层建筑都设置了避难层（间），见表 4-12。一般是与设备层、消防给水分区系统和排烟系统分区有机结合设置。

(一)避难层的类型

1. 敞开式避难层

敞开式避难层不设围护结构，为全敞开式，一般设在建筑物的顶层或屋顶之上。

这种避难层采用自然通风排烟方式，结构处理比较简单，但不能绝对保证本身不受烟气侵害，也不能防止雨雪的侵袭。因此，这种避难层只适用于温暖地区。

表 4-12 国内设置避难层(间)的高层建筑

建筑名称	楼层数	设置避难层(间)的楼层数
广东国际大厦	62	设在第 23、41、61 层
深圳国际贸易中心	50	设在第 24 层、顶层
深圳新都酒店	26	设在第 14、23 层
上海瑞金大厦	29	设在第 9 层、顶层
上海希尔顿饭店	42	设在第 5、22 层及顶层
北京国际贸易中心	39	设在第 20、38 层
北京京广中心	52	设在第 23、42、51 层
北京京城大厦	51	设在第 28、29 层以上为公寓，敞开式天井
沈阳科技文化活动中心	32	设在第 15 层(封闭避难层)
上海新锦江大酒店	42	设在第 7、21 层
上海国贸大厦	42	设在第 21 层、顶层
上海扬子江大酒店	36	设在第 18 层、顶层

屋顶平台、露天花园等场地可以充分利用作为敞开的避难层，这样解决了设置避难层过多占用建筑面积的矛盾，既可节约建设资金，又满足了消防安全要求。

2. 半敞开式避难层

半敞开式避难层，四周设有防护墙(一般不低于 1.2 m)，上半部设有窗口，窗口多用铁百页窗封闭。

这种避难层通常也采用自然通风排烟方式，四周设置的防护墙和铁百页窗可以起到防止烟火侵害的作用。但它仍具有敞开式避难层的不足，故也只适用于非寒冷地区。

3. 封闭式避难

封闭式避难层，周围设有耐火的围护结构(外墙、楼板)，室内设有独立的空调和防排烟系统，如在外墙上开设窗口时，应采用防火窗。

这种避难层设有可靠的消防设施，可以防止烟气和火焰的侵害，同时还可以避免外界气候条件的影响，因而在我国南方、北方都适用。

(二)避难层的设置条件、数量及净面积

1. 设置条件和数量

凡建筑高度超过 100 m 的写字楼、旅馆、综合楼等公共建筑均应设置避难层(间)。避难层的设置，自建筑物首层至第一个避难层或两个避难层之间，不宜超过十五层。就一般情况而言，这样要求可以使疏散时间不会超过允许疏散时间，且避难面积容易得到保证，同时又能使避难层与建筑物的设备层相结合，少占用建筑物的使用空间。

2. 避难层的净面积

避难层的净面积应能满足所容纳的避难人员避难的要求，并宜按 5 人 / m^2 计算。某避难层应容纳的避难人员数量为两避难层之间楼层的总避难人数。避难层可兼作设备层。从目前一些超高层建筑设置避难层情况看，设专用避难层的是少数，而多数是与设备层共用，但存在的问题是设备和管道布置太分散、零乱，没有用隔墙完全分隔开，所留净面积偏少。为了满足人员的避难要求，保护设备本身的安全，又方便平时对设备的维护管理，要求设备和管道宜集中布置，并应用耐火极限不低于 1.00 h 的不燃烧体墙完全分隔开。应留出足够的净面积，以满足避难人员临时停留的最起码要求。

(三)避难层的安全疏散

(1)为保证避难层在建筑物起火时能正常发挥作用，避难层应至少有两个不同的疏散方向可供疏散。

(2)通向避难层的防烟楼梯应在避难层分隔、同层错位或上下层断开，但人员均必须经避难层方能上下。

在火灾情况下，由于人们的紧张心理状态，往往容易错过进入避难层的机会。因此，为了保证人们疏散安全，使其迅速到达避难层，要求在楼梯间的处理上能够起到引导人们自然进入避难层的作用。楼梯间在避难层处采用砌实墙方法中断(如图 4-32 所示)，人员要继续向上或向下楼层，须通过避难层实现。楼梯间经这样处理后，人们在紧急情况下疏散时就不会错过进入避难层的机会。

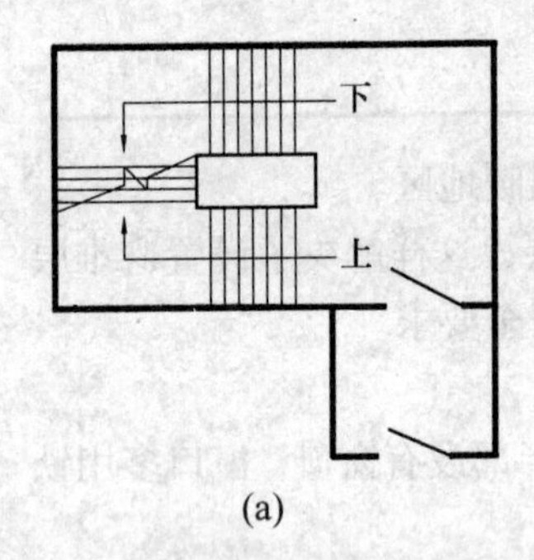

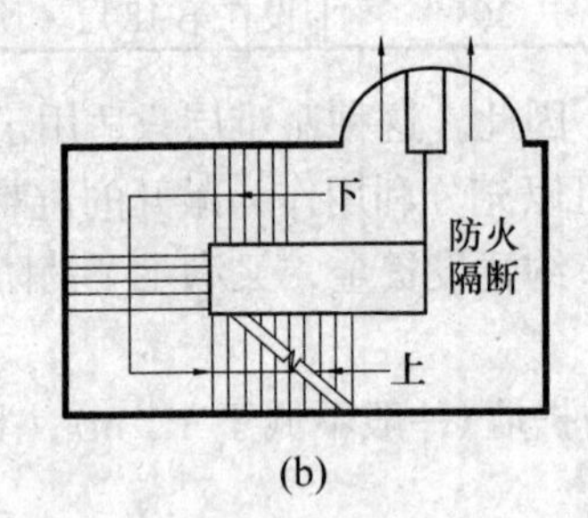

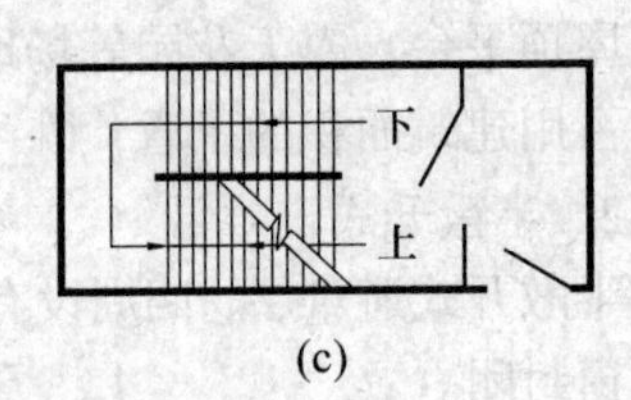

图 4-32 楼梯间在避难层断开布置示意图

(a)避难层下层楼梯间；(b)避难层楼梯间；(c)避难层上层楼梯间

通向避难层的防烟楼梯间，其上下层错位的布置，如图 4-33 所示。这样处理可以保证

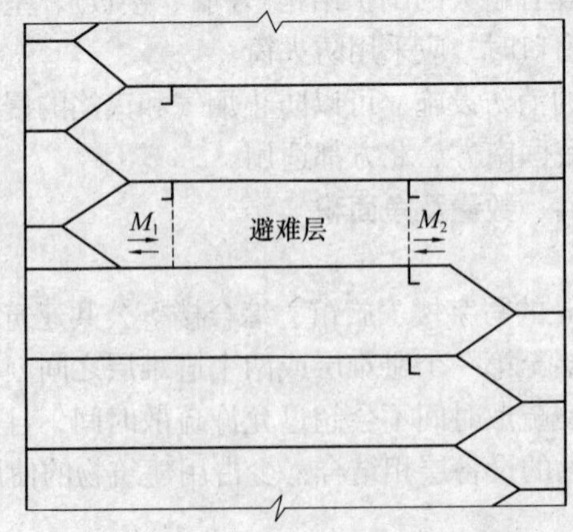

图 4-33 楼梯间在避难层错位布置示意图

在垂直疏散时，都要经过避难层，且水平行走一段路程后才能上楼或下楼，从而提高了利用避难层临时避难的可靠程度。同时，使上、下层楼梯间不能相互贯通，减弱了楼梯间的“烟囱”效应。

(3) 在避难通道上应设置疏散指示标志和火灾事故照明，其位置以人行走时水平视线高度为准，以免受烟气浓度影响不能正常发挥作用。

(4) 消防电梯作为一种辅助的安全疏散设施，在避难层必须停靠；而普通电梯因不能阻挡烟气进入，则严禁在避难层开设电梯门。

(四) 避难层的防火构造要求

(1) 为保证避难层具有较长时间抵抗火烧的能力，避难层的楼板宜采用现浇钢筋混凝土楼板，其耐火极限不宜低于 2.00 h。

(2) 为保证避难层下部楼层起火时不致使避难层地面温度过高，在楼板上宜设隔热层。

(3) 避难层四周的墙体及避难层内的隔墙，其耐火极限不应低于 2.00 h，隔墙上的门应采用甲级防火门。

(五) 通风与防排烟系统

采用铁百页窗的半敞开式避难层，其铁百页窗可以按建筑物的东南西北四个方向分别控制，也可以根据常年主导风向分别控制。其开启方式可以手动，也可以由消防控制中心遥控。当建筑物起火时，关闭迎风面的铁百页窗，防止烟气卷入，同时打开背风面的铁百页窗，利用风力造成的负压自然排烟。

封闭式避难层应设独立的防排烟设施。进行防排烟设计时，应将封闭式避难层划分为单独的防烟分区。封闭式避难层宜采用机械加压送风防烟方式，保证避难层处于正压状态，这样处理既可达到防烟的目的，又可供给众多避难人员所需要的新鲜空气。

(六) 其他

避难层应设消防专线电话，并应设有消火栓和消防卷盘。

避难层应设有应急广播和应急照明设施，其供电时间不应小于 1.00 h，照度不应低于 1.00 lx。

思考题

1. 疏散设施布置和疏散路线设计的原则是什么?
2. 何谓疏散楼梯?其分为哪几种?
3. 何谓防烟楼梯间?其构造特点是什么?有哪几种类型?
4. 何谓封闭楼梯间?其构造特点是什么?
5. 何谓室外疏散楼梯?其构造特点是什么?
6. 敞开楼梯能否作为疏散楼梯使用?
7. 疏散楼梯的设计原则和布置要求是什么?
8. 对消防电梯的设置要求是什么?
9. 何谓安全出口?何谓疏散出口?
10. 设置安全出口、疏散出口的原则是什么?
11. 安全出口和疏散出口的宽度应如何确定?
12. 何谓安全疏散距离?规定之意义是什么?
13. 高层建筑在什么情况下需设避难层?主要设置要求是什么?

第五章　建筑内部装修防火设计

第一节　内部装修与火灾成因

一、内部装修引发的火灾案例

国内外火灾统计分析表明，许多火灾都是起于装修材料的燃烧，如烟头引燃地毯及床上织物；窗帘、帷幕着火后引起了火灾；吊顶、隔断采用木质材料，着火后很快被烧穿、掉落，影响人员疏散，造成人员伤亡。近年来，建筑火灾中死于烟气的人数迅速增加，如日本千日百货大楼火灾死亡 118 人，其中因烟气中毒致死的人数为 93 人，占死亡人数的 78.8%。

2000 年 3 月 29 日，河南焦作天堂音像俱乐部，装修材料燃烧起火导致火灾，造成死亡 74 人。

2000 年 12 月 25 日，河南洛阳市东都商厦(歌舞厅)电焊火花引起装修材料起火，导致火灾，死亡 309 人。

二、内装修与火灾成因

1．可燃内装修增加了建筑火灾发生的几率

建筑的可燃内装修，如可燃的吊顶、墙裙、墙纸、踢脚板、地板、地毯、家具、床被、窗帘、隔断等，可燃物品随处可见，遇到火种，增加了火灾发生的几率。而且，随着内装修可燃材料的增加，火灾的持续时间和燃烧的猛烈程度也相应增大，对建筑物的破坏就更加严重，消防队抢险救火的难度更大。

2．可燃内装修加速了火灾到达轰燃

由于内装修的可燃物大量增加，室内一经火源点燃，就将会加热周围内装修的可燃材料，并使之分解出大量的可燃气体，同时提高室内温度，当室内温度达到 600℃左右时，即会出现建筑火灾的特有现象——轰燃。大量的试验研究和实际火灾统计研究表明，火灾达到轰燃与室内可燃装修成正比例增长。图 5-1 是不同厚度、不同材质的内部装修与轰燃时间的关系。

根据日本建筑科研所的研究，认为轰燃(F・O)出现的时间与装修材料关系较大，如表 5-1 所示。

出现轰燃的时间短，就意味着人员的允许疏散时间短，初期火灾的时间短，有效扑救火灾的可能性就小，所以，应尽可能采用不燃或难燃的装修材料，以减少和控制火灾。

3．可燃的内装修会助长火灾的蔓延

高层建筑一旦发生火灾，可燃的内装修是火势蔓延的重要因素，火势可以沿顶棚和墙面及地面的可燃装修从房间蔓延到走廊，再从走廊蔓延到各类竖井，如敞开的楼梯间、电梯井、管道井等，并向上层蔓延。火势也可能从外墙向上层的窗口蔓延，引燃上一层的窗帘、窗

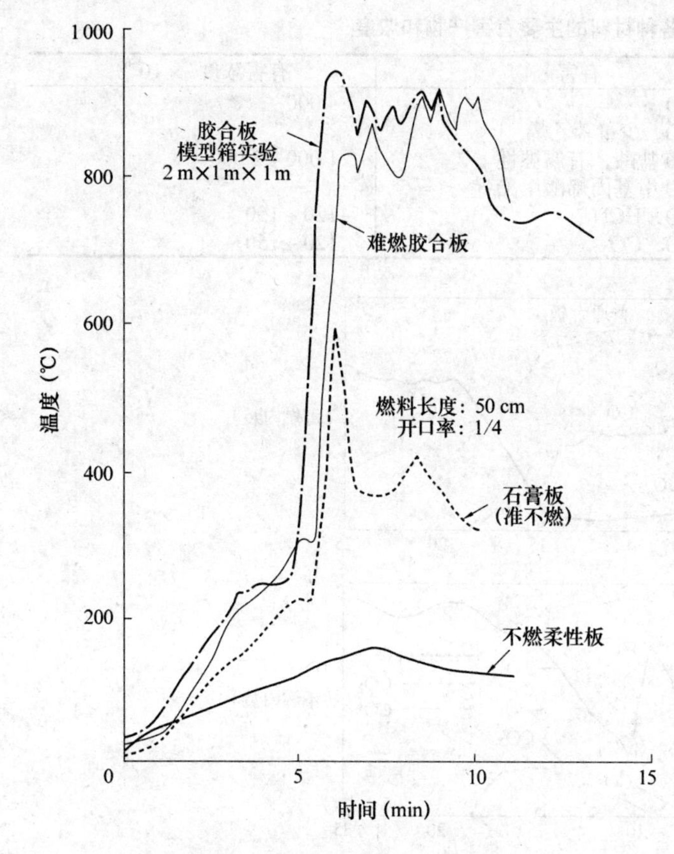

图 5-1 内部装修材料与轰燃时间

表 5-1 内部装修与轰燃出现的时间

内部装修材料	轰燃出现的时间 (min)
可燃材料内装修	3
难燃材料内装修	4 ~ 5
不燃材料内装修	6 ~ 8

纱等，使火灾扩大。

表 5-2 是一些内装修材料的火焰传播速度指数。

4．可燃的内装修材料燃烧产生大量有毒烟气

内装修材料大都是木材、化纤、棉、毛、塑料等可燃材料，如不加处理，燃烧后会产生大量的有毒烟气，对在住人员的生命造成危害。表 5-3 是一些内装修材料的有害产物的毒性浓度。图 5-2 是有可燃内装修与没有可燃内装修情况下火灾燃烧生成气体的对比。

表 5-2 建筑材料火焰传播速度指数

名称	建筑装修材料	火焰传播速度指数
吊顶	玻璃纤维吸声覆盖层	15 ~ 30
	矿物纤维吸声镶板	10 ~ 25
	木屑纤维板(经处理)	20 ~ 25
	喷制的纤维素纤维板(经处理)	20
墙面	铝(一面有珐琅质面层)	5 ~ 10
	石棉水泥板	0
	软木	175
	灰胶纸柏板(两面有纸表面)	10 ~ 25
	北方松木(经处理)	20
	南方松木(未处理)	130 ~ 190
	胶合板镶板(未处理)	75 ~ 275
	胶合板镶板(经处理)	10 ~ 25
	红栎木(未处理)	100
	红栎木(经处理)	35 ~ 50
地面	地毯	10 ~ 600
	油地毡	190 ~ 300
	乙烯基石棉瓦	10 ~ 50

表 5-3 各种材料的主要有害产物和浓度

材料	有害产物	有害浓度（$\times 10^{-6}$）
木材和墙纸	CO	4 000
聚苯乙烯	CO、少量苯乙烯	
聚氯乙烯	CO 盐酸，有腐蚀性	1 000 ~ 2 000
有机玻璃	CO 甲基丙烯酸甲酯	
羊毛、尼龙、丙烯酸、纤维	CO，HCN	120 ~ 150
棉花、人造纤维	CO，CO_2	120 ~ 150

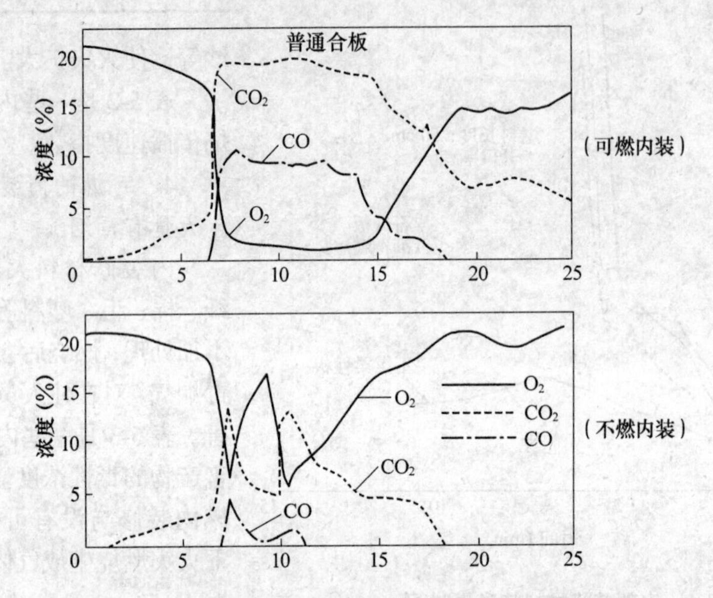

图 5-2 有可燃内装修与无可燃内装修的火灾燃烧气体的对比

国内外大量的火灾统计资料表明，在火灾中丧生的有 50%左右是被烟气熏死的，近年来，由于内装修中使用了大量的新型材料，如 PRC 墙纸、聚氨酯、聚苯乙烯泡沫塑料及大量的合成纤维，被烟气致死的比例有所增加。

例如，美国 50 层的纽约宾馆，使用了大量的塑料，大楼外墙用泡沫塑料作隔热层，内壁为聚乙烯板装饰，其内的隔间层也用聚乙烯、聚苯乙烯泡沫塑料制作，室内的家具、靠背椅和沙发都填充了大量的天然泡沫乳胶和软质的聚氨酯泡沫等。这座大楼 1970 年 8 月发生火灾，在 34 层吊顶内电线起火，火种首先在吊顶内、隔墙内蔓延，然后波及家具和外墙的隔热层，各种塑料燃烧以后产生大量的烟雾，使燃烧区内温度达到 1 200℃左右。大火经 5 个多小时才被扑灭，2 人在电梯内因烟气中毒死亡，其他损失惨重。

第二节 建筑内部装修材料的分类与分级

一、建筑内部装修材料的分类

建筑物的用途及部位不同，对装修材料燃烧性能的要求也应不相同。为了便于对材料的燃烧性能测试和分级，安全合理地根据建筑的规模、用途、场所、部位等选用内部装修材料，按装修材料在内部装修中的使用部位和功能，将其划分为七类，即：顶棚装修材料、墙面装修材料、地面装修材料、隔断装修材料、固定家具、装饰织物(系指窗帘、帷幕、床罩、家具包布等)及其他装饰材料(系指楼梯扶手、挂镜线、踢脚板、窗帘盒、暖气罩等)。

隔断系指不到顶的隔断。到顶的固定隔断装修应与墙面的规定相同。

柱面的装修应与墙面的规定相同。

二、建筑内部装修材料的分级

为了有利于《建筑内部装修设计防火规范》(GB50222—95)的实施和材料的检测，按照现行国家标准《建筑材料燃烧性能分级方法》(GB8624—88)的要求，根据装修材料的不同燃烧性能，将内部装修材料分为四级，如表 5-4 所示。

表 5-4　装修材料燃烧性能等级

等级	装修材料燃烧性能	等级	装修材料燃烧性能
A	不燃性	B_2	可燃性
B_1	难燃性	B_3	易燃性

三、建筑内部装修材料燃烧性能等级划分

(一)试验方法和等级判定

装修材料的燃烧性能等级应按以下规定由专业检测机构检测确定。B_3 级装修材料可不进行检测。

(1)A 级装修材料的试验方法，应符合现行国家标准《建筑材料不燃性试验方法》(GB 5464—85)的规定。即不论材料属于哪一类，只要符合不燃性试验方法规定的条件，均定为 A 级材料。

(2)B_1 级顶棚、墙面、隔断装修材料的试验方法，应符合现行国家标准《建筑材料难燃性试验方法》(GB8625—88)的规定；B_2 级顶棚、墙面隔断装修材料的试验方法，应符合现行国家标准《建筑材料可燃性试验方法》(GB8626—88)的规定。

(3)B_1 级和 B_2 级地面装修材料的试验方法，应符合现行国家标准《铺地材料临界辐射通量的测定——辐射热源法》的规定。经辐射热源法试验，当最小辐射通量大于或等于 0.45 W/cm^2 时应定为 B_1 级；当最小辐射通量大于或等于 0.22 W/cm^2 时，应定为 B_2 级。

(4)装饰织物的试验方法，应符合现行国家标准《纺织织物阻燃性能测试——垂直法》的规定。装饰织物，经垂直法试验，并符合表 5-5 中的条件，应分别定为 B_1 和 B_2 级。

(5)塑料装修材料的试验方法，应符合现行国家标准《塑料燃烧性能试验方法——氧指数法》、《塑料燃烧性能试验方法——垂直燃烧法》、《塑料燃烧性能试验方法——水平燃烧法》的规定。塑料装饰材料，经氧指数法、水平和垂直法试验并符合表 5-6 中的条件，应分别定为 B_1 和 B_2 级。

表 5-5　装饰织物燃烧性能判定

级别	损毁长度(mm)	持续时间(s)	阻燃时间(s)
B_1	≤150	≤5	≤5
B_2	≤200	≤15	≤10

表 5-6　塑料燃烧性能判定

级别	氧指数法	水平燃烧法	垂直燃烧法
B_1	≥32	1 级	0 级
B_2	≥27	1 级	1 级

(6)固定家具及其他装饰材料的燃烧性能等级应按材质分别进行测试。即塑料按目前常用的三个塑料燃烧测试标准综合考虑；织物按织物的测试方法测定和分级。其他材质按建筑材料难燃性试验方法和可燃性试验方法测试。

(二)装修材料等级划分应注意的问题

(1)安装在钢龙骨上的纸面石膏板，可作为A级装修材料使用。

(2)当胶合板表面涂覆一级饰面型防火涂料时，可作为 B_1 级装修材料使用。值得注意的是，饰面型防火涂料的等级应符合现行国家标准《防火涂料防火性能试验方法及分级标准》的有关规定。

(3)单位重量小于300 g / m^2 的纸质、布质壁纸，当直接粘贴在A级基材上时，可作为 B_1 级材料使用。

(4)施涂于A级基材上的无机装饰涂料，可作为A级装修材料使用；施涂于A级基材上、湿涂覆比小于1.5 kg / m^2 的有机装饰涂料，可作为 B_1 级装修材料使用。涂料施涂于 B_1、B_2 级基材上时，应将涂料连同基材一起按有关规定确定其燃烧性能等级。

(5)当采用不同装修材料进行分层装修时，各层装修材料的燃烧性能等级均应符合《建筑内部装修设计防火规范》(GB50222—95)的规定。复合型装修材料应由专业检测机构进行整体测试并划分其燃烧性能等级。

常用建筑内部装修材料燃烧性能等级划分举例见表5-7。

表5-7 常用建筑内部装修材料燃烧性能等级划分举例

材料类别	级别	材料举例
各部位材料	A	花岗岩、大理石、水磨石、水泥制品、混凝土制品、石膏板、石灰制品、玻璃、瓷砖、陶瓷锦砖、钢铁、铝、铜合金等
顶棚材料	B_1	纸面石膏板、纤维石膏板、水泥刨花板、矿棉装饰吸声板、玻璃棉装饰吸声板、珍珠岩装饰吸声板、难燃胶合板、难燃中密度纤维板、岩棉装饰板、难燃木材、铝箔复合材料、难燃酚醛胶合板、铝箔玻璃钢复合材料等
墙面材料	B_1	纸面石膏板、纤维石膏板、水泥刨花板、矿棉板、玻璃棉板、珍珠岩板、难燃胶合板、难燃中密度纤维板、防火塑料装饰板、难燃双面刨花板、多彩涂料难燃墙纸、难燃墙布、难燃仿花岗岩装饰板、氯氧镁水泥装配式墙板、难燃玻璃钢平板、PVC塑料护墙板、轻质高强复合墙板、阻燃模压木质复合板材、彩色阻燃人造板、难燃玻璃钢等
	B_2	各类天然木材、木制人造板、竹材、纸制装饰板、装饰轻薄木贴面板、印刷木纹人造板、塑料贴面装饰、聚酯装饰板、复塑装饰板、塑纤板、胶合板、塑料壁纸、无纺贴墙布、墙布、复合壁纸、天然材料壁纸、人造革等
地面材料	B_1	硬PVC塑料地板、水泥刨花板、水泥木丝板、氯丁橡胶地板等
	B_2	半硬质PVC塑料地板、PVC卷材地板、木地板、氯纶地毯等
装饰织物	B_1	经阻燃处理的各类难燃织物等
	B_2	纯毛装饰布、纯麻装饰布、经阻燃处理的其他织物等
其他装饰材料	B_1	聚氯乙烯塑料、酚醛塑料、聚碳酸酯塑料、聚四氟乙烯塑料、三聚氰胺、脲醛塑料、硅树脂塑料装饰型材、经阻燃处理的各类织物等。另见顶棚材料和墙面材料内的有关材料
	B_2	经阻燃处理的聚乙烯、聚丙烯、聚氨酯、聚苯乙烯、玻璃钢、化纤织物、木制品等

为了保障建筑的消防安全，防止和减少建筑火灾的发生，减少火灾损失，建筑内部装修防火设计应妥善处理装修效果和使用安全的矛盾，积极采用不燃性材料和难燃性材料，尽量避免采用在燃烧时能产生大量浓烟和有毒气体的材料，做到安全适用，技术先进，经济合理。

第三节 单、多层民用建筑装修防火

(一)装修防火标准

在我国《建筑内部装修设计防火规范》(GB50222—95)中，规定了非地下的单、多层民用建筑内部各部位装修材料的燃烧性能等级，要求不应低于表 5-8 的级别。

表 5-8 单、多层建筑内部各部位装修材料的燃烧性能等级

建筑物及场所	建筑规模、性质	装修材料燃烧性能等级							
		顶棚	墙面	地面	隔断	固定家具	装饰织物		其他装饰材料
							窗帘	帷幕	
候机楼的候机大厅、商店、餐厅、贵宾候机室、售票厅等	建筑面积>10 000 m^2 的候机楼	A	A	B_1	B_1	B_1	B_1		B_1
	建筑面积≤10 000 m^2 的候机楼	A	B_1	B_1	B_1	B_2	B_2		B_2
汽车站、火车站、轮船客运站的候车(船)室、餐厅、商场等	建筑面积>10 000 m^2 的车站、码头	A	A	B_1	B_1	B_2	B_2		B_1
	建筑面积≤10 000 m^2 的车站、码头	B_1	B_1	B_1	B_2	B_2	B_2		B_2
影院、会堂、礼堂、剧院、音乐厅	>800 座位	A	A	B_1	B_1	B_1	B_1	B_1	B_1
	≤800 座位	A	B_1	B_1	B_1	B_2	B_1	B_1	B_2
体育馆	>3 000 座位	A	A	B_1	B_1	B_1	B_1	B_1	B_2
	≤3 000 座位	A	B_1	B_1	B_1	B_2	B_2	B_1	B_2
商场营业厅	每层建筑面积>3 000 m^2 或总建筑面积>9 000 m^2 的营业厅	A	B_1	A	A	B_1	B_1		B_2
	每层建筑面积 1 000~3 000 m^2 或总建筑面积为 3 000~9 000 m^2 的营业厅	A	B_1	B_1	B_1	B_2	B_1		
	每层建筑面积<1 000 m^2 或总建筑面积<3 000 m^2 的营业厅	B_1	B_1	B_1	B_2	B_2	B_2		
饭店、旅馆的客房及公共活动用房	设有中央空调系统的饭店、旅馆	A	B_1	B_1	B_1	B_2	B_2		B_2
	其他饭店、旅馆	B_1	B_1	B_2	B_2	B_2		B_2	
歌舞厅、餐馆等娱乐、餐饮建筑	营业面积>100 m^2	A	B_1	B_1	B_1	B_2	B_1		B_2
	营业面积≤100 m^2	B_1	B_1	B_1	B_2	B_2	B_2		B_2
幼儿园、托儿所、医院病房楼、疗养院、养老院		A	B_1	B_1	B_1	B_2	B_1		B_2
纪念馆、展览馆、博物馆、图书馆、档案馆、资料馆等	国家级、省级	A	B_1	B_1	B_1	B_2	B_1		B_2
	省级以下	B_1	B_1	B_2	B_2	B_2	B_2		B_2
办公楼、综合楼	设有中央空调系统的办公楼、综合楼	A	B_1	B_1	B_1	B_2	B_2		B_2
	其他办公楼、综合楼	B_1	B_1	B_2	B_2	B_2			
住宅	高级住宅	B_1	B_1	B_1	B_1	B_2	B_2		B_2
	普通住宅	B_1	B_2	B_2	B_2	B_2			

表 5-8 中给出的装修材料燃烧性能等级是允许使用材料的基准级别。表中空格位置，表示允许使用 B_3 级材料。

机场的候机楼划分为两个防火等级，其中 10 000 m^2 以上的候机楼为第一级，10 000 m^2 以下的候机楼为第二级。鉴于候机楼中包含的空间很多，而尤以候机大厅、商店、餐厅、贵宾候机室等部位重要且人员密集，所以装修要求特指这些部位。

与候机楼相比，火车站、汽车站和轮船码头等在装修方面有很大的差异。参照候机楼的建筑面积划分法，分成两类。要求的部位主要限定在候车(船)室、餐厅、商场等公共空间。

电影院、会堂、礼堂、剧院、音乐厅均属公共娱乐场所，且在规定的时间内人员高度密集。从使用功能上看，这几种建筑的装修要求是有区别的，其中剧院和音乐厅的要求特殊，因此将它们单列出来似乎更合理。但是，考虑到影院发展的趋势对音响、舒适的要求提高，以及礼堂类建筑的减少和异化，所以将它们与剧院、音乐厅合为一类也是一种简化处理的办法。另外随着人们观赏水平的提高和多样化，几千人同看一个节目的可能性降低了，因此这类建筑的座位不宜设置太多。所以，表中将影院等建筑的防火级别用 800 个座位来划分。考虑到这类建筑物在火灾发生时逃生的困难，以及它们的窗帘和幕布具有较大的火灾危险性，所以要求均采用 B_1 级材料制成的窗帘和幕布。

国内各大中城市早些时候兴建的体育馆其容量规模多在 3 000 人以上，所以在《建筑设计防火规范(2001 年版)》(GBJ16—87) 中将体育馆观众厅容量规模的最低限规定为 3 000 人。而建筑内部装修设计防火规范中将体育馆类建筑用 3 000 座位为界分为两类，就是考虑一方面与《建筑设计防火规范》的有关要求相协调，另一方面适应目前客观存在的，且今后有可能出现的一些小型的体育馆建筑。

商场数量在各类公共建筑中高居榜首，其规模千差万别。但它们共同的特点是：可燃货物多，人员高度聚集。商场火灾的后果十分严重，而关键的部位又是营业厅，所以针对不同的营业厅面积提出了要求。

有关规范对设有中央空调系统的饭店、旅馆建筑提出了专门的防火措施，其目的是为了防止火灾在这类建筑中的蔓延。鉴于事实上已存在的这种不同的处理方式，在表中根据是否有中央空调系统这一条件将旅馆类建筑划为两个防火层次。虽然旅馆建筑中包括许多不同功能的空间，但表中的要求是特指客房和公共活动场所这两部分。

表中的歌舞厅、餐馆等娱乐、餐饮类建筑是专指那些独立建造的，专门用于该类用途的建筑物。鉴于这些建筑一般不具备自动灭火系统，加之大多位于闹市区，内部人员密度大，有明火和高强度的照明设备，所以应是内装修防火控制的重点。

幼儿园、托儿所、医院病房楼、疗养院、养老院等类建筑归为一大类，是鉴于两种考虑：一是这些建筑基本上均为社会福利型建筑，因而作豪华高档装修的可能性不大。二是居住在这些建筑中的人都在不同程度上具有思维和行为上的不完全能力。如儿童智力未完善，缺乏独立判断和自我保护的智力和能力。而医院等建筑中的病人和老人，或暂时或永久地丧失了智能和体能，一旦出现火灾，同样不具有正常人的应变能力。为此，对这种建筑物提高装修材料的燃烧性能等级是必要和合理的。需要指出的是，对它们着重提高了窗帘的防火要求，这是为了防止用火不慎而导致窗帘的迅速燃烧。

纪念馆、展览馆等建筑物，其内收藏级别越高或展览规模越大的建筑，其重要程度越高。为此对国家级和省级的建筑物装修材料燃烧性能等级要求较高，而其他的要求低一些。

办公楼和综合楼的要求参考了旅馆、饭店的划分方法。

将住宅划为高级住宅和普通住宅两种情况，高级住宅一般是指别墅、高档公寓类的特殊住宅；而普通住宅系指一般居民使用的常规设计的住宅。

（二）建筑物局部放宽条件

表 5-8 中的要求是对单层和多层民用建筑的最基本要求。但有时在建筑设计中会遇到一些特殊情况，需要给予某些局部的放宽。为此，对单层、多层民用建筑内面积小于 100 m^2 的房间，当采用防火墙和耐火极限不低于 1.2 h 的防火门窗与其他部位分隔时，其装修材料的燃烧性能等级可在表 5-8 的基础上降低一级。

建筑物大部分房间的装修材料选用均可满足相关规范的要求，而在某一局部或某一房间要求特殊装修设计而导致不能满足相关规范的规定，并且该部位又无法设置自动报警和自动灭火系统时，可在一定的条件下，对这些局部空间适当地放松要求，即：房间的面积不能超过 100 m^2，并且该房间与其他空间之间应用防火墙和甲级防火门窗进行分隔，以保证在该部位即使发生火灾也不至于波及到其他部位。

（三）安装消防设施允许的放宽要求

当单层、多层民用建筑内装有自动灭火系统时，除顶棚外，其内部装修材料的燃烧性能等级可在表 5-8 规定的基础上降低一级；当同时装有火灾自动报警装置和自动灭火系统时，其顶棚装修材料的燃烧性能等级可在表 5-8 规定的基础上降低一级，其他装修材料的燃烧性能等级可不限制。

而对水平、垂直安全疏散通道、地下建筑、工业建筑不存在有条件地放宽要求的问题。

对于放宽要求应正确理解和积极采用，它给予了设计和建设部门一定的灵活余地，有利于一些复杂问题的解决。

第四节　高层民用建筑装修防火

（一）装修防火标准

高层民用建筑内部各部位装修材料的燃烧性能等级，不应低于表 5-9 中的规定。

建筑物类别、场所及建筑规模是根据《高层民用建筑设计防火规范（2001 年版）》（GB50045—95）中的有关内容并结合室内装修设计的特点加以划分的。

高级旅馆均为一类高层建筑，分为三种情况：第一种情况系指其内部的大于 800 座位的观众厅、会议厅，以及设在顶层或高空的餐厅（包括观光厅）。800 个座位是《高层民用建筑设计防火规范》划分会议厅的一个指标，对大于 800 个座位的观众厅、会议厅，因人员多，理应提出高一些装修的要求。而顶层或高空餐厅因其功能特殊和位置奇特，加之也有相当多的人员，所以也被列入了最高一个级别中。第二种情况系指小于等于 800 个座位的观众厅、会议厅的情况。第三种情况系指高级旅馆的其他部位。

将商业楼、展览楼、综合楼、商住楼、医院病房等列为一大类建筑，是考虑到这些建筑在使用功能上有相近之处。

综合楼是指由两种及两种以上用途的楼层组成的公共建筑。

商住楼是指由底部商业营业厅与住宅组成的高层建筑。

表 5-9　高层建筑内部各部位装修材料的燃烧性能等级

建筑物	建筑规模、性质	装修材料燃烧性能等级									
		顶棚	墙面	地面	隔断	固定家具	装饰织物				其他装饰材料
							窗帘	帷幕	床罩	家具包布	
高级旅馆	＞800 座位的观众厅、会议厅、顶层餐厅	A	B_1	B_1	B_1	B_1	B_1	B_1		B_1	B_1
	≤800 座位的观众厅、会议厅	A	B_1	B_1	B_1	B_2	B_1	B_1		B_2	B_1
	其他部位	A	B_1	B_1		B_2	B_1	B_2	B_1	B_2	B_1
商业楼、展览楼、综合楼、商住楼、医院病房楼	一类建筑	A	B_1	B_1	B_1	B_2	B_1	B_1		B_2	B_1
	二类建筑	B_1	B_1	B_2	B_2	B_2	B_2	B_2		B_2	B_2
电信楼、财贸金融楼、邮政楼、广播电视楼、电力调度楼、防灾指挥调度楼	一类建筑	A	B_1	B_1	B_1	B_2	B_1		B_1	B_1	
	二类建筑	B_1	B_1	B_2	B_2	B_2	B_1	B_2		B_2	B_2
教学楼、办公楼、科研楼、档案楼、图书馆	一类建筑	A	B_1	B_1	B_1	B_2	B_2	B_1		B_1	B_1
	二类建筑	B_1	B_1	B_2	B_1	B_2	B_2	B_1		B_2	B_2
住宅、普通旅馆	一类建筑	A	B_1	B_2	B_1	B_2	B_1		B_1	B_2	B_1
	二类建筑	B_1	B_1	B_2	B_2	B_2			B_2	B_2	B_2

将电信楼、财贸金融楼、邮政楼、广播电视楼、电力调度楼、防灾指挥调度楼归为一个大类别，是因为这些建筑物均是国家或地方的政治与经济的要害部门，具有综合协调与指挥功能。

教学楼、办公楼、科研楼、档案楼、图书馆归为一大类，主要考虑到它们的建造形式和使用功能基本相似(图书馆有些不同)，并且从内装修的角度看，它们的设计方法和装修的档次比较接近。

普通旅馆是以建筑高度 50 m 为界划分为一类和二类高层建筑的。而高级住宅是指建筑装修标准高和设有空气调节系统的住宅，属一类高层建筑。普通住宅虽然也被划分为一、二类，即 18 层及 18 层以下为二类，19 层及 19 层以上为一类。但在表 5-9 中将所有的普通住宅均归到一栏中，这主要是从普通居民住宅的实际情况出发，从内装修的角度将它们作了一定的调整。

(二)放松要求

高层建筑的火灾危险性较之单层、多层建筑而言要高一些，因此装修的防范措施也更加全面和严格。在设置了其他防火系统的条件下，可以考虑将它们的装修防火等级适当降低。

建筑内部装修设计防火规范规定：除 100 m 以上的高层民用建筑及大于 800 座位的观众厅、会议厅、顶层餐厅外，当设有火灾自动报警装置和自动灭火系统时，除顶棚外，其内部装修材料的燃烧性能等级可在表 5-9 规定的基础上降低一级。

从这条规定可以看出，对于 100 m 以上的建筑和 800 座位以上的会议厅以及顶层餐厅，在任何情况下均应无条件地执行表 5-9 的规定。对所有高层建筑，其顶棚装修材料的防火要求在任何条件下都不能降低。

(三)特殊规定

随着社会的发展和观念的更新，原属构筑物范畴之列的电视塔已逐步进入建筑物的行列中。1980 年初开始，我国已有近 10 个城市建成或正在建设几百米高的电视塔。这些塔除了首先用于电视转播功能之外，现在均同时具有旅游观光的功能。

从建筑防火的角度看，电视塔具有火势蔓延快，扑救困难，疏散不利等特点。因此，对这类特殊的高层建筑应尽可能地降低火灾发生的可能性，而最可靠的途径之一就是减少可燃材料的存在。

建筑内装修设计防火规范规定：电视塔等特殊高层建筑的内部装修，均应采用 A 级装修材料。

这主要是针对设立在高空中的可允许公众入内观赏和进餐的塔楼而定的。这是由于建筑形式所限，人员在塔楼出现火灾的情况下逃生困难，所以特对此类建筑物在内装修设计上作出了十分严格的要求。

第五节　地下民用建筑

(一)装修防火标准

地下民用建筑各部位装修设计必须符合表 5-10 中的规定。

表 5-10　地下民用建筑内部各部位装修材料的燃烧性能等级

建筑物及场所	装修材料燃烧性能等级						
	顶棚	墙面	地面	隔断	固定家具	装饰织物	其他装饰材料
休息室和办公室等、旅馆的客房及公共活动用房等	A	B_1	B_1	B_1	B_1	B_1	B_2
娱乐场所、旱冰场等 舞厅、展览厅等 医院的病房、医疗用房等	A	A	B_1	B_1	B_1	B_1	B_2
电影院的观众厅 商场的营业厅	A	A	A	B_1	B_1	B_1	B_2
停车库 人行通道 图书资料库、档案库	A	A	A	A	A		

地下建筑装修防火要求主要取决于人员的密度。对于人员密集的商场营业厅、电影院观众厅等在选用装修材料时，防火标准要高；而对旅馆客房、医院病房，以及各类建筑的办公用房，因其容纳人员较少且经常有专人管理，所以选用装修材料燃烧性能等级可适当放宽。对于图书、资料类库房，因可燃物数量大，所以要求全部采用不燃材料装修。

表中娱乐场是指建在地下的体育及娱乐建筑，如球类、棋类以及文体娱乐项目的比赛与练习场所。

(二)安全通道

地下建筑与地上建筑显著的不同点就是人员只能通过安全通道和出口撤向地面。地下建筑被完全封闭在地下，在火灾中，人流疏散的方向与烟火蔓延的方向是一致的。从这个意义上讲，人员安全疏散的可能性要比地面建筑小得多。为了保证人员最大的安全度，确保各条安全通道和出口自身的安全与畅通是必要的。为此要求地下民用建筑的疏散走道和安全出口的门厅，其顶棚、墙面和地面的装修材料应采用 A 级装修材料。

（三）地下建筑的地上部分

对带有地下部分但主体在地上的单层、多层民用建筑的装修材料燃烧性能等级要求，如本节装修防火标准所述。而对单独建造的地下民用建筑的地上附属部分也应有相应的要求。单独建造的地下民用建筑的地上部分相对的使用面积小，且建在地面上，火灾危险性小，疏散扑救均比地下建筑部分要容易。为此规定，单独建造的地下民用建筑的地上部分，其门厅、休息室、办公室等内部装修材料的燃烧性能等级可在表 5-10 规定的基础上降低一级要求。

（四）固定货架等

地下空间的利用促进了地下大型商场的兴建。地下商场内部结构各异，有一定量的可燃装修，外加所堆积的商品绝大部分是可燃的，因此加大了火灾危险性。但就目前情况看，无法限制地下商场销售可燃性商品。为了减少地下空间的火灾荷载，特别规定地下商场、地下展览厅的售货柜台、固定货架、展览台等，应采用 A 级建筑装修材料。

第六节　工业建筑

工业生产的类型繁多，对厂房类建筑有以下几种划分方法。一是按用途划分，如划分为主厂房、辅助厂房、动力用厂房等；二是按生产状况分，如划分为冷加工厂房、热加工厂房、洁净厂房等；三是按建筑的层数来划分。

建筑内部装修设计时，是按照建筑的层数将工业厂房划分成以下几种类型：

(1) 单层厂房是由柱和横梁（屋架）构成的单层结构体系。

(2) 多层厂房特指两层及两层以上，但建筑高度小于等于 24 m 的厂房。

(3) 高层厂房指两层及两层以上，但建筑高度大于 24 m 的厂房。

(4) 地下厂房指建造在地下，但用于工业生产的厂房。

（一）装修防火标准

工业厂房内部各部位的装修材料的燃烧性能等级不应低于表 5-11 中的规定。

表 5-11　工业厂房内部各部位装修材料的燃烧性能等级

工业厂房分类	建筑规模	装修材料燃烧性能等级			
		顶棚	墙面	地面	隔断
甲、乙类厂房 有明火的丁类厂房		A	A	A	A
丙类厂房	地下厂房	A	A	A	B_1
	高层厂房	A	B_1	B_1	
	高度＞24 m 的单层厂房 高度≤24 m 的单层、多层厂房	B_1	B_1	B_2	B_2
无明火的丁类厂房 戊类厂房	地下厂房	A	A	B_1	B_1
	高层厂房	B_1	B_1	B_2	B_2
	高度＞24 m 的单层厂房 高度≤24 m 的单层、多层厂房	B_1	B_2	B_2	B_2

表中对甲、乙类厂房和有明火的丁类厂房均要求采用A级装修材料。这是考虑到甲、乙类厂房均具有爆炸危险，而有明火操作的丁类厂房虽然生产物质并不危险，但明火对装修材料则构成了威胁，所以对这一大类厂房要求很高。

在表的第二栏中，首先将厂房划分成地下、高层和其他三种情况，然后再对每种情况分别作出具体的要求。

(二)架空地板

当厂房的地面为架空地板时,其地面装修材料的燃烧性能等级,除A级外,应在表5-11中规定的基础上提高一级。

从火灾的发展过程考虑，一般来说，顶棚的防火性能要求最高，其次是墙面，地面要求最低。但如果地面为架空地板时，情况有所不同。一是地板既有可能被室内的火点燃，又有可能被来自地板下的火点燃；二是架空后的地板，火势蔓延的速度较快。所以对这种结构的地板提出了较高一些的要求。

(三)贵重设备房间

对计算机房、中央控制室等装有贵重机器、仪表、仪器的厂房，其顶棚和墙面应采用A级装修材料；地面和其他部位应采用不低于B_1级的装修材料。

这里所说的“贵重”是指：设备本身的价格昂贵，一旦失火损失很大。这些设备属于影响工厂或地区生产全局的关键设备，如发电厂、化工厂的中心控制设备等。这些车间一旦受损失，自身价值丧失之外，还会导致大规模的连带损失。

(四)厂房附属办公用房

厂房附属的办公室、休息室等的内部装修材料的燃烧性能等级，应符合表5-11中的相应要求。

厂房的附属办公室、休息室的内装修防火要求，主要考虑：一是不得因办公室、休息室的装修失火而波及整个厂房；二是确保办公室、休息室内人员的生命安全。所以要求厂房本身所附设的办公室、休息室等内部空间的装修材料的燃烧性能等级，应与厂房的要求相同。从民用建筑角度看，该要求在某些建筑类型中是偏严的，但这种严还是必要的，并且在实际建设中也不难做到。

第七节　建筑内装修防火设计基本要求

在建筑内部装修防火设计中，有必要对一些具有共性的问题及共性的部位提出明确的通用性技术要求。

一、关于装修材料的选用

(一)纸面石膏板

纸面石膏板系以熟石膏为主要原料，掺入适量的添加剂与纤维作板芯，以特制的纸板作护面加工而成的。石膏本身是不燃材料，但制成纸面石膏板之后，按我国现行建材防火检测方法检测，不能列入A级材料。但如果认定它只能作为B_1级材料，则又有些不尽合理，况且目前还没有更好的材料可替代它。

考虑到纸面石膏板用量极大这一客观实际，以及建筑设计防火规范中，已认定贴在钢龙骨上的纸面石膏板为非燃材料这一事实，特规定如纸面石膏板安装在钢龙骨上，可将其作为 A 级材料使用。

（二）胶合板

当胶合板表面涂覆一级饰面型防火涂料时，可作为 B_1 级装修材料使用。

在装修工程中，胶合板的用量很大，根据国家防火建筑材料质量监督检测中心提供的数据，涂刷一级饰面型防火涂料的胶合板能达到 B_1 级。为了便于使用，避免重复检测，专门就此明确规定。当胶合板用于墙面装修时，原则上只在朝向室内的那面涂刷防火涂料。而当胶合板用于吊顶装修时，应在两面均刷防火涂料。这是因为较之墙面而言，吊顶板既有可能受到室内火的侵袭，又有可能受到来自吊顶空间内各种电器火源的作用。

（三）壁纸

单位重量小于 300 g / m^2 的纸质、布质壁纸，当直接粘贴在 A 级基材上时，可作为 B_1 级装修材料使用。

墙布、壁纸实际上属于同一类型的装饰材料，墙布也称墙纸或壁纸，它的种类繁多，按外观装饰效果分类，有印花墙纸、浮雕墙纸，等等；按其功能分，有装饰墙纸、防火墙纸等。所谓纸质壁纸是在纸基、纸面上印成各种图案的一种墙纸。这种墙纸价格低，但强度和韧性差，不耐水。布质壁纸是将纯棉布、化纤布、麻等天然纤维材料经过处理、印花、涂层制作而成的墙纸。这类墙纸强度大、静电小、蠕变性小，无光、无味、无毒、吸音，花型繁多，色泽美观大方。

这两类壁纸的材质主要是纸和布。它们热分解时产生的可燃气体少，发烟量小。尤其当它们被直接贴在 A 级基材上且质量≤300 g / m^2 时，在试验过程中，几乎不出现火焰蔓延的现象，为此确定这类直接贴在 A 级基材上的壁纸可作为 B_1 级装修材料来使用。

（四）涂料

施涂于 A 级基材上的无机装饰涂料，可作为 A 级装修材料使用；施涂于 A 级基材上，湿涂覆比小于 1.5 kg / m^2 的有机装饰涂料，可作为 B_1 级装修材料使用。涂料施涂于 B_1 和 B_2 级基材上时，应将涂料连同基材一起通过试验去确定其燃烧性能等级。

目前涂料在室内装修中量大面广，一般室内涂料涂覆比小，涂料中的颜料、填料多，火灾危险性不大。一般室内涂料湿涂覆比不会超过 1.5 kg / m^2，故规定施涂于不燃性基材上的有机涂料均可作为 B_1 级材料。

（五）多层及复合装修材料

当采用不同装修材料进行分层装修时，各层装修材料的燃烧性能等级均应符合规定。复合型装修材料应由专业检测机构进行整体测试并划分其燃烧性能等级。

分层装修是指，由于设计师的构思，采用生产来源不同的几层装修材料同时装修同一个部位时，各层的装修材料只有贴在等于或高于其耐火等级的材料之上时，这些装修材料燃烧性能等级的确认才是有效的。但有时会出现一些特殊的情况，如一些隔音、保温材料与其他不燃、难燃材料复合形成一个整体的复合材料时，其燃烧性能应通过整体的试验来确定。

（六）多孔和泡沫塑料

当顶棚或墙面表面局部采用多孔或泡沫状塑料时，其厚度不应大于 15 mm，面积不得超过该房间顶棚或墙面积的 10%。

多孔和泡沫塑料比较容易燃烧，而且燃烧时产生的烟气对人体危害较大。但在实际工程中，有些时候因功能需要和美观点缀，必须在顶棚和墙的表面，局部采用一些多孔或泡沫塑料。为此在允许采用这些材料的同时，也需在使用面积和厚度两个方面对此加以限制：

(1)多孔或泡沫状塑料用于顶棚表面时，不得超过该房间顶棚面积的10%；用于墙表面时，不得超过该房间墙面积的10%，不应把顶棚和墙面合在一起计算。

(2)这里所说的面积系指展开面积，墙面面积包括门窗面积。

(3)这里所说的多孔和泡沫状塑料是指完全裸露的状态，它与所谓的"软包装修"是不同的。

(4)当采用非多孔和泡沫塑料材料作局部装修时，原则上可比照该条实施。

二、关于共享空间

(一)共享空间部位

建筑物设有上下层相连通的中庭、走廊、开敞楼梯、自动扶梯时，其连通部位的顶棚、墙面应采用A级装修材料，其他部位应采用不低于B_1级的装修材料。

上述中庭等部分又称做共享空间。近年来，在高层和大型公共建筑中较多地出现了共享空间的形式。它以大型建筑的内部空间为核心，综合多种功能的空间而创造出一个引人注目的美妙环境。但贯穿全楼或多层的封闭式天井，却使防火分区面积大大超过规定，而且在火灾中烟热很不易排出。

内装修设计防火规范针对建筑物内上下层相连通部位的装修问题提出了具体的规定，考虑到这些部位空间高度大，有的上下贯通几层甚至十几层。万一发生火灾时，会起到烟囱一样的作用，使火势无阻挡地向上蔓延，很快充满该建筑空间，给人员疏散造成很大的困难。这里所说的相连通部位，是指被划在此防火分区内的空间的各部位。与之相邻，但被划为其他防火分区的各部位，不受此要求的限制。

(二)无窗房间

除地下建筑外，无窗房间的内部装修材料的燃烧性能等级，除A级外，应在原规定基础上提高一级。

在许多建筑物中因布局的制约，常常会出现一些无窗房间，即终日依赖人工照明的房间。较之其他房间而言，对无窗房间的室内装修防火的要求在整体上提高一个档次。

(三)图书、资料类房间

图书室、资料室、档案室和存放文物的房间，其顶棚、墙面应采用A级装修材料，地面应使用不低于B_1级的装修材料。

图书室、资料室内的图书、资料、档案、文物等本身即为易燃物，一旦发生火灾，火势发展十分迅速。而有些图书、资料、档案、文物的保存价值很高，一旦被焚，不可复得。对这类房间应提高装修防火的要求，把这些部位发生火灾的可能降到最低。

(四)各类机房

大中型电子计算机房、中央控制室、电话总机房等放置特殊贵重设备的房间，其顶棚和墙面应采用A级装修材料，地面及其他装修应使用不低于B_1级的装修材料。

在各类计算机房、中央控制室内，放置了大批贵重和关键性的设备，失火造成直接经济损失大。并且由于所具有的中控作用，也会导致十分明显的间接损失。另外有些设备不仅怕火，也怕高温和水渍，即使火势不大的火灾，也会造成很大的经济损失，因而提出较高的装修防火要求。

(五)消防及其他机房

消防水泵房、排烟机房、固定灭火系统钢瓶间、配电室、变压器室、通风和空调机房等，其内部所有装修均应采用A级装修材料。

由于功能和安全的需要，在许多大型公共建筑物中程度不同地设有上述设备用房。这些设备在火灾中均应保持正常运转功能，即对火灾的控制和扑救具有关键的作用。从这个意义上讲，这些设备用房绝不能成为起火源，并且也不应由于可燃材料的装修将其他空间的火引入这些房间中。

三、关于电气设备

(一)配电箱

建筑内部的配电箱，不应直接安装在低于B_1级的装修材料上。

由于室内装修采用的可燃烧材料越来越多，从客观上也增加了电气设备引发火灾的概率。虽然不便对配电箱本身的构造提出具体要求，但为了防止配电箱产生的火花或高温熔珠引燃周围的可燃物和避免箱体传热引燃墙面装修材料，特规定不应直接安装在低于B_1级的装修材料上。

(二)灯具和灯饰

照明灯具的高温部位，当靠近非A级装修材料时，应采取隔热、散热等防火保护措施。灯饰所用材料的燃烧性能等级不应低于B_1级。

这里没有具体地规定高温部位与非A级装修材料之间的距离。这是因为现在社会上出现的灯具千变万化，而各种照明灯具在使用过程释放出来的辐射热量大小，连续工作时间的长短，与其相邻的装修材料对火反应的特性，以及不同防火保护措施的效果等都各不相同，甚至差异极大。对如此复杂的现状，用一个确切的指标来规定显然是不可能的。这只能由设计人员本着“保障安全、经济合理、美观实用”的原则，并视各种具体的情况采取相应的做法和防范措施。

由于室内装修逐渐向高档化发展，各种类型的灯饰也应运而生。灯饰本身具有两重功能，一是罩光，二是美化环境。而从发展看，罩光的作用逐渐弱化，而美观作用进一步强化。目前制作灯饰的材料包括金属、玻璃等不燃性材料，但更多的是硬质塑料、塑料薄膜、棉织品、丝织品、竹木、纸类、麻类等可燃材料。灯饰往往靠近热源，并且处于最易燃烧的垂直状态，所以对B_2级和B_3级的材料要限制使用。如果由于装饰效果的要求必须使用B_2、B_3级的材料，则应用阻燃处理的办法使其达到B_1级的要求。

四、关于使用明火的空间

(一)建筑内的厨房

厨房属明火工作空间，一般特点是火源多且作用时间长。鉴于此，对其内部装修材料的燃烧性能应严格要求。另外根据厨房的功能特点，一般来说，其装修应具有坚固、耐久且易于清洗等特点。目前常采用的材料有瓷砖、石材、涂料、马赛克等不燃烧材料。因此，要求建筑物内的厨房顶棚、墙面、地面这几个部位采用A级装修材料。

(二)经常使用明火的餐厅和科研实验室

经常使用明火的餐厅、科研实验室内所使用的装修材料的燃烧性能等级，除A级外，应比同类建筑物的要求高一级。

随着人们生活水平的提高和旅游业的发展，各地兴建了许多宾馆、饭店和风味餐厅。有的餐馆经营各式火锅，有的风味餐馆使用带有燃气灶的流动餐车。这些火锅和燃气灶现场使用液化气罐，并且由客人自己操作火源。由于操作失误而导致的火灾和爆炸事件屡有发生。鉴于宾馆、饭店等公共场所人员密集，流动性大，管理不便，为了降低因使用明火而引发火灾的危险性，在室内装修材料上比同类建筑物的要求高一级。

五、关于疏散线路

(一)楼梯间

无自然采光的楼梯间、封闭楼梯间、防烟楼梯间的顶棚、墙面和地面均应采用A级装修材料。

这里主要考虑建筑物内竖向疏散通道在火灾中的安全问题。火灾发生时，建筑各楼层中的人员都只能经过竖向疏散通道向外撤离。尤其在高层建筑中，一旦竖向通道被火封锁，受灾人员的逃生和消防人员的救援都极为困难。

这就要求，一是楼梯不应成为最初的火源地，二是火进入楼梯后不会形成连续燃烧的状态。一般地说，在高层建筑中，对楼梯间并无较高的美观装修要求。因此，对无自然采光和封闭、防烟楼梯间提出高的装修防火要求是适宜的。前室的装修材料与楼梯间相同。

(二)水平通道

地上建筑的水平疏散走道和安全出口的门厅，其顶棚装饰材料应采用A级装修材料，其他部位应采用不低于B_1级的装修材料。

楼层水平通道是水平疏散路线中最重要的一段,它的两端分别连通各个房间和楼梯间。水平通道在疏散设计中被称做第一安全区。当着火房间中的人员逃出房间进入走道后，该水平走道应能较好地保障其顺利地走向前室和楼梯。

安全出口是指直通建筑物之外的门厅或楼层楼梯间的门。一般地说，水平方向的疏散到此则告完成，人员开始进入第二安全区——前室或楼梯。人们在前室既可暂时避难，也可由此沿楼梯向下层和楼外疏散。无论如何，此时人的生命已有了基本的安全保障。而需要指出的事实是，人要想较顺利地进入第二安全区，必须重视走廊和安全出口门厅的内装修防火的问题。

对水平走廊的防火要求比垂直通道楼梯要低一些，但比其他房间的要求又要高一些，这是既满足理论要求，又符合现实的做法。

六、关于消防设施

(一)消火栓门

建筑内部消火栓的门不应被装饰物遮掩，消火栓门四周的装修材料颜色应与消火栓门的颜色有明显区别。

建筑内设消火栓是防火安全系统的一部分，在扑救火灾中起着非常重要的作用。为了便于使用，建筑内部的消火栓门设在比较显眼的位置上，并且颜色也比较醒目(红色)。

但在实际工程中发现，有的单位为了单纯追求装修效果，把消火栓转移到隐蔽的地方，甚至将它们罩在木柜子里边。还有的单位将消火栓门装修得几乎与墙面一样，不到近前仔细观察竟无法辨认出来。这些做法给消火栓的及时取用造成了人为的障碍。

(二)消防设施和疏散指示标志

建筑内部装修不应遮挡消防设施和疏散指示标志及出口，并且不应妨碍消防设施和疏散走道的正常使用。

建筑内的消防设施包括：消火栓、自动火灾报警、自动灭火、防排烟、防火分隔构件以及安全疏散诱导等。这些设施因建筑物的功能变化而有增减，但总体可形成一个防护系统。这些设施的设置一般都是根据国家现行的有关规范要求去做的。而设备的数量和设置的部位都是经过专门计算确定的。另外对它们还应加强平时的维修管理，以便一旦需要使用时，操作起来迅速、安全、可靠。但是，有些单位为了追求装修效果，擅自改变消防设施的位置，任意增加隔墙，改变原有空间布局。这些做法轻则影响消防设施的原有功效，减小其有效的保护面积，重则完全丧失了它们应有的作用。

另外，进行室内装修设计时，要保证疏散指示标志和安全出口易于辨认，以免人员在紧急情况下发生疑惑和误解。目前在建筑物室内柱子和墙面镶嵌大面积镜面玻璃的做法较多。采用镜面玻璃墙面可以使视觉延伸，扩大空间感，增添独特的华丽氛围，调节室内的光线。由于镜面玻璃能反映周围的景观，所以使空间效果更为丰富和生动。如果将镜面玻璃用于入口处墙面，还能起到连通内、外的效果，层次格外丰富。镜面玻璃用于公共建筑墙面可以与灯具和照明结合起来，或光彩夺目，或温馨宁静，能形成各种不同的环境气氛与光影趣味。但是，镜面玻璃有一个严重的缺点，即对人的存在位置和走向有一种误导作用，该作用在正常情况下只是一段小插曲，甚至增加一些生活的情趣。但在火灾及其他一些恐慌状态下，这种误导的后果将是致命的灾难。为此在疏散走道和安全出口附近应避免采用镜面玻璃、壁画等进行装饰。

(三)挡烟垂壁

防烟分区的挡烟垂壁，其装修材料应采用 A 级装修材料。

挡烟垂壁的作用是减慢烟气扩散的速度，提高防烟分区排烟口的吸烟效果。一般挡烟垂壁可采用结构梁来实现，也可用专门的产品来实现。如在结构梁型垂壁上贴可燃装修材料，或用可燃体制作挡烟垂壁，都会导致可燃材料被烟气烤燃并生成更多的烟气和产生高温，从而降低挡烟垂壁的效用。为了保证挡烟垂壁在火灾中的作用，应采用 A 级装修材料。

七、其他

(一)变形缝部位

建筑内部的变形缝(包括沉降缝、伸缩缝、抗震缝等)两侧的基层应采用 A 级材料，表面装修应采用不低于 B_1 级的装修材料。

变形缝上下贯通整个建筑物，嵌缝材料具有一定的燃烧性。此处涉及的部位不大，常不引起人的注意，但一些火灾常是通过此部位蔓延扩大的，它可以导致垂直防火分区完全失效。

图 5-3 中对楼层变形缝的基层做法给出了两个方式。从执行本条要求的角度看，第(a)种方式是不对的，第(b)种做法是允许的。

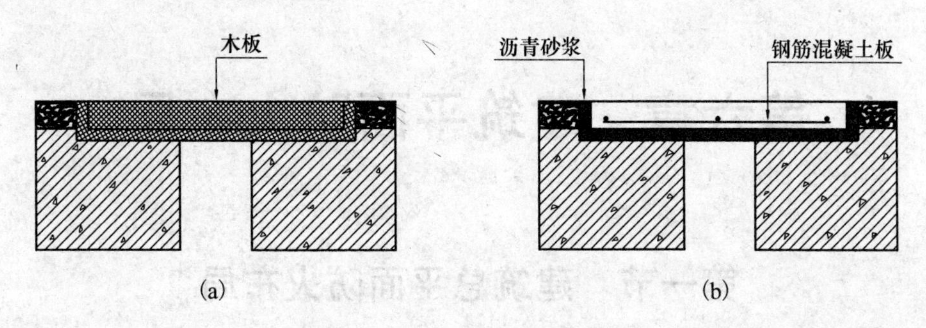

图 5-3　楼层变形缝装修的做法

（二）饰物

公共建筑内部不宜设置采用 B_3 级装饰材料制成的壁挂、雕塑、模型、标本，当需要设置时，不应靠近火源或热源。

在公共建筑中，经常将壁挂、雕塑、模型、标本等作为内装修设计的内容之一。这些饰物有相当多的一部分是易燃的，当这些东西设置过多时，势必造成一定隐患，为此应加以必要的限制。如确需作一些类似的装饰时，应使它们远离火源和热源。

思考题

1. 室内装修采用易燃、可燃装修材料的火灾危险性表现在哪些方面？
2. 室内装修材料按用途和功能可分为哪几类？按燃烧性能分为哪几个级别？
3. 在进行内部装修设计时应注意遵循哪些原则？

第六章　建筑平面防火布局

第一节　建筑总平面防火布局

一、合理布局

(一) 工业企业

各种工业企业总平面防火设计，要根据本身及相邻单位的火灾危险性，考虑地形、周围环境以及风向等，进行合理布置，一般应注意符合以下要求：

(1) 规模较大的工厂、仓库，要根据实际需要，合理划分生产区、储存区(包括露天储存区)、生产辅助设施区和行政办公、生活福利区等。

(2) 同一生产企业内，若有火灾危险性大和火灾危险小的生产建筑，则宜尽量将火灾危险性相同或相近的建筑集中布置，以便分别采取防火防爆措施，便于安全管理。

(3) 注意周围环境。在选择工厂、仓库地点时，既要考虑本单位的安全，又要考虑建厂地区的企业和居民的安全。易燃、易爆工厂、仓库的生产区不得修建办公楼、宿舍等民用建筑。

为了便于警卫和防止火灾蔓延，易燃、易爆工厂、仓库，应用实体围墙与外界隔开。

(4) 地势条件。甲、乙、丙类液体仓库，宜布置在地势较低的地方，以免对周围环境造成火灾威胁；若其必须布置在地势较高处，则应采取一定的防火措施(如设能截挡全部流散液体的防火堤)。乙炔站等遇水产生可燃气体会发生火灾爆炸的工业企业，严禁布置在易被水淹没的地方。

对于爆炸物品仓库，宜优先利用地形，如选择多面环山，附近没有建筑物的地方，以减少爆炸时的危害。

(5) 注意风向。散发可燃气体、可燃蒸气和可燃粉尘的车间、装置等，应布置在厂区的全年主导风向的下风向。

(6) 物质接触能引起燃烧、爆炸的两建筑物或露天生产装置应分开布置，并应保持足够的安全距离。

(二) 民用建筑

在进行总平面设计时，应根据城市规划，合理确定高层民用建筑、其他重要公共建筑的位置、防火间距、消防车道和消防水源等。

上述建筑不宜布置在火灾危险性为甲、乙类厂(库)房，甲、乙、丙类液体和可燃气体储罐以及可燃材料堆场附近。

二、建、构筑物之间的防火间距

建筑物发生火灾时，火灾除了在建筑物内部蔓延扩大外，有时还会通过一定的途径蔓延到邻近的建筑物上。为了防止火灾在建筑物之间蔓延，十分有效的措施是在相邻建筑物之间留出一定的防火安全距离，即防火间距。从消防方面考虑，防火间距还起到了为消防灭火战斗，为建筑物内人员和物资的紧急疏散提供场地的作用。在建筑总平面布局防火中，布置好建筑物之间的防火间距是一项十分重要的技术措施。

(一)火灾在相邻建筑物之间蔓延的途径

火灾在建筑物之间发生蔓延，究其原因不外乎是由于热辐射、热对流、飞火、火焰直接接触延烧造成的。

(1)热辐射。物体在一定温度下以电磁波方式向外传递热能的过程称为热辐射。任何物体当其温度大于绝对零度(–273℃)时，它就能向空间发射出各种波长的电磁波。一般物体在通常所遇到的温度下，向空间发射的能量，绝大多数都集中于热辐射。热辐射可以在空气中传播，也可以不经任何媒介在真空中传播。物体向外界发出的辐射能是和其绝对温度的四次方成正比例的。建筑物发生火灾时，火场的温度高达 1 000℃左右，通过外墙开口部位向外发射很大的辐射热，对邻近建筑物构成火灾威胁。

(2)热对流。热对流是冷热流体之间发生相对移动所引起的热量传递过程。建筑物发生火灾时，火焰、高温烟气从外墙开口部位喷出后向上升腾，在建筑物周围形成强烈的热对流作用。但这种热对流主要是向建筑物上方扩散传递热量，仅在建筑物侧面附近的较小范围传热很剧烈，对相邻建筑物的火灾威胁不大。只有当两相邻建筑物相距很近，且相邻建筑物外墙面附近有可燃物时，才构成火灾威胁。

(3)飞火。飞火是因火场上升的热气流作用，特别是因强风作用，从起火建筑物飞离飘起的正在燃烧着的可燃物。通常情况下，由火场卷到高空后落到附近的飞火本身携带的能量很小，很难点燃邻近建筑物上的可燃物。但不能忽视这种飞火的危害。因为它毕竟是个点火源，尤其是在大火大风条件下，飞卷起来的常常是比较大的灰烬，飞落到别的建筑物上与可燃物接触，就可能产生新的着火点，使火灾蔓延扩大。在大风天气下，风速愈大，飞火飞落的距离愈远。据火灾实际观测，在风力的作用下，飞火飘落的距离可以达到几十米、几百米甚至上千米。

(4)火焰直接接触延烧。这种蔓延途径出现在火灾发生在大风天气条件下，因强风作用，使得从建筑物外墙开口喷射出的火焰，沿水平方向偏斜，延伸接触到下风向邻近的建筑物，引起火灾蔓延。

(二)防火间距的理论计算依据

就火灾在建筑物之间蔓延的途径飞火而言，由于其引起火灾蔓延的情况是极少见的，另外依据飞火可能飞飘的距离范围确定防火间距很大，显然是根本不可取的。所以在确定防火间距时，不能以飞火作为依据。火焰直接接触延烧仅在大风天气条件下建筑物发生火灾时才构成蔓延条件，在建筑物之间造成火灾蔓延的几率很小，防火间距理论计算，不考虑这种因素。至于热对流作用，由于其影响范围仅限于建筑物周围很小的空间，与热辐射作用相比，对邻近建筑物的影响较小，所以在确定防火间距时，考虑这个因素没有什么实际意义。

热辐射作用引起火灾向相邻建筑物蔓延是发生在建筑火灾进入猛烈的全面燃烧阶段。这时建筑物室内出现持续高温，从外墙开口部位释放出大量的辐射热，能把火灾传播给相当距离内的建筑物。热辐射是引起火灾向邻近建筑物蔓延的主要因素，在防火间距理论计算时，应以这种因素作为计算依据。

(三)关于防火间距的规定

(1)确定防火间距的基本因素。影响防火间距的因素很多，如辐射热、风向、风速、外墙上材料的燃烧性能及开口面积大小、室内的可燃物种类及数量、相邻建筑物的高度、室内消防设施情况、着火时的气温和湿度、消防车到达的时间及扑救情况等。相关规范中规定的防火间距是考虑了防止热辐射作用造成火灾蔓延，满足消防扑救火灾时消防车最大工作回转半径的要求，消防扑救的影响作用以及节约用地的原则。

(2)建筑物之间防火间距规定。为了防止火灾在建筑物之间，建、构筑物等之间蔓延，规范规定了各种情况下的防火间距数值。在总平面布置时，应严格按照其布置建、构筑物等。

第二节　各类建筑的防火间距

一、民用建筑的防火间距

民用建筑之间的防火间距不应小于表6-1的规定。

表6-1　民用建筑的防火间距　（单位：m）

耐火等级	耐火等级		
	一、二级	三级	四级
一、二级	6	7	9
三　级	7	8	10
四　级	9	10	12

防火间距应按相邻建筑物外墙的最近距离计算，如外墙有凸出的燃烧构件，则应从其凸出部分外缘算起。

在确定民用建筑的防火间距时，还应注意以下几点：

(1)两座建筑相邻较高的一面的外墙为防火墙时，其防火间距不限。

(2)相邻的两座建筑物，较低一座的耐火等级不低于二级、屋顶不设天窗、屋顶承重构件的耐火极限不低于 1.0 h 且相邻的较低一面外墙为防火墙时，其防火间距可适当减小，但不应小于3.5 m。

(3)相邻的两座建筑物，较低一座的耐火等级不低于二级，当相邻较高一面外墙的开口部位设有防火门窗或防火卷帘和水幕时，其防火间距可适当减小，但不应小于3.5 m。

(4)两座建筑相邻两面的外墙为不燃烧体，如无外露的燃烧体屋檐，当每面外墙上的门窗洞口面积之和不超过该外墙面积的5%，且门窗口不正对开设时，其防火间距可按表6-1减少25%。

(5)数座一、二级耐火等级且不超过六层的住宅，如占地面积的总和不超过 2 500 m^2 时，可成组布置，但组内建筑物之间的间距不宜小于4 m。

组与组或组与相邻建、构筑物之间的防火间距仍不应小于表6-1中的规定。

二、厂房的防火间距

厂房之间的防火间距不应小于表 6-2 的规定。

表 6-2　厂房的防火间距　　（单位：m）

耐火等级	耐火等级		
	一、二级	三级	四级
一、二级	10	12	14
三　级	12	14	16
四　级	14	16	18

在按表 6-2 确定厂房的防火间距时应注意：

(1) 防火间距应按相邻建筑物外墙的最近距离计算，如外墙有凸出的燃烧构件，则应从其凸出部分外缘算起（以后有关条文均同此规定）。

(2) 甲类厂房之间及其与其他厂房之间的防火间距，应按本表增加 2 m，戊类厂房之间的防火间距，可按本表减小 2 m。

(3) 高层厂房之间及其与其他厂房之间的防火间距，应按本表增加 3 m。

(4) 两座厂房相邻较高一面的外墙为防火墙时，其防火间距不限，但甲类厂房之间不应小于 4 m。

(5) 两座一、二级耐火等级厂房，当相邻较低一面外墙为防火墙且较低一座厂房的屋盖耐火极限不低于 1 h 时，其防火间距可适当减小，但甲、乙类厂房不应小于 6 m；丙、丁、戊类厂房不应小于 4 m。

(6) 两座一、二级耐火等级厂房，当相邻较高一面外墙的门窗等开口部位设有防火门窗或防火卷帘和水幕时，其防火间距可适当减少，但甲、乙类厂房不应小于 6 m；丙、丁、戊类厂房不应小于 4 m。

(7) 两座丙、丁、戊类厂房相邻两面的外墙均为非燃烧体，如无外露的燃烧体屋檐，当每面外墙上的门、窗、洞口面积之和各不超过该外墙面积的 5%，且门、窗、洞口不正对开设时，其防火间距可按本表减少 25%。

(8) 耐火等级低于四级的原有厂房，其防火间距可按四级确定。

丙、丁、戊类厂房与民用建筑的防火间距，按照厂房之间的防火间距确定。但甲、乙类厂房与民用建筑之间的防火间距不应小于 25 m，距重要的公共建筑不宜小于 50 m。

三、库房的防火间距

乙、丙、丁、戊类物品库房之间的防火间距不应小于表 6-3 的规定。

表 6-3　乙、丙、丁、戊类物品库房的防火间距　　（单位：m）

耐火等级	耐火等级		
	一、二级	三级	四级
一、二级	10	12	14
三　级	12	14	16
四　级	14	16	18

在按表 6-3 确定乙、丙、丁、戊类物品库房的防火间距时应注意：

(1) 两座库房相邻较高一面外墙为防火墙，且总建筑面积不超过表 2-8 一座库房的面积规定时，其防火间距不限。

(2) 高层库房之间以及高层库房与其他建筑之间的防火间距应按本表增加 3.00 m。

(3) 单层、多层戊类厂房之间的防火间距可按本表减少 2.00 m。

乙、丙、丁、戊类物品库房与其他建筑之间的防火间距应按表 6-3 的规定执行；与甲类厂房之间的防火间距应按表 6-3 的规定增加 2 m。

乙类物品库房与重要公共建筑之间的防火间距不宜小于 30 m，与其他民用建筑之间的防火间距不宜小于 25 m。

甲类物品库房与其他建筑的防火间距不应小于表 6-4 的规定。

表 6-4　甲类物品库房与建筑物的防火间距　　（单位：m）

储存物品类别				甲类			
				3、4 项		1、2、5、6 项	
储量(t)				≤5	>5	≤10	>10
建筑名称	民用建筑、明火或散发火花地点			30	40	25	30
	其他建筑	耐火等级	一、二级	15	20	12	15
			三级	20	25	15	20
			四级	25	30	20	25

注：①甲类物品库房之间的防火间距不应小于 20 m，但本表第 3、4 项物品储量不超过 2 t，第 1、2、5、6 项物品储量不超过 5 t 时，可减为 12 m。

②甲类库房与重要的公共建筑的防火间距不应小于 50 m。

③库区的围墙与库区内建筑的距离不宜小于 5 m，并应满足围墙两侧建筑物之间的防火要求。

四、高层民用建筑之间的防火间距

(1) 高层民用建筑之间及高层民用建筑与其他民用建筑之间的防火间距，不应小于表 6-5 的规定。

表 6-5　高层民用建筑之间及高层民用建筑与其他民用建筑之间的防火间距　　（单位：m）

建筑类别	高层民用建筑	裙房	其他民用建筑		
			耐火等级		
			一、二级	三级	四级
高层民用建筑	13	9	9	11	14
裙房	9	6	6	7	9

注：防火间距应按相邻建筑外墙的最近距离计算；当外墙有凸出可燃构件时，应从其凸出的部分外缘算起。

(2) 两座高层民用建筑相邻较高一面外墙为防火墙或比相邻较低一座建筑屋面高 15 m 及以下范围内的墙为不开设门、窗、洞口的防火墙时，其防火间距可不限。

(3) 相邻的两座高层民用建筑，较低一座的屋顶不设天窗、屋顶承重构件的耐火极限不低于 1.00 h，且相邻较低一面外墙为防火墙时，其防火间距可适当减小，但不宜小于 4.00 m。

(4) 相邻的两座高层民用建筑，当相邻较高一面外墙耐火极限不低于 2.00 h，墙上开口部位设有甲级防火门、窗或防火卷帘时，其防火间距可适当减小，但不宜小于 4.00 m。

(5) 高层民用建筑与小型甲、乙、丙类液体储罐、可燃气体储罐和化学易燃物品库房的防火间距，不应小于表 6-6 的规定。

表 6-6　高层民用建筑与小型甲、乙、丙类液体储罐、可燃气体储罐和化学易燃物品库房的防火间距

名称和储量		防火间距(m)	
		高层民用建筑	裙房
小型丙类液体储罐	<30 m^3	35	30
	30～60 m^3	40	35
小型甲、乙类液体储罐	<150 m^3	35	30
	150～200 m^3	40	35
可燃气体储罐	<100 m^3	30	25
	100～500 m^3	35	30
化学易燃物品库房	<1 t	30	25
	1～5 t	35	30

注：①储罐的防火间距应从距建筑物最近的储罐外壁算起；②当甲、乙、丙类液体储罐直埋时，本表的防火间距可减少 50%。

(6) 高层医院等的液氧储罐总容量不超过 3.00 m^3 时，储罐间可面贴邻所属高层建筑外墙建造，但应采用防火墙隔开，并应设直通室外的出口。

(7) 高层民用建筑与厂(库)房、煤气调压站、液化石油气气化站、混气站和城市液化石油气供应站瓶库的防火间距，不应小于表 6-7 的规定，且液化石油气气化站、混气站储罐的单罐容积不宜超过 10 m^3。

表 6-7　高层民用建筑与厂(库)房、煤气调压站等的防火间距

名称		防火间距(m)	一类		二类	
			高层民用建筑	裙房	高层民用建筑	裙房
丙类厂(库)房	耐火等级	一、二级	20	15	15	13
		三、四级	25	20	20	15
丁、戊类厂(库)房	耐火等级	一、二级	15	10	13	10
		三、四级	18	12	15	10
煤气调压站	进口压力(MPa)	0.005～<0.15	20	15	15	13
		0.15～≤0.30	25	20	20	15
煤气调压箱	进口压力(MPa)	0.005～<0.15	15	13	13	6
		0.15～≤0.30	20	15	15	13
液化石油气气化站、混气站	总储量(m^3)	<30	45	40	40	35
		30～50	50	45	45	40
城市液化石油气供应站瓶库		≤15	30	25	25	20
		≤10	25	20	20	15

第三节　消防通道及管线布置

一、合理设置消防车道

设置消防车道的目的在于，一旦发生火灾时确保消防车畅通无阻，迅速到达火场，及时扑灭火灾。

(一)单、多层民用建筑和工业建筑消防车道设置

(1)当建筑物的沿街部分长度超过 150 m 或总长度超过 220 m 时，均应设置穿过建筑物的消防车道。

沿街建筑应设连通街道和内院的人行通道(可利用楼梯间)，其间距不宜超过 80 m。

(2)超过 3 000 个座位的体育馆、超过 2 000 个座位的会堂和占地面积超过 3 000 m^2 的展览馆等公共建筑，宜设环形消防车道。建筑物的封闭内院，如其短边长度超过 24 m 时，宜设有进入内院的消防车道。

(3)工厂、仓库应设置消防车道，一座甲、乙、丙类厂房的占地面积超过 3 000 m^2 时或一座乙、丙类库房的占地面积超过 1 500 m^2 时，宜设置环形消防车道，如有困难，可沿其两个长边设置消防车道或设置可供消防车通行的且宽度不小于 6 m 的平坦空地。

高层工业建筑(高架仓库)周围应设置环形消防车道。

(4)供消防车取水的天然水源和消防水池，应设置消防车道。

(5)消防车道穿过建筑物的门洞时，其净高和净宽不应小于 4 m；门垛之间的净宽不应小于 3.5 m。

(6)消防车道的宽度不应小于 3.5 m，道路上空遇有管架、栈桥等障碍物时，其净高不应小于 4 m。

(7)环形消防车道至少应有两处与其他车道连通。尽头式消防车道应设回车道或面积不小于 12 m × l2 m 的回车场(如图 6-1 所示)。供大型消防车使用的回车场面积不应小于 15 m × l5 m。

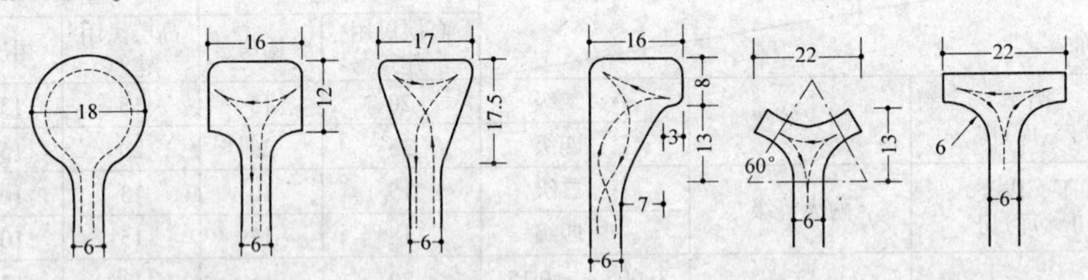

图 6-1　几种尽头式消防车道回车场　(单位：m)

消防车道下的管道和暗沟应能承受大型消防车的压力。消防车道可利用交通道路。

(8)消防车道应尽量短捷，并宜避免与铁路平交。如必须平交，应设备用车道，两车道之间的间距不应小于一列火车的长度。

(二)高层民用建筑消防车道设置

(1)高层民用建筑的周围，应设环形消防车道。当设环形车道有困难时，可沿高层民用建筑的两个长边设置消防车道。当高层民用建筑的沿街长度超过 150 m 或总长度超过 220 m

时，应在适中位置设置穿过高层民用建筑的消防车道。

高层民用建筑应设有连通街道和内院的人行通道，通道之间的距离不宜超过 80 m。

(2) 高层民用建筑的内院或天井，当其短边长度超过 24 m 时，宜设有进入内院或天井的消防车道。

(3) 供消防车取水的天然水源和消防水池应设消防车道。

(4) 消防车道的宽度不应小于 4.0 m，消防车道距离高层民用建筑外墙宜大于 5.0 m，当消防车道上空遇有障碍物时，路面与障碍物之间的净空不应小于 4.00 m。

(5) 尽头式消防车道应设有回车道或回车场，回车场不宜小于 15 m × 15 m。大型消防车的回车场不宜小于 18 m × 18 m。

消防车道下的管道和暗沟等应能承受消防车辆的压力。

(6) 穿过高层民用建筑的消防车道，其净宽和净空高度均不应小于 4.00 m。

(7) 消防车道与高层民用建筑之间，不应设置妨碍登高消防车操作的树木、架空管线等。

二、合理敷设各种管线

可燃气体管道和甲、乙、丙类液体管道，电力线路都具有很大的火灾、爆炸危险性，其布置除应满足生产要求和方便敷设及维修外，还要满足有关安全要求。

地下管线与建、构筑物之间的水平净距不应小于表 6-8 的规定。

表 6-8　地下管线与建、构筑物之间的水平净距　　（单位：m）

名称	煤气管压力 $P(10^5Pa)$				甲、乙、丙类液体管	氧气管及乙炔管	电力电缆
	$P \leqslant 0.05$	$0.05 < P \leqslant 1.5$	$1.5 < P \leqslant 3.0$	$3.0 < P \leqslant 8.0$			
建、构筑物基础外缘	2.0	3.0	4.0	6.0	3.0	1.5 ~ 5.0☆	0.5 ~ 1.0☆☆

注：①表列数值除注明者外，管线（沟）均自外壁算起。

②表列数值均指管线埋设深度等于或浅于建、构筑物的基础底面。当管线埋设深度深于建筑物的基础底面时，则应按土壤性质对表列数值进行验算，但不得小于表列数值。

☆距无地下室的建筑物基础边缘：氧气管内压力 ≤ 1.6 MPa 时，采用 1.5 m；氧气管内压力 > 1.6 MPa 时，采用 2.5 m；乙炔管采用 2 m。距有地下室的建筑物基础边缘：氧气管内压力 ≤ 1.6 MPa 时，采用 3 m；氧气管内压力 > 1.6 MPa 时，采用 5 m；乙炔管采用 3 m。

☆☆直埋电缆距建筑物散水边缘为 0.5 m，无散水时为 1 m，电缆管道为 1.5 m。

架空管线与建筑物之间的水平净距不应小于表 6-9 的规定。

表 6-9　架空管线与建筑物的水平净距　　（单位：m）

<table>
<tr><th rowspan="3">建筑物名称</th><th colspan="8">管线名称</th></tr>
<tr><th colspan="5">架空管道</th><th colspan="3">电力线路 (kV)</th></tr>
<tr><th>热力</th><th>压缩空气</th><th>氧气</th><th>乙炔</th><th>煤气</th><th><3</th><th>3 ~ 10</th><th>35</th></tr>
<tr><td>一、二级耐火等级的丁、戊类房</td><td colspan="8">允许沿外墙敷设</td></tr>
<tr><td>一、二级耐火等级的无爆炸危险的厂房</td><td colspan="3">允许沿外墙敷设</td><td>2.0</td><td>2.0</td><td rowspan="2">1.0</td><td rowspan="2">1.5</td><td rowspan="2">3.0</td></tr>
<tr><td>三、四级耐火等级的厂房</td><td></td><td>允许沿外墙敷设</td><td colspan="2">3.0</td><td>3.0</td></tr>
<tr><td>散发可燃气体的甲类生产厂房</td><td colspan="2"></td><td colspan="2">4.0</td><td>5.0</td><td colspan="3">杆（塔）高的 1.5 倍</td></tr>
</table>

注：①架空管线与地面上建筑物之间的水平净距，应自管架、管枕及管线最凸出部分算起。

②与架空电力线路的水平净距，应从最大计算风偏情况时的边导线算起。

第四节　建筑平面布置防火设计

在建筑平面布置中，除应满足防火分区、安全疏散等的要求外，还应考虑一些重要房间等的布置及其他要求。

一、单、多层民用建筑和工业建筑

(1) 总蒸发量不超过 6 t / h，单台蒸发量不超过 2 t / h 的锅炉；总容量不超过 1 260 kVA，单台容量不超过 630 kVA 的可燃油油浸电力变压器，以及充有可燃油的高压电容器和多油开关等，可贴邻民用建筑(除观众厅、教室等人员密集的房间和病房)布置，但必须采用防火墙隔开。上述房间不宜布置在主体建筑内，如受条件限制必须布置时，应采取下列防火措施：

①不应布置在人员密集的场所的上面、下面或贴邻，并应采用无门、窗、洞口的耐火极限不低于 3 h 的隔墙(包括变压器之间的隔墙)和 1.5 h 的楼板与其他部位隔开，如必须开门时，应设甲级防火门。变压器室与配电间之间的隔墙应设防火墙。

②锅炉房、变压器室应布置在首层外墙部位，并应在外墙上开门。首层的外墙开口部位的上方均应设置宽度不少于 1 m 的防火挑檐。

③应设有防止油品流散的设施。

(2) 变电所、配电所不应设在有爆炸危险的甲、乙类厂房内或贴邻建造，但供上述甲、乙类厂房专用的 10 kV 及以下的变电所、配电所，当采用无门、窗、洞口的防火墙隔开时可一面贴邻建造。乙类厂房的配电所必须在防火墙上开窗时，应设不燃烧体的密封固定窗。

(3) 甲、乙类生产和甲、乙类物品库房不应设在建筑物的地下室或半地下室内。

(4) 厂房内设置甲、乙类物品的中间仓库时，其储量不宜超过一昼夜的需要量。中间仓库应靠外墙布置，并应采用耐火极限不低于 3 h 的不燃烧体墙和 1.5 h 的不燃烧体楼板与其中间罐的容积不应大于 1.00 m^3，并应设在耐火等级不低于二级的单独房间内，该房间的门应采用甲级防火门。

(5) 总储量不大于 15 m^3 的丙类液体储罐，当直埋于厂房外墙附近，且面向储罐一面的外墙为防火墙时，其防火间距可不限。

(6) 甲、乙类库房内不应设置办公室、休息室。设在丙、丁类库房内的办公室、休息室，应采用耐火极限不低于 2.50 h 的不燃烧体隔墙和 1.00 h 的楼板分隔开，其出口应直通室外或疏散走道。

(7) 存放和使用化学易燃易爆物品的商店、作坊和储藏间，严禁附设在民用建筑内。住宅建筑的底层如设有商业服务网点时，应用耐火极限不低于 3 h 的隔墙和耐火极限不低于 1 h 不燃烧体楼板与住宅分隔开。商业服务网点的安全出口必须与住宅部分隔开。

(8) 民用建筑中，人员密集的厅、室等场所，宜设在较低楼层，且宜靠近疏散楼梯间。

二、高层民用建筑

(1) 燃油、燃气的锅炉、可燃油油浸电力变压器、充有可燃油的高压电容器和多油开关等宜设置在高层民用建筑外的专用房间内。

除液化石油气作燃料的锅炉外，当上述设备受条件限制必须布置在高层民用建筑或裙房内时，其锅炉的总蒸发量不应超过 6 t / h，且单台锅炉蒸发量不应超过 2 t / h；可燃油油浸电力变压器总容量不应超过 1 260 kVA，单台容量不应超过 630 kVA，并应符合下列规定：

①不应布置在人员密集场所的上一层、下一层或贴邻，并采用无门窗洞口的耐火极限不低于 2.00 h 的隔墙和 1.50 h 的楼板与其他部位隔开，当必须开门时，应设甲级防火门。

②锅炉房、变压器室，应布置在首层或地下一层靠外墙部位，并应设直接对外的安全出口。外墙开口部位的上方，应设置宽度不小于 1.00 m 不燃烧体的防火挑檐。

③变压器下面应设有储存变压器全部油量的事故储油设施；变压器、多油开关室、高压电容器室，应设置防止油品流散的设施。

④应设置火灾自动报警系统和自动灭火系统。

(2) 柴油发电机房可布置在高层民用建筑、裙房的首层或地下一层，并应符合下列规定：

①柴油发电机房应采用耐火极限不低于 2.00 h 的隔墙和 1.50 h 的楼板与其他部位隔开。

②柴油发电机房内应设置储油间，其总储存量不应超过 8.00 h 的需要量，储油间应采用防火墙与发电机间隔开；当必须在防火墙上开门时，应设置能自动关闭的甲级防火门；应设置火灾自动报警系统和自动灭火系统。

(3) 消防控制室宜设在高层民用建筑的首层或地下一层，且应采用耐火极限不低于 2.00 h 的楼板与其他部位隔开，并应设直通室外的安全出口。

(4) 高层民用建筑内观众厅、会议厅、多功能厅等人员密集场所，应设在首层或二、三层；当必须设在其他楼层时，尚应符合下列规定：

①一个厅、室的建筑面积不宜超过 400 m^2；

②一个厅、室的安全出口应不少于两个；

③必须设置火灾自动报警系统和自动喷水灭火系统；

④幕布和窗帘应采用经阻燃处理的织物。

(5) 当高层民用建筑内设托儿所、幼儿园时，应设置在建筑物的首层或二、三层，并宜设置单独出入口。

(6) 高层民用建筑的底边至少有一个长边或周边长度的 1 / 4 且不小于一个长边长度，不应布置高度大于 5.00 m、进深大于 4.00 m 的裙房，且在此范围内必须设有直通室外的楼梯或直通楼梯间的出口。

(7) 设在高层民用建筑内的汽车停车库，其设计应符合现行国家标准《汽车库、修车库、停车场设计防火规范》(GB50067—97) 的规定。

(8) 高层民用建筑内使用可燃气体作燃料时，应采用管道供气，使用可燃气体的房间或部位宜靠外墙设置。

(9) 高层民用建筑使用丙类液体作燃料时，应符合下列规定：

①液体储罐总储量不应超过 15 m^3，当直埋于高层民用建筑或裙房附近，面向油罐一面 4.00 m 范围内的建筑物外墙为防火墙时，其防火间距可不限；

②中间罐的容积不应大于 1.00 m^3，并应设在耐火等级不低于二级的单独房间内，该房间的门应采用甲级防火门。

(10) 当高层民用建筑采用瓶装液化石油气作燃料时，应设集中瓶装液化石油气间。并应符合下列规定：

①液化石油气总储量不超过 1.00 m^3 的瓶装液化石油气间，可与裙房贴邻建造；

②总储量超过 1.00 m^3，而不超过 3.00 m^3 的瓶装液化石油气间，应独立建造，且与高层民用建筑和裙房的防火间距不应小于 10 m；

③在总进气管道、总出气管道上应设有紧急事故自动切断阀；

④应设有可燃气体浓度报警装置；

⑤电气设计应按现行的国家标准《爆炸和火灾危险环境电力装置设计规范》的有关规定执行；

⑥其他要求应按非高层建筑的有关规定执行。

(11) 高层医院等的液氧储罐总量不超过 3.00 m^3 时，储罐间可外墙建造，但应采用防火墙隔开，并应设置通室外的出口，面贴邻所属高层建筑。

思 考 题

1. 何谓防火间距？其达不到要求时如何解决？
2. 对消防车道的设置有何要求？
3. 建筑总平面布局的主要防火要求是什么？
4. 建筑布置应主要注意哪些问题？

第七章　建筑防爆设计

第一节　概　述

一、爆炸的特点

所谓爆炸，是大量能量(物理能量或化学能量)在瞬间迅速释放或急剧转化成功和机械能、光、热等能量形态的现象。

一般说来，爆炸现象具有以下特征：

(1)爆炸过程进行得很快；

(2)爆炸点附近压力急剧升高，多数爆炸伴有温度升高；

(3)周围介质发生震动或邻近的物质遭到破坏；

(4)发出或大或小的响声。

二、爆炸的种类

(一)根据发生爆炸的原因和性质分类

(1)物理爆炸。这是一种纯物理过程，爆炸前后只发生物态变化，不发生化学反应。这类爆炸是容器内的气体压力升高，超过容器所能承受的压力，造成容器破裂所致。如蒸汽锅炉爆炸、高压气瓶爆炸等。

(2)化学爆炸。它是由于物质发生高速放热化学反应，产生大量气体和高温，急剧膨胀做功而形成的爆炸。爆炸前后物质的组分、性质发生根本变化。

化学爆炸按其发生爆炸物质的性质可分为火、炸药的爆炸，可燃气体、可燃蒸气、可燃粉尘与空气形成的爆炸性混合物的爆炸。爆炸性混合物的爆炸多发生在石油、化工、医药企业，在许多加工企业中也存在，对人民生命和财产危害很大。故本章仅限于讨论这类爆炸类型及其防爆技术措施。

(3)原子爆炸(核爆炸)。它是某些物质的原子核发生裂变反应或聚变反应，瞬间放出巨大能量而形成的爆炸现象。如原子弹、氢弹的爆炸都属于这类爆炸。

(二)按爆炸传播速度分类

(1)爆燃。爆炸传播速度为每秒数十厘米至数米的过程。爆炸时压力不激增，没有震耳欲聋的声响，破坏力不大。如气体爆炸混合物在接近爆炸浓度上限或下限时的爆炸。

(2)爆炸。爆炸传播速度为每秒 10 m 至数百米的过程。爆炸时仅在爆炸地点能引起压力激增，有震耳的声响，有破坏作用。如气体混合物爆炸在多数情况下的爆炸。

(3)爆轰。爆炸传播速度为每秒 1 000 m 至数千米以上的过程。这种爆炸具有突然升起的极高压力，爆炸的破坏力很大。如各种处于封闭状态的炸药的爆炸或气体爆炸混合物在特定浓度范围内的爆炸。

三、可与空气混合形成爆炸的可燃性物质

可燃气体、可燃蒸气、可燃粉尘或纤维等物质，如石油气、天然气、煤气、乙炔气、石油、汽油、酒精、丙酮、苯、二甲苯、赛璐珞、电影胶片、硝化棉、铝粉、谷物淀粉等，在一定条件下能够与空气混合在一起，形成浓度达到爆炸极限的混合物，接触到火源，能够立刻引起化学性爆炸。按照可燃物质与空气混合的形式，这类物质可以分为两种。

(一)直接与空气混合形成爆炸的物质

1．可燃气体与空气混合形成的爆炸

煤气、乙炔气、氢气等可燃气体，在空气中接触到火源时，会立即引起燃烧，当此类物质与空气混合在一起，形成浓度达到爆炸极限的混合物时，接触到火源就会立刻引起化学性爆炸。

可燃气体是一种流动状态的物质，非常容易扩散流窜，有些可燃气体又是无色、无味、无形迹可察觉的，在建筑物室内自然通风不良的条件下，非常容易与空气混合形成爆炸混合物，这往往成为爆炸事故的根源。

2．可燃蒸气与空气混合形成的爆炸

可燃蒸气是由易燃液体或可燃液体蒸发而成的。闪点低的易燃液体，在室温的条件下就能够蒸发可燃蒸气，闪点愈低蒸发愈快。如汽油的闪点很低(-44℃)，不仅能够在室温条件下快速蒸发可燃蒸气，还能够在冬天室外气温很低的条件下缓慢蒸发为可燃蒸气。

可燃蒸气在空气中接触到火源会立即引起燃烧。当可燃蒸气与空气混合在一起，形成浓度达到爆炸极限的混合物时，接触到火源则立刻引起爆炸。如汽油蒸发出来的可燃蒸气与空气混合在一起，形成浓度达到爆炸极限(0.76%~5.16%)的混合物时，接触到火源立刻引起爆炸。

可燃蒸气也是一种流动状态的物质，比空气重，容易聚沉在地面上扩散流窜，在建筑物室内自然通风不良的条件下，非常容易与空气混合形成爆炸混合物，这也往往成为爆炸事故的根源。

3．可燃粉尘与空气混合形成的爆炸

可燃粉尘是一种粒径很小能够悬浮混合在空气中的可燃物质，一般粒径小于 10^{-3} cm 的可燃物质，就能够悬浮混合在空气中。当空气中的可燃粉尘浓度很高时就形成云雾状态，浓度达到爆炸下限时接触到火源就会引起爆炸。细短的可燃纤维与可燃粉尘一样，也能够悬浮混合在空气中，形成爆炸混合物。

可燃粉尘的种类很多，有铝粉、镁粉、锌粉、有机玻璃粉、聚乙烯塑料粉、合成橡胶粉、面粉、谷物淀粉、糖粉、煤粉、木粉等。可燃纤维的种类也很多，有棉纤维、麻纤维、醋酸纤维、腈纶纤维、涤纶纤维、维纶纤维等。

成包成堆的可燃粉尘或纤维，接触到火源只会引起燃烧不会引起爆炸，可是当加工过程中大量排出可燃粉尘，飞扬悬浮混合在空气中就会形成爆炸物。各种可燃粉尘与空气混合形成爆炸的条件，主要取决于颗粒细度、纯度、含水量、爆炸下限、化学性质等。

悬浮在空气中的粉尘之所以能发生爆炸，其原因之一就是它具有较大的表面积和化学活性。有许多固体物质，当它处于块状时是不燃的，但呈尘粒状时就很容易燃烧，甚至爆

炸。这是由于物质被破碎后，其粉尘与空气中的氧接触面积增大了，粉尘吸附氧分子的数量也增多了，从而加速了粉尘的氧化过程。

其原因之二，是由于粉尘氧化表面的增加，强化了粉尘的热过程，加速了气体产物的释放。例如煤在燃烧时能放出 34 038 kJ 热量，依靠这种反应热可使气体产物加热到 2 300～2 500℃。反应热和形成的高温是使粉尘爆炸得以自发延续和自动传播的条件之一。

粉尘发生爆炸的另一个原因，就是它受热后能放出大量的可燃气体。如 1 kg 挥发成分为 20%～26%的焦煤，在高温下可以放出 290～350 L 可燃气体。

可燃粉尘浓度达到爆炸下限时，已经呈云雾状态，有形迹可察觉，可及时采取排除措施。因此，厂房内可燃粉尘形成爆炸混合物是比较困难的。可燃粉尘发生爆炸事故，大多数是在生产设备、皮带输送机罩壳、通风吸尘管道等隐蔽的内部空间形成。

（二）间接与空气混合形成爆炸的物质

有些固体物质虽然不能够直接与空气混合形成爆炸混合物，但在常温下受水、热、氧化剂作用，能迅速反应分解产生可燃气体或可燃蒸气，然后再与空气混合形成爆炸混合物，遇到火源发生爆炸。

电石、五硫化磷、碳化铝等块、片形状的可燃固体物质，在常温下受水或空气中水蒸气的作用，能迅速反应分解产生可燃气体。如电石受水或空气中水蒸气的作用，能迅速反应分解产生乙炔，乙炔是一种可燃气体。

樟脑、萘、蒽等也是块、片形状的可燃固体物质，在受热升温作用下，能迅速反应分解产生可燃蒸气。如萘受热升温超过 80℃，能迅速反应分解产生可燃蒸气。

电影胶片、赛璐珞、录音磁带等也是块、片形状的可燃固体物质，在受热升温作用下，能自燃并释放一氧化碳、氮氧化物、氢氰酸，释放的物质大多数是可燃气体。

铝、锌、镁等块、片形状金属物质，在氧化剂接触作用下，能引起自燃并释放可燃气体。如铝片与发烟硫酸接触作用，能引起自燃并释放氢气。

间接与空气混合形成爆炸的物质很多。它们与空气混合形成爆炸混合物，都要经过转变生成可燃气体或可燃蒸气的过程，如果对此没有充分的认识，往往容易粗心大意，以致发生爆炸事故。

四、爆炸的破坏作用

当爆炸发生在等介质的自由空间时，从爆炸的中心点起，在一定的范围内，破坏力能均匀地传播出去，并使在这个范围内的物质粉碎、飞散。爆炸的破坏作用大体包括如下几个方面：

（一）震荡（地震）作用

在遍及破坏作用的区域内，有一个能使物体震荡，使之松散的力量。

（二）冲击波作用

爆炸能够在瞬间释放出巨大的能量，产生高温高压气体，使周围空气发生强烈震荡，通常称之为“冲击波”。在离爆炸中心一定范围内，建筑物受到冲击波的作用，将会受到破坏或造成伤害。爆炸冲击波的强度是以标准大气压（101.325 kPa）来表示的，一些常见的易爆物质的最大爆炸压力见表 7-1 和表 7-2。

表 7-1　可燃气体和蒸气的爆炸冲击波强度

名称	爆炸冲击波强度（kPa）	名称	爆炸冲击波强度（kPa）
氢	719.4	乙烯	790.3
氨	491.4	丙酮	901.7
丁烷	628.2	苯	911.9
一氧化碳	709.2	乙醚	932.1
甲烷	729.5	乙炔	1 072
乙醇	759.9		

表 7-2　可燃粉尘的爆炸冲击波强度

名称	爆炸下限（g/m^3）	爆炸冲击波强度（kPa）	名称	爆炸下限（g/m^3）	爆炸冲击波强度（kPa）
镁粉	20	506.6	干奶粉	7.6	202.6
铝粉	35 ~ 40	628.2	小麦粉	9.7 ~ 60	415.4 ~ 668.7
镁铝合金	50	435.7	玉米粉	22.7 ~ 52	303.9 ~ 506.6
雾化锌粉	35	634.3	黄豆粉	35 ~ 50.4	466.1 ~ 709.2
硫矿粉	13.9 ~ 50.1	202.6	聚乙烯粉		600
煤粉	35 ~ 45	328.3	花生壳粉	85	293.8
硅铁合金	425	253.3	糖粉	15 ~ 19	395.1
硫粉	35	293.8	硬脂酸铝	15	435.7
木粉	12.6 ~ 25	780.2	纸浆粉	60	425.5
软木粉	30 ~ 35	709.2	铁粉	120	253.3

从表 7-1 和表 7-2 可见，可燃气体、可燃蒸气和可燃粉尘与空气混合爆炸时威力是很大的，其爆炸压力最高可达几百千帕到 1 000 kPa 以上。而建筑物耐爆炸压力是相当差的（据有关资料介绍，37 cm 厚砖墙耐爆炸压力仅为 7.09 kPa），可见要建造能够承受爆炸压力的建筑物是不现实的。

当冲击波作用到人或物体上时，会产生巨大的杀伤力和破坏力，超压值愈大，其杀伤力和破坏力愈大。冲击波对人的伤害和对建、构筑物的破坏情况见表 7-3 和表 7-4。

表 7-3　冲击波对人的伤害

超压值 ΔP（kPa）	伤害情况	超压值 ΔP（kPa）	伤害情况
＜10	无伤害	45 ~ 75	人受重伤
10 ~ 25	人受轻伤	＞75	伤势严重，无法挽救，死亡
25 ~ 45	人受中等伤		

表 7-4 冲击波对砖混结构建筑的破坏

超压值(kPa)	建筑物损坏情况	超压值(kPa)	建筑物损坏情况
<2	基本上没有破坏	30~50	门窗大部分破坏，砖墙出现严重裂缝
2~12	玻璃窗部分或全部破坏	50~76	门窗全部破坏，砖墙部分倒塌
12~30	门窗部分破坏，砖墙出现小裂缝	>76	墙倒屋塌

(三)碎片的冲击作用

机械设备等在爆炸发生时，变成碎片飞出去，会在相当大的范围内造成危害。碎片飞散范围，通常在100~150 m左右。碎片的厚度越小，飞散的速度越大，危害越严重。

(四)热作用(火灾)

爆炸温度一般在 2 000~3 000℃。通常爆炸气体扩散只发生在极其短促的瞬间，对一般可燃物质来说，不足以造成起火燃烧，而且有时冲击波还能起到灭火作用。但建筑物内留存的大量热量，会把从破坏设备内部不断流出的可燃气体或可燃蒸气点燃，使建筑内的可燃物全部起火，加重爆炸的破坏。

五、建筑物发生爆炸的几种情况

(一)厂房内发生的爆炸

有些厂房由于生产设备、储存容器、管道接头、阀门等制造安装不严密，存在“跑、冒、滴、漏”现象；或者由于平时生产管理和保护维修不完善，存在“跑、冒、滴、漏”的现象。在厂房内自然通风不良的条件下，跑、冒、滴、漏出来的可燃气体、可燃蒸气、可燃粉尘一类物质，非常容易与空气混合在一起，逐渐形成浓度达到爆炸极限的混合物，遇到火源立刻就会引起爆炸。

(二)仓库内发生的爆炸

有些仓库内储存玻璃瓶盛装的化学药品、钢瓶灌装的可燃气体、铁桶盛装的易燃液体等危险物品，由于储运过程中玻璃瓶、钢瓶、铁桶发生破裂或加料口没有盖紧，以致造成“跑、冒、滴、漏”的现象。有些仓库内储存块、片形状的可燃物质，由于储运过程中没有做好必要的防水、防潮、防止受热升温、分类分库分间储存，使块、片形状的可燃物质反应分解释放可燃气体或可燃蒸气。

在仓库内自然通风和隔热降温不良的条件下，跑、冒、滴、漏或者反应分解释放出来的可燃气体、可燃蒸气、可燃粉尘一类的物质，非常容易与空气混合在一起，形成浓度达到爆炸极限的混合物，当遇到火源立刻就会引起爆炸。

(三)生产设备内部发生的爆炸

1. 反应塔、反应锅内部发生的爆炸

反应塔、反应锅是火炸药、炼油、化工等工厂生产中不可缺少的设备。反应塔和反应锅内部发生的爆炸，往往是由于工艺操作错误引起的，如投料错误、投料量过多、温度或压力超值、管道阀门堵塞等，致使塔和锅内化学反应变化加剧，因而产生过大压力或过高温度，最后导致反应塔、反应锅爆破，瞬时释放大量物料、气体和热量。

工艺操作若采取减压(负压)时，如果反应塔和反应锅的焊缝、管道连接、阀门等部位存在“跑、冒、滴、漏”现象，外部空气就会吸入反应器内，吸入的空气与内部可燃气体、可燃蒸气、可燃粉尘一类物质混合在一起，当浓度达到爆炸极限时遇到火源(常常是静电产生的火源)会立刻引起爆炸。

反应塔和反应锅使用到一定的时间，需要停产进行检修，检修之前如果未采取动火安全措施而贸然动火，往往也会引起爆炸事故。反应塔或反应锅停产放料后，外部空气立即吸入反应器内，致使残存在内部的物料与外部吸入的空气混合在一起，形成浓度达到爆炸极限的混合物，动火焊接时引起爆炸。

2．储罐内部发生的爆炸

储罐一般用来储存易燃液体和可燃液体，如石油、汽油、柴油、苯、二甲苯、酒精、丙酮、松节油等，有时也用来储存液化可燃气体，如液化石油气、液化氨气、液化氢气等。

储罐内部发生爆炸的原因也是多方面的。如检修储罐之前未采取动火安全措施，内部空间残存物料未吹扫除净，仍然会蒸发可燃蒸气，放料时外界空气吸入，使可燃蒸气与空气混合形成爆炸混合物，当动火焊接检修时，立刻会引起爆炸。有储罐的厂房，必须采取有效的防爆措施，严禁一切火种，加强安全管理。

第二节　建筑防爆

对于有爆炸危险的厂房或仓库，在建筑设计中采取防爆措施，可以防止和减少爆炸事故的发生，或者当发生爆炸事故时，最大限度地减轻其危害和造成的损失。

一、总平面布置

(1)对于有爆炸危险的厂房和仓库，应采取集中分区布置。有爆炸危险的生产界区和仓库应尽可能布置在厂区边缘。界区内建筑物、构筑物、露天生产设备相互之间应留有足够的防火间距。界区与界区之间也应留有防火间距。

有爆炸危险的甲、乙类生产厂房与一般民用建筑的防火间距不应小于25 m，与重要公共建筑的防火间距不应小于50 m。散发可燃气体、可燃蒸气的甲类生产厂房与明火或散发火花地点的防火间距不应小于30 m。

甲类物品库房与重要公共建筑的防火间距不应小于50 m，与其他民用建筑、明火或散发火花地点的防火间距应根据其储存物品类别和数量确定；乙类物品库房与重要公共建筑的防火间距不宜小于30 m，与其他民用建筑不宜小于25 m。

有爆炸危险的厂房和库房应远离高层民用建筑。

(2)按当地全年主导风向，有爆炸危险的厂房和仓库宜布置在明火或散发火花地点以及其他建筑物的下风向。

(3)有爆炸危险的厂房和仓库的平面主轴线宜与当地全年主导风向垂直，或夹角不小于45°以利于用自然风力排除可燃气体、可燃蒸气和可燃粉尘。其朝向宜避免朝西，以减少阳光照射，防止室温升高。在山区应布置在迎风山坡一面，并应位于自然通风良好的地方。

二、平面和空间布置

(1)有爆炸危险的厂房在生产工艺允许的条件下宜采用单层建筑，对有爆炸危险的仓库则应采用单层建筑。这是因为单层建筑具有如下优点：

①便于设置天窗、风帽和通风屋脊，创造自然通风的良好条件，有利于排除室内可燃气体、蒸气、粉尘，可以有效地防止其在室内与空气形成爆炸性混合物。

②便于设防火墙或防爆墙，将有爆炸危险的生产部位或使用明火的生产设备分隔布置，可以有效地防止爆炸事故的发生。

③便于设置导除静电的接地装置和避雷装置，有利于排除静电火花和雷电火花引起的爆炸事故。

④便于设置较多的安全出口，有利于安全疏散和灭火工作。

⑤便于设置轻质泄压屋盖，加大泄压面积，有利于尽快释放爆炸时产生的大量气体和热量，降低室内爆炸压力。

⑥一旦发生倒塌破坏，影响范围小，便于修复。

⑦单层建筑仓库的优点，还有便于地面设较大坡度、明沟、集油池，可以回收滴漏在地面的易燃液体和可燃液体，防止流散蔓延造成大面积火灾。

(2)有爆炸危险的生产或储存，不应设在建筑物的地下室或半地下室内。因地下室或半地下室存在以下不利因素：

①自然通风条件不好，生产或储存过程中挥发的可燃气体、蒸气、粉尘，很容易与室内空气混合形成爆炸性混合物。

②地下室或半地下室，不能设置较多的安全出口，不利于人员和物资的安全疏散。

③不能设置泄压轻质屋盖、轻质外墙和泄压窗，发生爆炸事故时大量爆炸燃烧产物和未燃烧的爆炸性混合物不能迅速排放室外，会加重爆炸的危害。

④地下室或半地下室发生爆炸时，位于其上部楼层的房间，将要受到很大影响。

⑤在地下水位较高的地区，地下室或半地下室往往由于防水处理不当，会发生渗水、漏水现象。这对于使用或生产电石、磷化钙、金属钠等与水作用能够生成爆炸性物质的厂房、库房，往往会成为爆炸事故的根源。

(3)有爆炸危险的厂房宜采用敞开式建筑或半敞开式建筑。

敞开式建筑或半敞开式建筑的厂房，自然通风良好，能使生产过程中“跑、冒、滴、漏”出来的可燃气体、可燃蒸气、可燃粉尘一类的物质很快稀释扩散，不容易形成爆炸混合物，因而能有效地排除形成爆炸的条件。至于生产设备内部发生爆炸时，开敞或半开敞式建筑则可很快释放大量气体和热量，使厂房破坏损失大大减轻。

(4)对有爆炸危险的单层厂房应合理选择平面布置形式，剖面设计要注意通风和利用屋顶泄压。

①跨度小的有爆炸危险单层厂房平面布置最好的形式是采用简单矩形，按照生产工艺过程的要求，将有爆炸危险的生产设备靠近外墙门窗的地方布置。归纳起来有两种平面布置形式，一种是将有爆炸危险的生产设备靠近两侧外墙的地方布置；另一种是将有爆炸危险的生产设备靠近一侧外墙门窗的地方布置。前一种平面布置形式操作人员位于室内中间地带，空气受到生产散发的有害气体污染，对操作人员身体健康不利，且一旦发生爆炸时，操作人员疏散到室外去也很不方便。后一种平面布置形式，操作人员位于室内一侧，设计时根据建厂当地常年主导风向，布置在上风位一侧，有利于保证人员身体健康，一旦发生爆炸时，便于人员疏散到室外。两种平面布置形式相比，后一种布置形式合理解决了安全

与生产的统一关系。

②跨度大的单层厂房需要屋顶设置轻质屋盖，泄压面积才能达到要求。为了解决自然通风和天然采光，屋顶还应开设天窗。因此，厂房平面布置应将有爆炸危险的生产设备集中布置在室内中间地带，这样生产设备一旦发生爆炸时，轻质屋盖则能很好地起到泄压作用。此类厂房采取这种平面布置形式，操作场所靠近四周外墙门窗的地方，室外新鲜空气从外墙门窗进入，生产设备散发的浑浊空气从屋顶天窗排出，可以避免人员遭受有害气体的危害，且一旦发生爆炸时，人员疏散到室外去也很方便。

③对有爆炸危险单层厂房进行剖面设计时，除应利用屋顶设置泄压轻质屋盖外，还应合理组织自然通风。大跨度单层有爆炸危险厂房的屋顶应设置天窗，以排除室内的可燃有害物质。应将有火源的配电室、化验室、分析室、办公室等房间集中布置在厂房一端，设防爆墙与生产车间分隔布置。

(5)有爆炸危险多层厂房平、剖面设计应注意以下问题：

①多层防爆厂房的平面宽度应予以严格限制。因为有爆炸危险多层厂房惟有顶层可以利用屋顶设置泄压轻质屋盖，其他各层只能设置泄压轻质外墙和侧窗。如果平面宽度过大，不仅泄压面积与厂房体积之比(泄压比)达不到要求，而且还影响自然通风和天然采光。一般情况下，有爆炸危险的多层厂房平面的宽度不宜大于 18 m。

②有爆炸危险的多层厂房各层安全出口楼梯的位置和数目，应能满足在任何一层发生爆炸事故时，在楼内的操作人员都可以从楼梯安全疏散到室外。因此，楼梯应布置在厂房周边，并采用封闭楼梯间。安全疏散楼梯不应少于两个，以保证万一有一个楼梯被烟火封住时，楼内人员还可以从另一个楼梯安全疏散到室外。

③有爆炸危险多层厂房平面布置，应根据生产工艺过程的要求，尽可能将有、无爆炸危险生产设备分别集中，设防爆墙分隔布置。

④有爆炸危险多层厂房剖面设计，应将有爆炸危险生产部位集中布置在顶层或厂房一端各楼层靠外墙处。设在顶层，可以利用屋顶设置泄压轻质屋盖和天窗，增加泄压面积和创造良好的自然通风条件。设在厂房一端各楼层，可以设防爆墙分隔布置，缩小发生爆炸事故的范围，并便于设大面积的泄压设施。

⑤对有爆炸危险高低组合厂房，在剖面设计时还应考虑防止发生爆炸时造成互相影响。高厂房顶层发生爆炸时，厂房端部框架填充外墙破坏向外倒塌，墙体等会塌落在低厂房屋顶上，使其因冲击和超载发生破坏坍塌，造成更大的损失。对于此类厂房，为了防止框架填充外墙破坏向外倒塌，可以采取设防爆墙代替填充外墙；还可以在低厂房屋顶结构计算时，考虑高厂房填充外墙倒塌在其屋面上的荷载，增加其承载力。为了防止低厂房发生爆炸事故时对高厂房外墙和侧窗的破坏，可以采取设防爆墙代替高厂房的框架填充外墙，并用防火防爆玻璃窗固定代替普通玻璃窗。

(6)有爆炸危险库房平、剖面设计时应注意以下问题：

①有爆炸危险的库房平面布置形式应采取简单矩形。

②平面设防火墙分隔小间储存时，布置形式应有利于安全管理和防火防爆。有爆炸危险仓库平面布置，应做到易燃易爆物品出库房的门分设在两侧，保证有同时进库和出库时，不造成混乱，有利于安全管理；库内设横向防火墙布置，如仓库总平面能与常年主导风向垂直或不小于 45°交角布置，则可以充分利用穿堂风，使库内保持良好的自然通风。

③对于隔热降温要求高的有爆炸危险的仓库，进出库房的门均应设双门斗，以防进出库房时，室外大量热空气流入，使库内温度升高。对冬季无采暖要求的有爆炸危险的仓库，采用通风式屋顶，可以保证其夏季隔热降温的效果。

④为了保证有爆炸危险库房的储运安全的要求，并便于汽车装、卸货物，一般将库房地坪增高 0.9 ~ 1.1 m，门口建造同一高度的站台。对于有爆炸危险的桶装易燃液体仓库，剖面设计应采取措施防止在发生爆炸时，因铁桶破坏，易燃液体大量泄漏，火灾顺着易燃液体流散而蔓延扩大。对此类库房地面应设明沟，库外适当地方设回收池，以防止易燃液体四处流散。经常需要用水冲洗库房地面时，应设油水分离池，经过油水分离处理的地面污水，才可以排入下水道；小型仓库可在库内设集油坑。

(7)生产和储存不同性质，且互相接触能起化学变化引起爆炸的物质时，必须采取分类分车间生产和分仓库储存。当生产规模小，难以分类分车间时，可在同一座厂房内设防爆墙分间生产。当储存数量小难以分类分仓库时，可在同一座仓库内设防爆墙分间储存。使用或产生相同爆炸物质的生产，应尽量集中在一个区域布置，以便于统一采取防范措施。使用不同灭火剂的物质的生产，应严格分开布置。

防爆墙是耐爆炸压力较强的隔墙，将厂房内部有爆炸危险的生产工序或生产装置设防爆墙分隔布置，发生爆炸事故时，可以缩小爆炸的范围，减轻爆炸的危害。将仓库内部不同性质、不同灭火方法的有爆炸危险的物品设防爆墙分间储存，万一有一种物品发生爆炸，则不会引起整个仓库都发生爆炸，同样也可以缩小爆炸事故的范围，减轻爆炸事故的危害。

防爆墙除了应具有耐爆炸强度外，还应具有良好的耐火性能，在发生火灾时能够阻止火灾的蔓延扩大。

(8)有爆炸危险的厂房宜单独设置。如必须与非防爆厂房贴邻时，只能一面贴邻，并在两者之间用防火墙或防爆墙隔开，相邻两厂房之间不应直接有门相通，如必须互相联系时，可利用外廊或阳台通行；也可在中间的防火墙或防爆墙上做双门斗，门斗内的两个门应错开，以减弱爆炸冲击波的影响。

(9)有爆炸危险的厂房内，不应设置办公室、休息室。如必须贴邻设置时，应采用一、二级耐火等级建筑，并应采用耐火极限不低于 3 h 的不燃烧体防护墙隔开和设置直通室外或疏散楼梯的安全出口。

有爆炸危险的厂房总控制室应独立设置；其分控制室可毗邻外墙设置，并应用耐火极限不低于 3 h 的不燃烧体墙与其他部分隔开。

(10)有爆炸危险的厂房和仓库的层数和占地面积应严格执行表 2-11 和表 2-12 的规定。

(11)为便于在发生爆炸时迅速泄压，有爆炸危险的生产部位，宜靠近泄压面积设置。易发生爆炸的设备其上部应设轻质屋盖，设备的周围还应尽量避开建筑结构的主要承重构件；如布置有困难无法避开时，则应加强主梁或桁架等结构，以避免发生事故时造成建筑物倒塌。

三、结构形式选择

对于有爆炸危险的厂房和库房，选择好其结构形式，可以在其一旦发生火灾爆炸事故时，十分有效地防止建筑结构发生倒塌破坏，减轻造成的危害和损失。

许多火灾爆炸事故实例表明，适合于作有爆炸危险厂房和仓库的结构应满足三个条件：

一是整体性好、抗爆能力强，能很好地抵御巨大爆炸压力的作用；二是具有较好的耐火能力，能在一定时间内经受火灾爆炸时高温的作用；三是便于设置较大的泄压面积，在发生爆炸事故时能够最大限度地降低建筑内的爆炸压力，使主体结构免遭破坏。由此可见，钢筋混凝土框架结构，或经过耐火被覆的钢框架结构，用做有爆炸危险厂房和库房的主体结构是最为合适的。此外，钢筋混凝土柱、有耐火被覆钢柱承重的排架结构也可以用做有爆炸危险厂房和库房的主体结构。装配式钢筋混凝土框架结构，由于梁与柱等节点处的刚性较差，抗爆能力不如现浇钢筋混凝土结构，因此在装配式钢筋混凝土框架结构的梁、柱、板等节点处，应对留出的钢筋先进行焊接，再用高强度等级的混凝土连接牢固，做成刚性接头；楼板上还要配置钢筋网现浇混凝土垫层，以增加结构的整体刚度，提高其抗爆能力。钢结构的外露钢构件，应采用不燃烧材料加作隔热保护层或喷、刷钢结构防火涂料，以提高其耐火极限。

砖混结构整体稳定性差、抗爆能力差，墙体不能设置较大的泄压面积，有时仅可以用做规模较小的单层有爆炸危险厂房和库房的承重结构，但应采取措施提高其整体性，增强抗爆能力。通常采用的措施有：在砖墙上增设封闭式钢筋混凝土圈梁，在砖墙内配置钢筋，增设屋架支撑，将檩条与屋架或屋面大梁的连接处焊接牢固等。

四、泄压设计

泄压是减轻爆炸事故危害的一项主要技术措施。

爆炸能够在瞬间释放出大量气体和热量，使室内形成很高的压力。为了防止建筑物的承重构件因强大的爆炸压力遭到破坏，将一定面积的建筑构、配件做成薄弱泄压设施，其面积称为泄压面积。当发生爆炸时，作为泄压面积的建筑构、配件首先遭到破坏，将爆炸气体及时泄出，使室内的爆炸压力骤然下降，从而保护建筑物的主体结构，并减轻人员伤亡和设备破坏。

有爆炸危险的厂房和库房应设置必要的泄压设施。泄压设施包括轻质屋盖、易于泄压的门、窗、轻质墙体等，其中设置轻质屋盖的泄压效果较好，故宜优先采用。用做泄压设施的门、窗，是指门窗重量轻、玻璃较薄、选用的小五金断面较小、构造节点易摧毁、脱落等。如用于泄压的门窗可采用楔形木块固定，门窗上用的金属合页、插销等应选用断面小一些的，门窗的开启方向选择向外开。这样一旦发生爆炸，因室内压力大，原关着的门窗上的小五金就会受冲击破坏，门窗则自动打开或自行掉落，以达到泄压目的。作为泄压面积的轻质屋盖和轻质墙体的每平方米重量不宜超过 120 kg。选择材料还应注意其应具有在爆炸时容易被冲开或碎裂的特点，以便于泄压和减小危害。泄压用建筑材料有石棉瓦、加气混凝土、石膏板和 3 mm 厚的普通玻璃等，最好选用既能很好泄压，又能防寒、隔热和便于在建筑物上固定的材料。

有爆炸危险厂房和库房所设泄压面积与其体积的比值(m^2/m^3)称为泄压比。它是确定泄压面积时常用的技术参数。对于有爆炸危险的厂房，我国《建筑设计防火规范(2001 年版)》(GBJ16—87)规定，其泄压比宜采用 0.05 ~ 0.22。爆炸介质威力较强或爆炸压力上升速度较快的厂房，应尽量加大比值。体积超过 1 000 m^3 的建筑，如采用上述比值有困难时，可适当降低，但不宜小于 0.03。

表 7-5 和表 7-6 分别是美国、日本关于按厂房爆炸介质危险等级规定的泄压比值，可

供设计参考。

表 7-5　厂房爆炸危险等级与泄压比值(美国)

厂房爆炸危险等级	泄压比值(m^2/m^3)	厂房爆炸危险等级	泄压比值(m^2/m^3)
弱级（颗粒粉尘）	0.033 2	强级（在干燥室内的漆料、溶剂蒸气、铝粉、镁粉等）	0.22
中级（煤粉、合成树脂、锌粉等）	0.065	特级（丙酮、汽油、甲醇、乙炔、氢等）	尽可能大

表 7-6　厂房爆炸危险等级与泄压比值(日本)

厂房爆炸危险等级	泄压比值(m^2/m^3)
弱级(谷物、纸、皮革、铝、铬、铜等粉末，醋酸蒸气)	0.033 4
中级(木屑、炭屑、奶粉、锑、锡等粉尘，乙烯树脂、尿素、合成树脂粉尘等)	0.066 7
强级(充满气体的淀粉、油漆干燥室或热处理室、醋酸纤维、苯酚树脂粉尘、铝、镁、锆等粉尘)	0.2
特级(丙酮、汽油、甲醇、乙炔、氢等)	＞0.2

厂房泄压比确定后，根据厂房体积则很容易算得厂房应设置的泄压面积。

在设置泄压面积时应注意以下几点：

(1)泄压面积应避开人员集中的场所及主要交通道路，并宜靠近容易发生爆炸的部位。

(2)散发较空气轻的可燃气体、蒸气的甲类厂房，宜采用全部或局部轻质屋盖作为泄压设施。顶棚应尽量平整，避免死角。厂房上部空间要通风良好。

(3)用门、窗、轻质墙体作为泄压面积时，不应影响相邻车间和其他建筑物的安全。

(4)防止负压的影响。

(5)消除影响泄压的障碍物。

(6)避开常年主导风向。

对于有爆炸危险的仓库如何设置泄压设施，目前《建筑设计防火规范(2001 年版)》(GBJ16—87)尚未作出规定，有的仓库设置泄压轻质屋盖，有的仓库仅在外墙开设侧窗，泄压比一般采用 0.05 左右。

五、无火花地面

无火花地面系指生产和使用过程中，地面受到外界物体的撞击、摩擦而不发生火花的地面。地面上由于重物坠落，铁质工作或搬动机器时的撞击、摩擦所产生的火花是发生火灾爆炸事故的原因之一。

《建筑设计防火规范(2001 年版)》(GBJ16—87)规定，散发较空气重的可燃气体、可燃蒸气的甲类厂房以及有粉尘、纤维爆炸危险的乙类厂房，应采用无火花的地面。

无火花地面主要用于有防爆要求的精苯车间、精馏车间、氢气车间、钠加工车间、钾加工车间、胶片厂棉胶工段、人造橡胶的链状聚合车间、造丝工厂的化学车间以及生产爆破器材的车间和火药仓库、汽油库等的建筑地面工程。由于所处的厂房车间或仓库的用途不同，对无火花地面的使用要求和它的构造做法也不一样。

六、通风措施

为了防止厂房在生产过程中使用或产生的可燃气体、可燃蒸气、可燃粉尘等物质，与室内空气混合形成爆炸性混合物，可以采取自然通风措施，排除形成爆炸的条件。要使厂房始终保持良好的自然通风，在工艺操作许可的条件下，最好是采用开敞建筑或半开敞建筑。必要时，可采用机械通风，但必须有备用风机和第二电源，以防万一。

仓库储存能产生可燃气体、可燃蒸气、可燃粉尘的物质时，采取自然通风措施，同样也能有效地排除形成爆炸的条件。

常用的通风形式见表 7-7。

表 7-7　常用的通风形式

序号	形式	简图	适用范围
1	敞开式		在满足功能及气象因素要求的前提下，应优先采用
2	天窗通风	百叶窗	要根据生产条件，考虑防飘雨、防风沙的设施
3	机械排风	排风扇　百叶窗	采用防爆电机，当可燃物质或纤维物质达到一定浓度时，防爆电机自动开启
4	排风帽	排风帽	比空气轻的可燃气体，且易积聚在顶部的建筑

库房外墙设置墙角通风洞是配合仓库通风的一项有效的自然通风措施。一般构造做法是：将其设在窗户下方离地面约 300 cm 处，面积为 30 cm×20 cm，构造形式可内高外低，内衬铅丝或铜丝网，外装铁栅和铁板闸门防护，需要通风时可手动开启。

硝化纤维类物品(如硝化棉、硝化纤维胶片、火胶棉、喷漆棉和赛璐珞棉等)库房的屋顶宜设置通风管，除起通风作用外，还可起到泄压作用。

散发比空气轻的可燃气体、可燃蒸气的甲类生产厂房，应在屋顶最高处设排放气孔，并不得使屋顶结构形成死角或作顶棚闷顶，以防止可燃气体、可燃蒸气在顶部积聚不散，发生事故。

七、隔热降温措施

生产或储存在受热升温作用下能起化学变化引起爆炸的化学物品时，采取隔热降温措施可以排除形成爆炸的条件。在气温高的夏天，隔热降温更加重要，必要时可以采取送冷风降温的措施。厂房和仓库的围护结构应能满足热工要求，如果冬季无采暖要求，宜采用通风式屋顶或喷淋水屋顶。屋面隔热降温的主要类型见表 7-8。

表 7-8 屋面隔热降温的主要类型

序号	形式	简图	适用范围
1	双层轻质屋面隔热		坡屋面建筑
2	架空板隔热	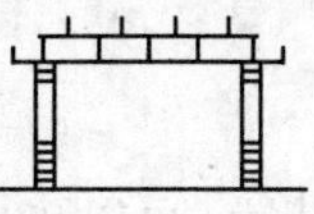	现浇或预制平屋面建筑
3	吊顶隔热	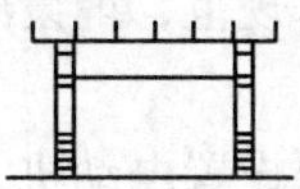	室内有一定清洁要求的建筑

厂房内有热源时，要做好隔热措施，可以采取将其集中设置在单独房间内；有热源的生产设备、储槽、管道，可以采取外包保温材料隔热层。

有爆炸危险的厂房和仓库设有高温设备、烘箱、蒸气管道等设施时，应采取隔热措施，以防止木制门窗、装修及其他可燃建筑材料受热升温自燃引起火灾爆炸事故。高温设备、烘箱、蒸气管道等设施不能远离可燃建筑构、配件时，则必须外包不燃烧体隔热层，其厚度应能满足热工要求。

有爆炸危险的厂房和仓库设置遮阳板、百叶窗等设施，可以排除阳光直射使易燃化学物质受热升温自燃引起爆炸的危险。在北方寒冷地区，如果设置遮阳板与日照取暖发生矛盾时，外墙门窗可选用磨砂玻璃。经过磨砂加工的平板玻璃能够扩散阳光的作用，避免阳光聚焦。

八、其他措施

(一) 采取设置导除静电的措施

有爆炸危险的厂房和仓库设导除静电接地装置，可以排除生产和储存过程中各部位产生静电火花引起爆炸。生产设备、机器、储槽、管道等部位的接地装置，应连接形成环形接地网，以防止单根接地装置断路失效。地面接地网最好采用铜条线网，不宜采用镀锌扁钢线网，因其使用一段时间以后，表面锌层磨损使扁钢外露，遇摩擦、撞击产生火花。

厂区道路如果是沥青路面时，有爆炸危险的厂房和仓库的进出门口，应设导除静电接地踏脚板，以导除职工在沥青路面行走时摩擦产生的静电。

(二) 采取有组织排水措施

生产或储存遇水作用能起化学变化引起爆炸的化学物品时，采取有组织排水措施可以排除形成爆炸的条件。此类厂房、仓库宜设在地势较高的地方，当受用地限制必须设在地势较低的地方时，应将室内地坪填高，严防雨水侵入。此类厂房和仓库的屋顶，宜采取有组织排水，并选用油毡沥青防水层；外墙门窗上部，宜设钢筋混凝土雨篷。

为了减小爆炸事故的危害，对于生产和储存易燃和可燃液体的厂房和仓库地面的排水，应设置排水设施，连接排水主管道处应设水封井。

对于含有不溶解于水的易燃、可燃液体和油一类物质的排水，还应增设油水分离处理设施。含有此类物质的排水，应全部汇流到油水分离池，经过分离处理后，才可排入排水主管道，废油应定期从池中取出处理。对于含有可溶解于水的易燃、可燃液体排水，则应设稀释处理设施。含有此类物质的排水应流入稀释池，稀释到排放标准要求，才可排入排水主管道。

（三）采取避雷措施

有爆炸危险的厂房和仓库设避雷装置，可以防止雷电火花引起爆炸。避雷装置的位置、选型、材质等应符合有关电力设计技术规范，埋设应坚固可靠，防止断线失效。

（四）电气设备防火

在有爆炸危险的厂房和仓库内需要设置电动机、照明灯具、开关等电气设备时，应按照爆炸危险场所类别和等级，分别选用防爆型、防爆通风型、防爆充气型、防爆充油型、安全火花型等类型电气设备，以防止其产生电火花引起爆炸事故。

（五）室内表面处理和管、沟分隔要求

散发可燃粉尘、纤维的厂房内表面应平整、光滑，并易于清扫。

使用和生产易燃、可燃液体的厂房管、沟不应和相邻厂房的管、沟相通。若必须相通，则应设阻火分隔设施。地下管、沟穿过防爆墙处（应具有耐火性能）应设阻火分隔，在阻火分隔的沟坑内应填满干砂或碎石，沟坑长度宜不小于 2 m。

第三节　结构、构造防爆设计

一、承重结构耐爆处理

（一）提高砖混结构耐爆的措施

砖混结构的建筑物，由于砖墙与屋顶的承重构件是铰连接，整体稳定性较差，耐爆能力很低，发生爆炸时屋顶抬起，瞬时砖墙悬空失去稳定性，在爆炸水平推力作用下倒塌，被抬起的屋顶下降时无支承墙，随即坍塌破坏。

砖混结构的多层厂房，由于砖墙承受荷载的要求，外墙未能开设大面积侧窗，因而泄压面积小，爆炸产生的压力大，发生爆炸时倒塌就严重。因此，多层厂房不宜采用砖混结构。砖混结构的单层厂房或仓库，可以利用屋顶设置轻质屋盖增加泄压面积，因而爆炸产生的压力小，发生爆炸时倒塌破坏就不严重。如果增设封闭式钢筋混凝土圈梁和横墙分隔布置，可以加强整体的稳定，提高砖混结构耐爆强度，发生爆炸时避免遭受倒塌破坏。图 7-1 是某厂有爆炸危险砖混结构单层厂房的剖面，从图中可以看出提高砖混结构耐爆的措施。变形缝是砖混结构建筑物的一个薄弱环节，采取设双道墙的变形缝，使纵横墙连接成为封闭整体，从而提高砖混结构耐爆能力。

（二）提高钢筋混凝土排架结构耐爆的措施

钢筋混凝土框架结构的厂房和仓库，由于柱梁连接成为一个空间的整体，因而耐爆炸能力很高，从许多爆炸事故现场看到，钢筋混凝土框架结构的厂房发生爆炸时，除泄压轻质墙体、轻质屋盖、门、窗爆破射出外，钢筋混凝土框架依然挺立不倒，耐爆强度相当高。

装配式钢筋混凝土框架结构的厂房和仓库，由于柱、梁、板互相连接整体刚性较差，耐爆强度不如现浇钢筋混凝土框架结构。柱与梁采取留出钢筋焊接后现浇高强度等级混凝土的刚性接头，梁与板采取梁上留出钢筋板上配置钢筋网现浇混凝土整体层，可以提高耐爆强度。

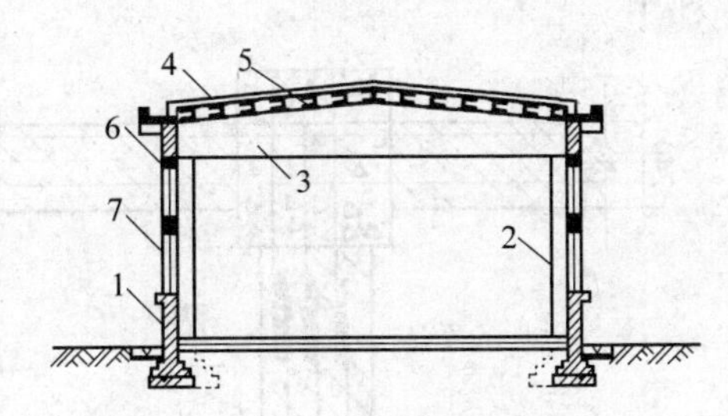

图 7-1　某厂有爆炸危险单层厂房的剖面图(砖混结构)

1—砖墙；2—砖墙壁柱；3—钢筋混凝土屋面大梁；4—有保温层泄压轻质屋盖；5—槽钢条；6—封闭式钢筋混凝土圈梁；7—泄压木窗

钢筋混凝土排架结构的厂房和仓库，由于柱与屋架（屋面大梁）是铰接，屋面板与屋架（屋面大梁）连接不牢靠，从一些爆炸事故现场看到，发生爆炸后屋面板翻倒掉下，屋架（屋面大梁）折掉，有的屋架与柱脱离掉下，其耐爆强度远不如钢筋混凝土框架结构。因此，必须采取提高耐爆的措施。图 7-2 是某厂有爆炸危险钢筋混凝土排架结构厂房的剖面，从图中可以看出，钢筋混凝土屋面板与泄压轻质屋盖间隔设置，使屋面板能够使四个支撑点焊接固定在屋面大梁上。此外，还设置封闭式钢筋混凝土圈梁和柱间支撑。

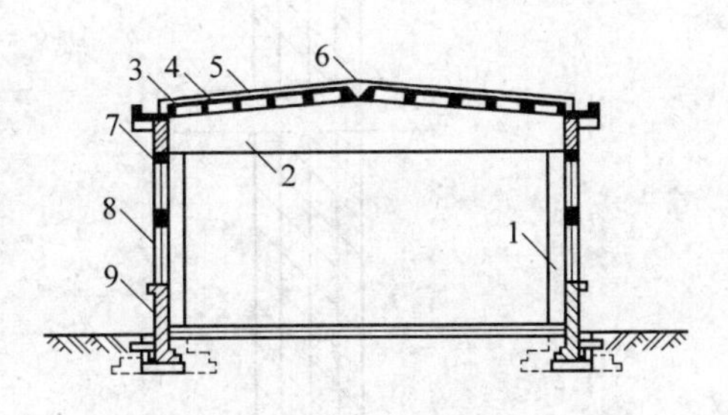

图 7-2　某厂有爆炸危险单层厂房的剖面图（钢筋混凝土排架结构）

1—预制钢筋混凝土柱；2—预制钢筋混凝土屋面大梁；3—油毡沥青防水层；4—局部设置泄压轻质屋盖；5—预制钢筋混凝土屋面板；6—屋脊板缝加大(保证屋面板四支撑点焊接固定)；7—封闭式钢筋混凝土圈梁；8—木窗；9—砖墙

（三）提高钢结构耐爆的措施

钢结构耐爆强度虽然很高，但是耐火极限很低，在发生火灾爆炸的情况下，受到一定的高温时会变形倒塌。

有爆炸危险的厂房和仓库的钢结构主要构件应采取外包耐火被覆，其厚度应能满足耐火极限的要求。

钢柱一般外包混凝土黏土砖、耐火被覆。混凝土耐火被覆配置钢筋，可以防止开裂使火穿入，还可以预埋支架和钢板供作安装小型设备管道；黏土砖耐火被覆厚度小于 60 mm 时，外包钢丝网抹水泥砂浆面层可以防止开裂和碰撞损坏使火穿入。

钢梁一般外包混凝土、钢丝网抹水泥砂浆耐火被覆，混凝土耐火被覆配置钢筋，可以防止开裂使火穿入，还可以预埋吊钩及供作安装管道。

钢结构耐火被覆设置的范围，要根据起火燃烧具体情况确定，在一般情况下，易燃液体或可燃液体泄漏流散在地面上，起火燃烧火焰的高度一般为 4 ~ 5 m，对于使用或产生易燃液体、可燃液体的钢结构厂房，耐火被覆设置应不低于此高度范围。具体工程设计，应按照有关设计技术规范确定。

另外，有爆炸危险厂房和仓库的钢结构也可涂抹防火涂料进行保护。

二、防爆建筑构造

(一)防爆墙构造

防爆墙是耐爆炸压力较强的墙，也称耐爆墙、抗爆墙。多设在有爆炸危险的厂房或仓库中。

防爆墙既要有抵抗冲击波的能力，又要具有良好的耐火性能，因此，往往选用黏土砖、钢筋混凝土、钢板、型钢等材料建造。

防爆墙按其使用材料可以分为砖砌防爆墙、钢筋混凝土防爆墙、钢板防爆墙、型钢防爆墙等。

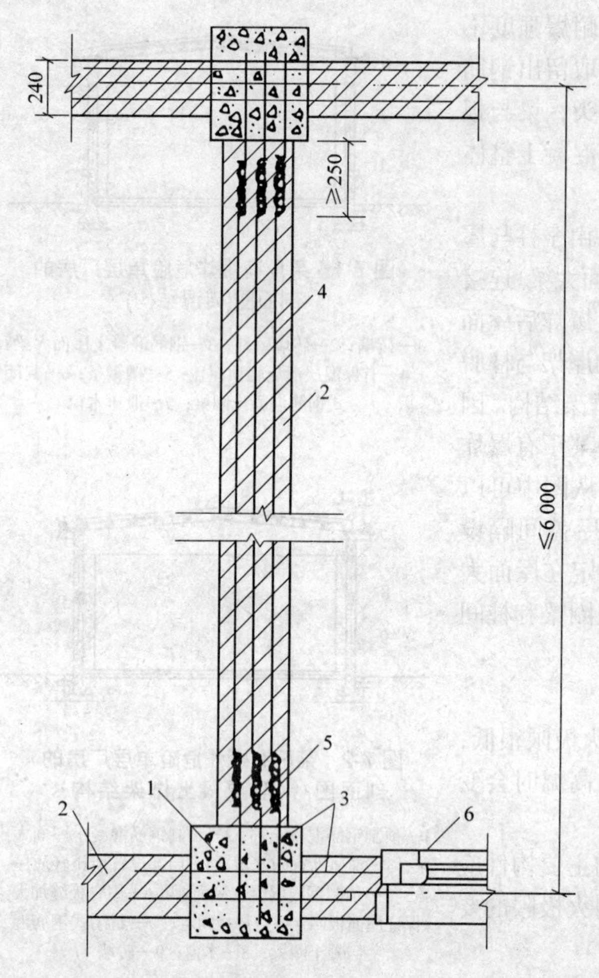

图 7-3 配置水平钢筋的防爆砖墙构造 （单位：mm）

1—钢筋混凝土框架柱；2—砖墙（240 mm 厚、M5 砂浆、MU7.5 砖）；3—预埋钢筋（3 ϕ8 mm）；4—配置水平钢筋（3 ϕ8 mm）；5—24 号镀锌铁丝绑扎；6—泄压窗

1．防爆砖墙构造

防爆砖墙只适用于爆炸压力不大或爆炸物数量较少的厂房、库房。为了增加防爆砖墙的抗爆强度，减少用砖量和占地面积，在构造上一般采用配置钢筋的做法。配置钢筋的做法有两种，一种是水平配置，另一种是竖向配置。水平配置钢筋施工比较方便，采用比较广泛。图 7-3 就是水平配置钢筋的防爆砖墙的构造做法。图中钢筋混凝土柱的间距不宜大于 6 m，大于 6 m 应在中间增加构造柱；砖墙高度不宜大于 6 m，大于 6 m 时应增设钢筋混凝土横梁；砖墙厚度不宜小于 240 mm，砖墙过薄难以起到抗爆作用；沿砖墙每 0.5 m 的垂直高度应配置不少于 3 ϕ8 mm 构造钢筋，两端应与钢筋混凝土柱预埋伸出的钢筋搭接焊牢，或采用 24 号镀锌铁丝绑扎连接牢固后，才可铺筑砂浆砌砖，配有水平钢筋的灰缝，根据实际情况可以适当加厚。

2．防爆钢筋混凝土墙构造

钢筋混凝土本身属不燃烧材料，且又具有很强的抗冲击力，因此是比较理想的建筑防爆墙的材料。钢筋混凝土防爆墙由于抗爆强度高、耐火、耐爆炸碎片冲击及便于施工，所以采用比较普遍。图 7-4 是防爆钢筋混凝土墙的构造做法。从实际应用情况看，钢筋混凝土防爆墙的厚度一般不应小于 200 mm，混凝土的强度等级不应低于 C20，钢筋的配置数量应按照结构计算确定，但选用的钢筋直径不应小于 10 mm，钢筋间距不应大于 200 mm。

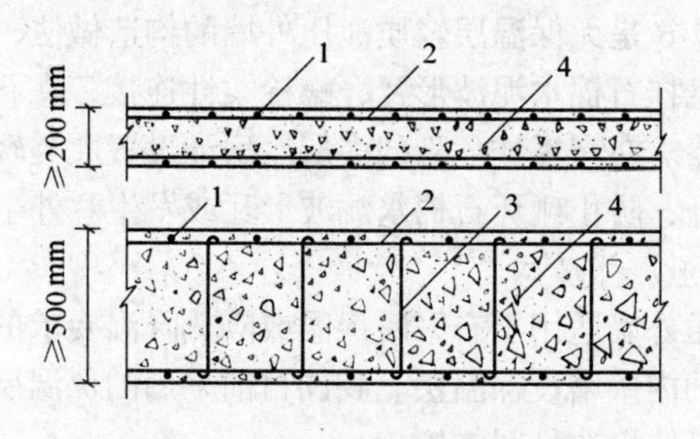

图 7-4　钢筋混凝土防爆墙的构造

1—垂直受力钢筋；2—水平受力钢筋；3—联承钢筋；4—混凝土

3．防爆钢板墙构造

防爆钢板墙是用型钢做骨架，在骨架外铺设钢板的防爆墙。钢板和骨架可以铆接，亦可以焊接。按钢板层数不同又分单层和双层两种。无论单层还是双层，其立柱、横梁和钢板的尺寸均应按结构设计计算确定。为保持足够的抗爆能力，立柱、横梁间的距离不应大于 1.8 m，钢板厚度不应小于 6 mm，双层钢板间距不应小于 100 mm，双层钢板中间还可以填砂，以增强防爆墙的抗爆能力。单层、双层钢板防爆墙如图 7-5 所示。

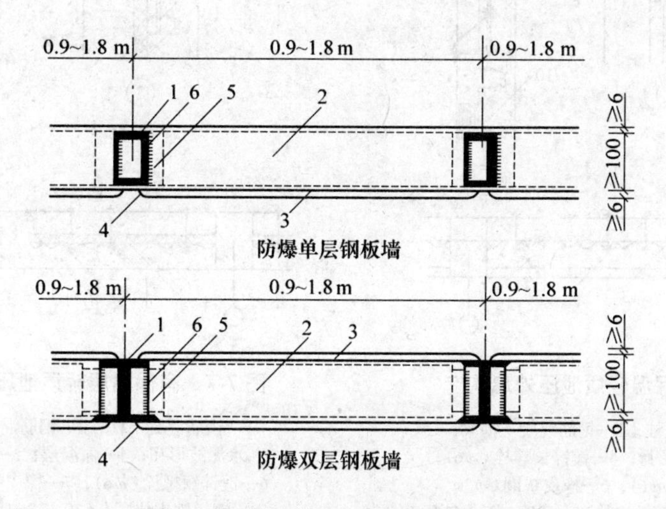

图 7-5　防爆单层、双层钢板墙构造

1—槽钢柱（或工字钢柱）；2—槽钢梁架；3—钢板；4—焊接（两缝）；
5—钢板（80 mm × 80 mm × 80 mm）；6—槽梁与立柱焊接处

4．型钢防爆墙

型钢防爆墙主要是由两排交错并立的工字钢组成，也有用钢板焊成类似百叶窗形式的防爆墙。在发生爆炸事故时，这种墙既能抵抗冲击波的作用，又能阻止爆炸碎片的冲击，而且爆炸时产生的大量气体也可以通过型钢之间的缝隙泄漏出去，具有防爆和泄压两种作用。

（二）泄压墙构造

1．无保温层的轻质泄压外墙构造

无保温层的轻质泄压墙适用于无采暖、无保温要求的爆炸危险厂房，常以石棉水泥波形瓦作为墙体材料。图 7-6 是无保温层轻质泄压外墙的构造做法，它采用预制钢筋混凝土横梁作为骨架，在其上悬挂石棉水泥波形瓦，螺栓柔性连接，在石棉水泥波形瓦的室内表面涂抹石灰水或白色油漆。在有爆炸危险的多层厂房如设置此类轻质泄压外墙时，在靠近窗、板处应设置保护栏杆，防止碰坏石棉水泥波形瓦或发生意外事故。

2．有保温层的轻质泄压外墙构造

有保温层的轻质泄压外墙适用于有采暖保温或隔热降温要求的有爆炸危险的厂房。该墙是在石棉水泥波形瓦的内壁增设保温层。我国目前采用的保温层大多是难燃烧的木丝板和不燃烧的矿棉板等，具体构造见图 7-7。

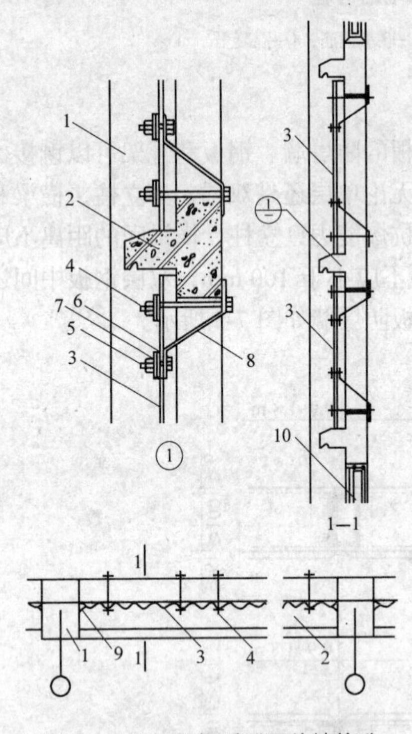

图 7-6　无保温轻质泄压外墙构造

1—钢筋混凝土柱；2—钢筋混凝土横梁；3—石棉水泥波形瓦；4—镀锌长螺栓（$\phi6$）；5—镀锌短螺栓（$\phi6$）；6—橡皮垫圈（$\phi30$，δ=3 mm）；7—镀锌铁皮垫圈（$\phi30$，δ=1.5 mm）；8—镀锌扁钢（3 mm × 30 mm）；9—麻丝水泥石灰浆缝；10—带型钢窗

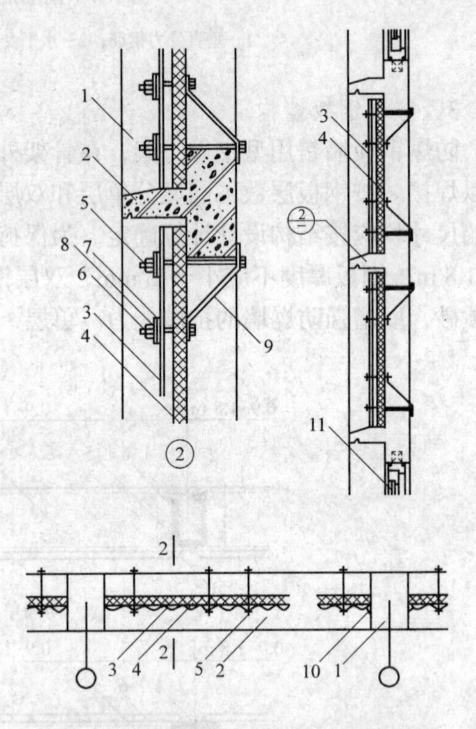

图 7-7　有保温层轻质泄压外墙构造

1—钢筋混凝土柱；2—钢筋混凝土横梁；3—石棉水泥波形瓦；4—保温层；5—镀锌长螺栓（$\phi6$）；6—镀锌短螺栓（$\phi6$）；7—橡皮垫圈（$\phi30$，δ=3 mm）；8—镀锌铁皮垫圈（$\phi30$，δ=1.5 mm）；9—镀锌扁钢（3 mm × 30 mm）；10—麻丝水泥石灰浆缝；11—带型钢窗

（三）泄压轻质屋盖构造

泄压轻质屋盖构造，按照使用要求可以分为下列三种。

1．无保温层和防水层的泄压轻质屋盖构造

与一般波形石棉水泥瓦屋面的构造基本相同，所不同之处是在波形石棉水泥瓦下面增设安全网，此网在发生爆炸时可防止瓦的碎片落下伤人，如图 7-8。

安全网一般用 24 号镀锌铁丝绑扎，在有腐蚀气体的厂房，应采用钢筋、扁钢条制作，网孔不宜大于 250 mm×250 mm，钢筋、扁钢条与檩条的连接应采取焊接固定，并涂刷防腐蚀的涂料。镀锌铁丝网与檩条的连接可采用 24 号镀锌铁丝绑扎，网与网之间也应采用 24

号镀锌铁丝缠绕，使之连接成一个整体。

2．有防水层无保温层轻质泄压屋盖构造

该泄压屋盖适用于要求防水条件较高的有爆炸危险的厂房和库房。其构造是在波形石棉水泥瓦上面铺设轻质水泥砂浆找平层，然后再铺设油毡沥青防水层。轻质水泥砂浆宜采用蛭石水泥砂浆、珍珠岩水泥砂浆，以减轻屋盖自重，如图 7-9 所示。

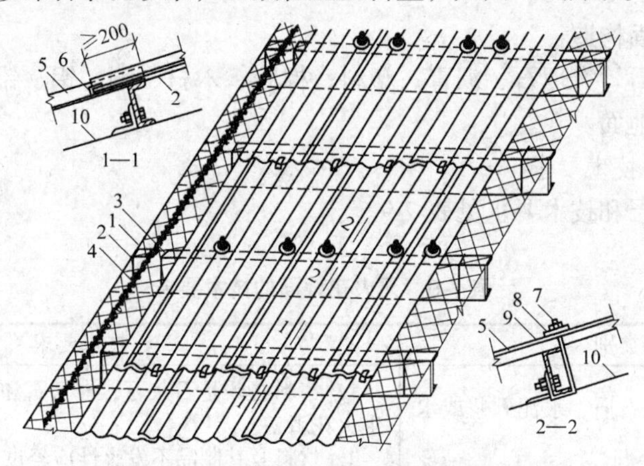

图 7-8　无防水层泄压轻质屋盖构造

1—槽钢（或钢筋混凝土）条；2—安全网（镀锌铁丝网或钢筋、扁钢条组成网）；3—24 号镀锌铁丝网之间绑扎固定；4—镀锌铁丝网之间采用 24 号镀锌铁丝缠绕连接；5—石棉水泥波形瓦；6—镀锌扁钢挂瓦钩（3 mm × 12 mm）；7—镀锌螺栓钩（直径 6 mm）；8—镀锌铁皮垫圈（$\phi 30$, δ=1.5 mm）；9—橡皮垫圈（$\phi 30$, δ =3 mm）;10—屋架

3．有保温层和防水层轻质泄压屋盖构造

该泄压屋盖除适用于寒冷地区有采暖保温要求的有爆炸危险的厂房和库房外，还适用于炎热地区有隔热降温要求的有爆炸危险的厂房和库房。此类屋盖的构造，系在波形石棉水泥瓦上面铺设轻质水泥砂浆找平层和保温层、防水层，由于自重不宜大于 120 kg / m^2，故保温层必须选用密度较小的保温材料，如泡沫混凝土、加气混凝土、水泥膨胀蛭石、水泥膨胀珍珠岩等，如图 7-10 所示。图中保温层采用预制水泥膨胀蛭石保温板，保温层厚度按热工计算确定。

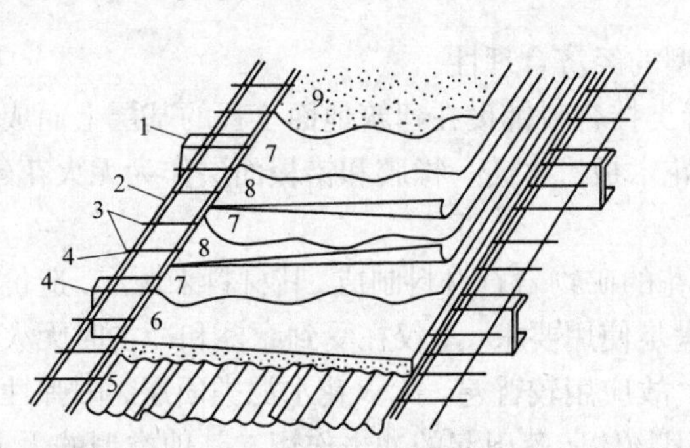

图 7-9　有防水层泄压轻质屋盖构造

1—槽钢（或钢筋混凝土）檩条；2—扁钢（4 mm×30 mm，间距 1.5 m）；3—钢筋（直径 6 mm,间距 250 mm）；4—焊接；5—石棉水泥波形瓦；6—蛭石水泥砂浆找平层；7—热沥青结合层；8—油毡防水层；9—绿豆砂保护层

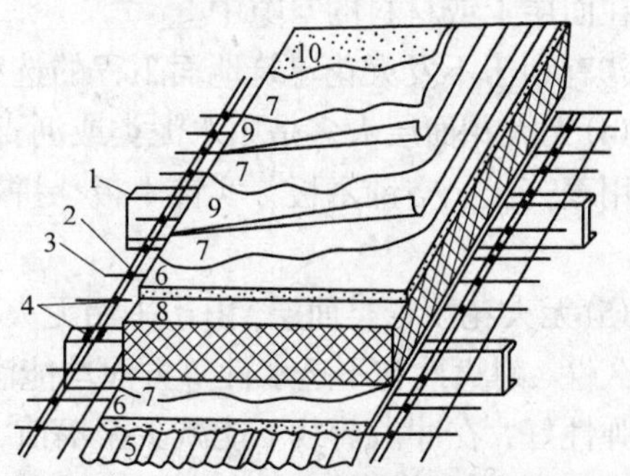

图 7-10　有保温层泄压轻质屋盖构造

1—槽钢（或钢筋混凝土）檩条；2—扁钢（6 mm×60 mm，间距 1.5 m）；3—钢筋（直径 6 mm，间距 250 mm）；4—焊接；5—石棉水泥波形瓦；6—水泥蛭石浆找平层；7—热沥青结合层；8—水泥蛭石保温板；9—油毡防水层；10—绿豆砂保护层

（四）泄压窗构造

泄压窗宜采用木窗，且可自动弹开。高窗可用轴心偏上的中悬式。

压窗设置在有爆炸危险厂房和仓库的外墙，应向外开。在发生爆炸瞬时，泄压窗应能在爆炸压力递增稍大于室外风压时自动开启，刹时释放大量气体和热量，使室内爆炸压力降低，以达到保护承重结构。

（五）无火花地面构造

石灰石、白云石、大理石、沥青、塑料、橡胶、木材、铜、铝、铅等是不发火材料，可用来建造不发火地面。

1. 面层类别与技术要求

无火花地面面层和技术要求见表7-9。

表7-9　无火花地面的技术要求

面层类别	技术要求
细石混凝土、水泥石屑、水泥砂浆或水磨石等面层	1. 集料必须是石灰石、白云石和大理石等材料中不发生火花者 2. 材料及其制品不发火性应经试验确定
绝缘材料整体面层	应有导（防）静电积聚措施
木板面层	铁钉不得外露
沥青砂浆、沥青混凝土面层	1. 集料应是不发生火花者，并经试验确定 2. 应有导（防）静电措施

地面设计应注意以下各点：

(1)地面下不宜设地沟，如必须设置时，其盖板应严密，并应采用不燃烧材料紧密填实。

(2)地面与相邻厂房连接处，应采用不燃烧材料密封。

(3)选用无火花地面要做到：

①面层的材料应能经受生产操作或长期使用的考验而不易损坏。

②无火花面层应有一定的强度、弹性和耐磨性，并应防止有可能因摩擦发火花的材料黏结在面层上或材料的空隙中。

③有利于不发火花建筑地面工程的选型的经济合理性。

(4)无火花面层大多是用水泥类或沥青类拌合料铺设在建筑地面工程的基层上而成。也有采用菱苦土、空铺木板、实铺木板、拼花木板、木砖、橡胶和铅板面层作为无火花建筑地面。

(5)无火花沥青类面层，由于采用无火花的矿物岩石材料制成，其材料来源广，造价低，在耐久性、耐火性和不透水性等方面均能满足使用要求。不仅在受到摩擦和冲击时无火花，而且弹性好，在冲击荷载下能减少振幅值，故应用较普遍。无火花水泥类面层，因弹性差，受冲击时没有缓冲余地，不能较好地降低因物体坠落引起的冲击作用。其他类型的无火花橡胶、铅板面层等，因材料取得不易，造价也昂贵，故很少采用。

(6)无火花水泥类、沥青类面层的构造做法与同类的水泥类、沥青类面层的构造做法相同。

(7)无火花水泥类、沥青类面层的厚度和强度等级均应符合设计要求。

2．构造做法

常用无火花楼地面构造简图及做法见表 7-10。

表 7-10　无火花楼地面构造及做法

构造简图	构造做法	厚度(mm)	备注
	1∶2.5 无火花水磨石面层 1∶3 水泥砂浆结合层 刷素水泥浆一道 C10 混凝土垫层 素土夯实	10 15 D	1.面层厚度为磨光后净厚 2.一般不宜加分格嵌条
	1∶2.5 无火花水磨石面层 1∶3 水泥砂浆结合层 刷素水泥浆一道 钢筋混凝土楼板或结构整捣层	10 D	1.面层厚度为磨光后净厚 2.一般不宜加分格嵌条 3.现捣楼板或结构整捣层上 D=15，预制楼板上 D=20
	1∶2 无火花水泥石屑面层 刷素水泥浆一道 C10 混凝土垫层 素土夯实	20 D	石屑粒径为 3～6，水泥标号不低于 500 号，水灰比为 0.3～0.4，加强压实抹光和养护
	1∶2 无火花水泥石屑面层 刷水泥浆一道 钢筋混凝土楼板和结构整捣层	 D	1.石屑粒径为 3～6，水泥标号不低于 500 号，水灰比为 0.3～0.4，加强压实抹光和养护 2.现捣楼板或结构整捣层上 D=20，预制楼板上 D=25
	C20 无火花细石混凝土面层 刷素水泥浆一道 C10 混凝土垫层 素土夯实	30 D	
	C20 无火花细石混凝土面层 刷素水泥浆一道 钢筋混凝土楼板和结构整捣层	D	现捣楼板或结构整捣层上 D=30，预制楼板上 D=40
	无火花沥青砂浆面层 刷冷底子油一道 C15 混凝土随捣随抹(表面撒 1∶1 干水泥砂子压实抹光)垫层 素土夯实	20 D	
	无火花沥青砂浆面层 刷冷底子油一道 1∶3 水泥砂浆找平层 刷素水泥浆一道 钢筋混凝土楼板或结构整捣层	20 20	

无火花楼地面材料选用和施工应注意以下问题：

(1) 无火花面层所使用的集料、填充料及制成品，均应按现行《建筑地面工程施工及验收规范》(GB50209—95)的有关规定进行不发火性试验，经试验合格后方可正式采用。

(2)集料一般可选用纯净的石灰石、白云石、大理石等石材破碎而成(细集料要求达到2 mm 以下的粒度)，粉状填充料可采用与细集料相同的石料粉末(填充料粒度要能全部通过100目筛子)。

(3)在原材料加工和配制过程中，必须随时检查，严防混入金属或其他易发生火花的杂质。

(4)面层施工应严格做到密实、平整、无裂缝。

思考题

1. 爆炸可分为哪几类?
2. 可与空气混合形成爆炸的物质有哪几类?
3. 建筑物发生爆炸有哪几种情况?
4. 有爆炸危险厂、库房在平面和空间布置时的要求有哪些?
5. 对有爆炸危险高低组合厂房，在剖面设计时为防止发生爆炸时互相影响应采取什么措施?
6. 有爆炸危险厂、库房的结构应满足哪些条件?
7. 何谓泄压比? 怎样确定泄压比?
8. 对泄压设施的设置要求是什么?
9. 何谓不发火花地面? 其主要用于哪些场合?
10. 常用的通风方式有哪几种? 屋面隔热降温的主要类型有哪几种?
11. 提高结构耐爆性能的措施有哪些?
12. 防爆墙有哪几种? 构造要求是什么?
13. 轻质泄压墙有哪几种? 构造要求是什么?
14. 轻质泄压屋盖有哪几种? 构造要求是什么?
15. 无火花地面有哪些种类? 设计和构造要求是什么?

第八章　建筑消防系统

建筑消防系统是建筑消防设施的重要组成部分。利用各种消防系统及时扑救火灾，使火灾损失降低到最低，是防火工作的重要内容。建筑物设置的消防系统主要有：消火栓给水系统、自动喷水灭火系统、气体灭火系统等。

第一节　消火栓给水系统

消火栓给水系统是建筑物的主要灭火设备。它是供消防队员或其他现场人员，在火灾时利用消火栓箱内的水带、水枪实施灭火。

一、系统的设置及工作原理

(一) 系统的设置

根据我国有关消防技术规范要求，高层建筑及绝大多数单、多层建筑应设消火栓给水系统。它广泛应用于厂房、库房、科研楼(存有与水接触能引起燃烧爆炸的物品除外)，有一定规模的剧院、电影院、俱乐部、礼堂、体育馆、展览馆、商店、病房楼、门诊楼、教学楼、图书馆书库及车站、码头、机场建筑物，重点保护的砖木、木结构古建筑，较高或特定的住宅。

(二) 系统工作原理

不论是高层建筑消火栓给水系统，还是低层建筑消火栓给水系统，其基本组成和工作原理相同，如图 8-1 所示。

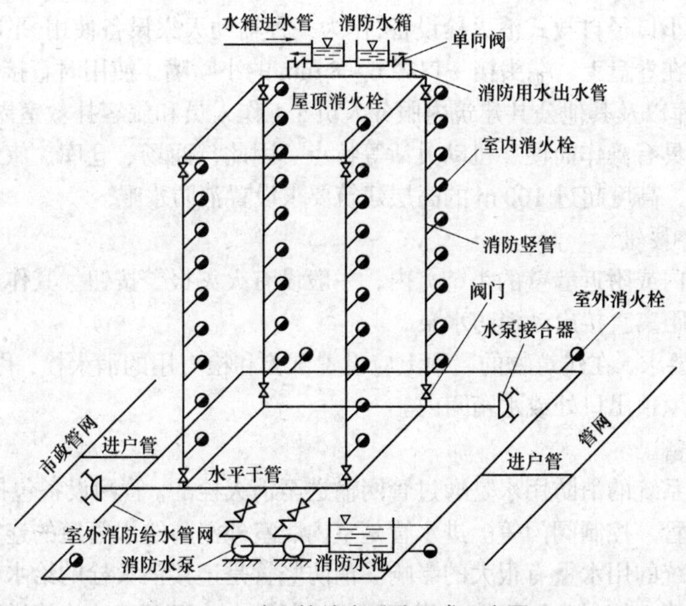

图 8-1　消火栓给水系统组成示意图

从图 8-1 中可以看出，系统的工作原理是：当发现火灾后，由人打开消火栓箱，拉出水带、水枪，开启消火栓，通过水枪产生的射流，将水射向着火点实施灭火。开始时，消防用水是由水箱保证，随着水泵的开启，以后用水量由水泵从水池抽水加压提供。

二、主要组件

(一)消火栓设备

消火栓设备包括消火栓、水枪、水带、水喉(软管卷盘)、报警按钮等，平时放置在消火栓箱内。消火栓箱根据建筑物的美观要求选用，为保证消火栓箱门火灾时能及时打开，不宜采用封闭的铁皮门，而应采用易敲碎的玻璃门。

1．消火栓

消火栓是消防管网向火场供水的带有阀门的接口，进水端与管道固定连接，出水端可接水带。消火栓出口为内扣式，口径有 65、50 mm 两种。常用的为 65 mm，当每支水枪流量小于 3 L / s 时，可采用 50 mm。另外，栓口有 90°型、45°型两种。还有一种双出口消火栓，一般不推荐使用，若使用，则要求每个出口都有控制阀门。

2．水枪

消火栓箱内配备的水枪一般为口径 19 mm 的直流水枪，50 mm 口径消火栓可配备直径 13 mm 的直流水枪。建筑物配备的水枪一般为无开关直流水枪，水枪安装于水带转盘旁边弹簧卡上，并与水带连接好。

3．水带

每个消火栓箱配备一盘水带，长度多为 20 m，最长不超过 25 m，水带直径应与消火栓出口直径一致。水带一头与消火栓出口连接，另一头与水枪连接，平时折放在框架内或双层卷绕，保证拉出水带时不会打折或缠绕。水带选用麻质水带和胶里水带均可，目前使用胶里水带居多。

4．消防水喉

消防水喉为小口径自救式消火栓设备，作为一种辅助灭火设备使用。平时将直径 25 mm 的输水胶管缠绕在卷盘上，端头接一口径 6 ~ 8 mm 的小喷嘴，使用时直接拉出即可。可供商场、宾馆、仓库以及其他公共建筑内服务人员、工作人员和旅客扑救室内初起火灾使用。与消火栓相比，具有操作简便、机动灵活等特点。因此，商场、仓库、旅馆、办公楼、剧院与会堂的闷顶、高度超过 100 m 的高层建筑要求设置消防水喉。

5．火灾报警按钮

在消火栓箱内或附近墙壁的小壁龛内，一般设有火灾报警按钮。其作用是在现场手动报警的同时，远距离直接启动消防水泵。

另外，根据要求，在建筑物的屋顶上应设置试验和检查用的消火栓，称为屋顶消火栓。采暖地区可设在屋顶出口处或水箱间内。

(二)管网设备

消火栓给水系统的消防用水是通过管网输送至消火栓的。管网设备包括：进水(户)管、消防竖管、水平管、控制阀门等。进水管是室内、室外消防给水管道的连接管，对保证室内消火栓给水系统的用水量有很大的影响。消防竖管是连接消火栓的给水管道，一般应设置独立的消防竖管，管材采用钢管。阀门用于控制供水，以便于检修管道，一般阀门的设置应保证检修时关闭的竖管不超过一条。

管网设备对系统的安全性能有很大的影响，在布置管网时要符合以下要求：

(1)设有消火栓给水系统的建筑物，其各层(无可燃物的设备层除外)均应设置消火栓。

(2)消火栓的布置间距应由计算确定。一般应保证同层相邻两个消火栓水枪的充实水柱同时达到室内任何部位(体积小于或等于 5 000 m^3 的库房，可采用一支水枪的充实水柱达到室内任何部位)。高层建筑、高架仓库和甲、乙类厂房，布置间距不应超过 30 m；其他单层或多层建筑物间距不宜超过 50 m。

(3)消火栓宜布置在明显、经常有人出入、使用方便的地方(例如，布置在楼梯间附近、走廊内、剧院舞台口两侧、车间出入口等处)，且应有明显的标志，不得伪装。消火栓阀门中心应距地面 1.1 m，消火栓的出水口方向宜向下或与设置消火栓的墙面成 90°角。

(4)为便于管理和使用，同一建筑物内应采用统一规格的消火栓、水带、水枪，且每条水带的长度不应超过 25 m。

(5)水箱不能满足最不利点消火栓的水压要求时，应在每个消火栓处设置远距离直接启动消防水泵的按钮，并应有保护设施。

(6)消防电梯前室应设消火栓。其设置与其他消火栓要求相同，但不能计入每层所需消火栓总数之内。

(7)为防止冻结损坏，冷库室内消火栓一般应设在常温的穿堂或楼梯间内。在冷库闷顶的入口处，应设消火栓，用以扑救顶部保温层发生的火灾。

(8)消火栓栓口的出水压力超过 0.5 MPa 时，在消火栓处应设减压设施。

(9)消火栓栓口处的静水压力超过 0.8 MPa 时，应采用分区给水。

(三)消防水箱及气压给水设备

1．消防水箱

我国目前采用的消火栓给水系统多数是湿式系统，即消防给水管网内始终有水。这样可保证消火栓一开启就可出水灭火。管网内的水平时由水箱保证，因此消防水箱的作用就是储存扑救初期火灾(一般 10 min)的消防用水量。我国有关规范规定临时高压给水系统必须设置消防水箱。

消防水箱的容积根据消防用水量确定，一般有 18、12、6 m^3 三种。消防水箱应设置在建筑物的最高处，其位置高度应保证最不利点消火栓静水压力要求(对于建筑高度不超过 100 m 的高层和低层建筑，其静水压不应低于 0.07 MPa。对于建筑高度超过 100 m 的高层建筑，其静水压不应低于 0.15 MPa)，否则应设增压设施。另外，水箱出水管上应设单向阀，保证消防泵启动后，管网内的水不进入消防水箱。与生活、生产合用的消防水箱，应有保证消防用水不做他用的技术措施。

2．气压给水设备

气压给水设备的作用同消防水箱。水箱是利用重力实现储存、调节水量，而气压罐是利用被压缩的空气膨胀将罐内的储水压到用水点。因此，其安装高度不受限制，可放置在任何高度位置，但位置越低，最高与最低压力差值越大。但与水箱相比，气压给水设备的耗钢量大，能耗大，从经济、安全两方面看，选择水箱更合适。

气压给水设备的工作如图 8-2 所示，其原理是：水泵启动后，压力水被送至管网，同时，剩余的水进入气压罐。随着气压罐内不断充水，罐内水位上升，当罐内压力达到 P_{max}

时，在压力继电器的作用下，水泵停止工作；以后管网就由气压罐供水，随着用水，罐内水位不断下降，当罐内压力达到 P_{min} 时，在压力继电器的作用下，水泵开启，如此循环工作。

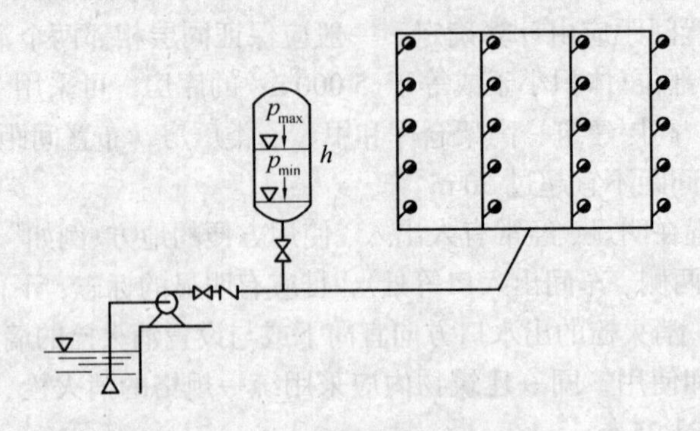

图 8-2　气压给水设备示意图

气压给水设备多用于生活给水系统。在消防给水系统中的设置有两种情况，一是当高位消防水箱安装高度不满足要求时，作为一种增压启动设施；二是代替高位消防水箱，这种情况要求气压罐的储水量达到消防水箱储水量的要求。

(四)水泵设备

1．消防水泵

消防水泵目前多采用离心式水泵，它是给水系统的心脏，对系统的使用安全影响很大。在选择水泵时，要满足系统的流量和压力要求。

2．消防泵房及泵房设施

(1)泵房建筑防火要求。消防水泵房宜与生活、生产水泵房合建，以便节约投资，方便管理。消防水泵房除应满足一般水泵房的要求外，应满足以下消防要求：消防水泵房应采用一、二级耐火等级的建筑；附设在建筑内的消防水泵房，应用耐火极限不低于 1h 的不燃烧体墙和楼板与其他部位隔开；消防水泵房应设直通室外的出口；设在楼层上的消防水泵房应靠近安全出口；以内燃机作动力的消防水泵房，应有相应的安全措施。

(2)泵房设施。泵房设施包括水泵的引水、水泵动力、泵房通信报警设备等。消防泵宜采用自灌式引水方式。采用其他引水方式时，应保证消防泵在 5 min 内启动。消防水泵可采用电动机、内燃机作为动力，一般要求应有可靠的备用动力。消防水泵房应具有直通消防控制中心或消防队的通信设备。

(五)消防水源

消防水源是为灭火系统提供消防用水的储水设施，有三种类型。

1．天然水源

天然水源就是利用自然界的江、河、湖、泊、池塘、水库及泉井等作为消防水源。在确定消防水源时，应优先考虑就近利用天然水源，以节省投资。消防水源利用天然水源时，应满足以下要求：必须保证常年有足够的水量(应确保枯水期最低水位时消防用水的可靠性)，保证率按 25 年一遇来确定。应设置可靠的取水设施，即应采取必要的技术措施，保证任何时候都能取到消防用水。如：修建消防码头、自流井、回车场等，有防冻、防洪设施等。在城市改建、扩建时，若消防水源(包括天然水源)被填埋，应采取相应的措施，如铺设管道、修建水池等。供消防车使用的消防水源，其保护距离（保护半径）不大于 150 m。甲、乙、丙类液体储罐区，要有防止油流入水源的措施。

2．市政管网

市政管网指城镇建设的给水管网，通过进户管为建筑物提供消防用水。市政管网是主要的消防水源。

3．消防水池

消防水池是人工建造的储存消防用水的构筑物。符合下述两种情况之一时，应设置消防水池：①当生活、生产用水量达到最大时，市政给水管道、进水管或天然水源不能满足室内外消防用水量；②市政给水管道为枝状或只有一条进水管，且消防用水量之和超过 25 L / s。另外，由于其他原因，也可能设置消防水池。

消防水池的容量应满足在火灾延续时间内室内、室外消防用水总量的要求。消防水池宜分建成两个，尤其是容积超过 1 000 m^3 时，应分建成两个，以保证水池检修时不中断供水。消防水池的补水时间不宜超过 48 h，缺水区或独立的石油库区可适当延长，但不宜超过 96 h。消防用水与生产、生活用水合并的水池，应有确保消防用水不作他用的技术措施。寒冷地区的消防水池应有防冻设施。甲、乙、丙类液体储罐区的消防水池，应有防止污染措施。消防水池容积最小不应小于 36 m^3。供消防车取水的消防水池，保护半径不大于 150 m，应有消防车道，应有取水口，取水口与建筑物（水泵房除外）的距离不宜小于 15 m，与甲、乙、丙类液体储罐的距离不宜小于 40 m，与液化石油气储罐的距离不宜小于 60 m（若有防止辐射热的保护设施时可减为 40 m），保证消防车的吸水高度不超过 6 m。

（六）水泵接合器

水泵接合器是供消防车往建筑物内消防给水管网输送水的预留接口。考虑到消火栓给水系统水泵故障或火势较大消火栓给水系统供水量不足时，消防车通过其往管网补充水，一般管网都需要设置。

水泵接合器有三种类型。①地上式水泵接合器：形似室外地上消火栓，接口位于建筑物周围附近地面上，目标明显，使用方便。要求有明显的标志，以免火场上误认为是地上消火栓。②地下式水泵接合器：形似地下消火栓，设在建筑物周围附近的专用井内，不占地方，适用于寒冷地区。安装时注意使接合器进水口处在井盖正下方，顶部进水口与井盖底面距离不大于 0.4 m，地面附近应有明显标志，以便火场辨识。③墙壁式水泵接合器：形似室内消火栓，设在建筑物的外墙上，其高出地面的距离不宜小于 0.7 m，并应与建筑物的门、窗、孔洞保持不小于 1.0 m 的水平距离。

水泵接合器上应设有止回阀、闸阀、安全阀、泄水阀等，以保证室内管网的正常工作。水泵接合器的数量应根据室内消防用水量确定，每个水泵接合器的流量按 10 ~ 15 L / s 计。分区供水时，每个分区（超出当地消防车供水能力的上层分区除外）的消防给水系统均应设水泵接合器。水泵接合器应设在消防车便于接近的地点，且宜设在人行道或非汽车行驶地段。水泵接合器上应有明显标志，标明其管辖范围。

（七）减压装置

减压装置有三种。①减压孔板：减压孔板是在一块钢板上开一直径较小的孔，利用其局部水头损失实现减压的目的。减压孔板应设置在直径大于 50 mm 的水平管段上，孔板直径不应小于设置管段直径的 50%，孔板应安装在水流转弯处下游一侧的直管段上，其孔板前水平直管段长度不应小于设置管段直径的两倍；②节流管：节流管的构造如图 8-3 所示，安装在水平干管上，节流管内流速不应大于 20 m / s，节流管长度 L 不宜小于 1 m。节流管缩小部分长度 L_1 等于 D_1，节流管扩大部分长度 L_3 等于 D_3；③减压阀：减压阀可以自动按比例调节进出口压力，实现减压的目的。

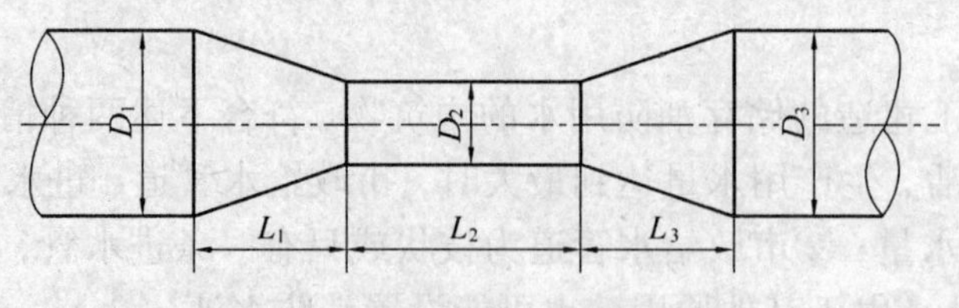

图 8-3　节流管示意图

(八)增压设施

高位消防水箱不能满足最不利点消火栓静水压力要求时，应设增压设施。图 8-4 所示为常用的一种增压方式。其工作原理是：在气压罐内有三个压力控制点，分别与三个压力继电器相连接。平时罐内压力为 p_3，稳压泵和消防水泵均处于关闭状态。此时消防管网内的压力由气压罐维持，如果由于管网渗漏或其他原因，罐内压力从 p_3 降至 p_2，稳压泵便立即启动向水罐补水，直到罐内压力达到 p_3 时，稳压泵则停止运转，从而保证了气压罐内的常备储水量。发生火灾时，管网出水灭火。随着气压罐内水量的减少，压力从 p_3 降至 p_2 时，稳压泵启动向罐内补充水，但由于稳压泵的流量很小，而消防用水量很大，气压罐内的压力仍继续下降，当下降至 p_1 时，压力继电器便自动启动消防水泵向消防给水管网供水。应注意，增压水泵出水量，对消火栓给水系统不应大于 5 L / s；对自动喷水灭火系统不应大于 1 L / s。气压水罐的调节水容积宜为 450 L。

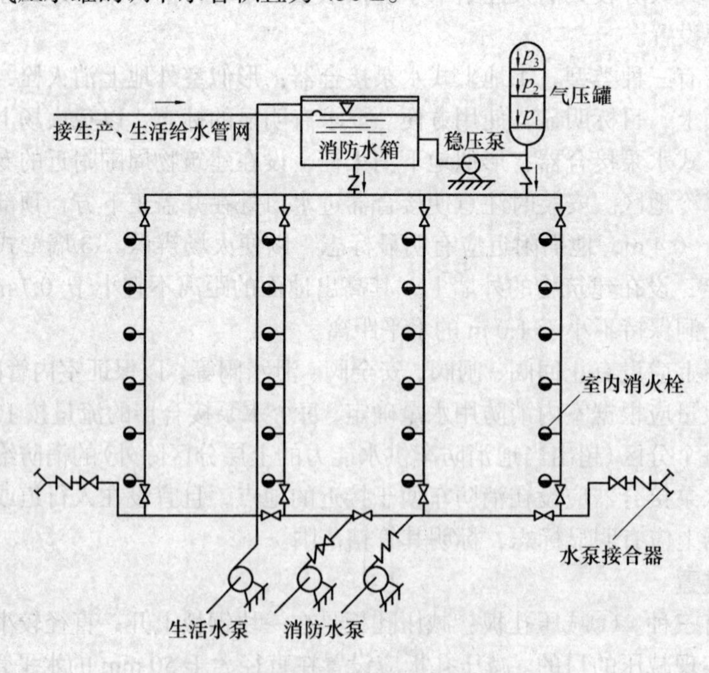

图 8-4　稳压泵与气压罐联合工作方式

三、消防用水量及水压

（一）消防用水量

消火栓用水量与建筑物的高度、体积、可燃物数量、建筑耐火等级和建筑物用途等有关，一般根据水枪充实水柱长度通过计算确定。单、多层建筑消火栓给水系统不应小于表 8-1 中的规定。

表 8-1 单、多层建筑消火栓给水系统用水量

建筑物名称	层数、体积或座位数	消火栓用水量(L/s)	同时使用水枪数量(支)	每支水枪最小流量(L/s)	每根竖管最小流量(L/s)
厂房	高度≤24 m、体积≤10 000 m^3	5	2	2.5	5
	高度≤24 m、体积>10 000 m^3	10	2	5	10
	高度>24 m 至 50 m	25	5	5	15
	高度>50 m	30	6	5	15
科研楼、实验楼	高度≤24 m、体积≤10 000 m^3	10	2	5	10
	高度≤24 m、体积>10 000 m^3	15	3	5	10
库房	高度≤24 m、体积≤5 000 m^3	5	1	5	5
	高度≤24 m、体积>5 000 m^3	10	2	5	10
	高度>24 m 至 50 m	30	6	5	15
	高度>50 m	40	8	5	15
车站、码头、机场建筑物和展览馆等	5 001～25 000 m^3	10	2	5	10
	25 001～50 000 m^3	15	3	5	10
	>50 000 m^3	20	4	5	15
商店、病房楼、教学楼等	5 001～10 000 m^3	5	2	2.5	5
	10 001～25 000 m^3	10	2	5	10
	>25 000 m^3	15	3	5	10
剧院、电影院、俱乐部、礼堂、体育馆等	801～1 200 个	10	2	5	10
	1 201～5 000 个	15	3	5	10
	5 001～10 000 个	20	4	5	15
	>10 000 个	30	6	5	15
住宅	7～9 层	5	2	2.5	5
其他建筑	≥6 层或体积≥10 000 m^3	15	3	5	10
国家级文物保护单位的重点砖木、木结构的古建筑	体积≤10 000 m^3	20	4	5	10
	体积>10 000 m^3	25	5	5	15

高层建筑消火栓给水系统不应小于表 8-2 中的规定。

表 8-2 高层建筑消火栓给水系统用水量

高层建筑类别	建筑高度(m)	消火栓用水量(L/s)		每根竖管最小流量(L/s)	每支水枪最小流量(L/s)
		室外	室内		
普通住宅	≤50	15	10	10	5
	>50	15	20	10	5
1.高级住宅 2.医院 3.二类商业的建筑楼、展览楼、综合楼、财贸金融楼、电信楼、商住楼、图书馆、书库 4.省级以下的邮政楼、防火指挥调度楼、广播电视楼、电力调度楼 5.建筑高度不超过 50 m 的教学楼和普通的旅馆、办公楼、科研楼、档案楼等	≤50	20	20	10	5
	>50	20	30	15	5
1.高级旅馆 2.建筑高度超过 50 m 或每层建筑面积超过 1 000 m² 的商业楼、展览楼、综合楼、财贸金融楼、电信楼 3.建筑高度超过 50 m 或每层建筑面积超过 1 500 m² 的商住楼 4.中央和省级(含计划单列市)广播电视楼 5.网局级和省级(含计划单列市)电力调度楼 6.省级(含计划单列市)邮政楼、防火指挥调度楼 7.藏书超过 100 万册的图书馆、书库 8.重要的办公楼、科研楼、档案楼 9.建筑高度超过 50 m 的教学楼和普通的旅馆、办公楼、科研楼、档案楼等	≤50	30	30	15	5
	>50	30	40	15	5

(二)消防水压

消火栓给水系统的水压应保证最不利点消火栓的压力要求，消火栓的出口压力应根据水枪充实水柱长度要求通过计算确定。

第二节 闭式自动喷水灭火系统

闭式自动喷水灭火系统是常见的一种固定灭火系统，它采用闭式喷头，通过喷头感温元件在火灾时自动动作，将喷头堵盖打开喷水灭火。由于其具有良好的灭火效果，广泛应用于厂房。主要设置部位和原则如下所列。

一、闭式自动灭火系统设置部位

(1)等于或大于 50 000 纱锭的棉纺厂的开包、清花车间；等于或大于 5 000 锭的麻纺厂的分级、梳麻车间；服装针织高层厂房；面积超过 1 500 m^2 的木器厂房；火柴厂的烤梗、筛选部位；泡沫塑料厂的预发、成型、切片、压花部位。

(2) 每座占地面积超过 1 000 m^2 的棉、毛、丝、麻、化，毛皮及其制品库房；每座占地面积超过 600 m^2 的火柴库房；建筑面积超过 500 m^2 的可燃物品的地下库房；可燃、难燃物品的高架库房和高层库房（冷库、高层卷烟成品库房除外）；省级以上或藏书量超过 100 万册图书馆的书库。

(3) 超过 1 500 个座位的剧院观众厅、舞台上部（屋顶采用金属构件时）、化妆室、道具室、储藏室、贵宾室；超过 2 000 个座位的会堂或礼堂的观众厅、舞台上部、储藏室、贵宾室；超过 3 000 个座位的体育馆、观众厅的吊顶上部、贵宾室、器材间、运动员休息室。

(4) 省级邮政楼的邮袋库。

(5) 每层面积超过 3 000 m^2 或建筑面积超过 9 000 m^2 的百货商场、展览大厅。

(6) 设有空气调节系统的旅馆和综合办公楼内的走道、办公室、餐厅、商店、库房和无楼层服务员的客房。

(7) 飞机发动机试验台的准备部位。

(8) 国家级文物保护单位的重点砖木或木结构建筑。

(9) 建筑面积大于 500 m^2 的地下商店应设自动喷水灭火系统。

(10) 下列歌舞娱乐放映游艺场所设自动喷水灭火系统：

①设置在地下、半地下；

②设置在建筑物的首层、二层和三层，且建筑面积超过 300 m^2；

③设置在建筑物的地上四层及四层以上。

(11) 建筑高度超过 100 m 的高层建筑，除面积小于 5.00 m^2 的卫生间、厕所和不宜用水扑救的部位外，均应设自动喷水灭火系统。

(12) 建筑高度不超过 100 m 的一类高层建筑及其裙房的下列部位，除普通住宅和高层建筑中不宜用水扑救的部位外，应设自动喷水灭火系统。

①公共活动用房；

②走道、办公室和旅馆的客房；

③可燃物品库房；

④高级住宅的居住用房；

⑤自动扶梯底部和垃圾道顶部。

(13) 二类高层建筑中的商业营业厅、展览厅等公共活动用房和建筑面积超过 200 m^2 的可燃物品库房，应设自动喷水灭火系统。

(14) 高层建筑中经常有人停留或可燃物较多的地下室房间、歌舞娱乐放映游艺场所等，应设自动喷水灭火系统。

二、闭式自动灭火系统的类型

闭式自动喷水灭火系统根据工作原理不同，分为湿式自动喷水灭火系统、干式自动喷水灭火系统、预作用自动喷水灭火系统、干湿式自动喷水灭火系统和循环系统五种类型。

(一)湿式自动喷水灭火系统

湿式自动喷水灭火系统是自动喷水灭火系统中最基本的系统形式。由闭式喷头、管道系统、湿式报警阀、报警装置和给水设备等组成，如图 8-5。

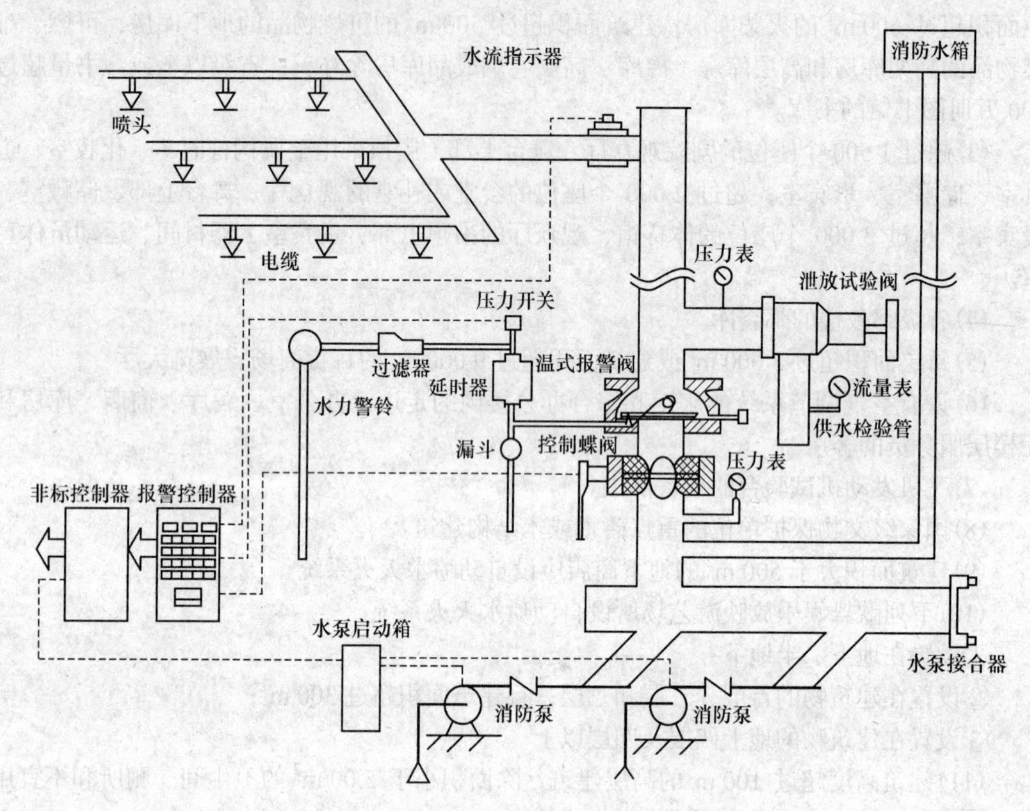

图 8-5　湿式自动喷水灭火系统示意图

该系统在报警阀的上下管道中始终充满着压力水，故称为湿式自动喷水灭火系统。其工作原理是：发生火灾后，火焰或高温气流使闭式喷头的热敏感元件动作，喷头开启，喷水灭火。此时，管网中的水由静止变为流动，水流使水流指示器动作发出电信号，在报警控制器上指示某一区域已在喷水。由于喷头开启泄压，在压力差的作用下，原来处于关闭状态的湿式报警阀就自动开启。压力水通过湿式报警阀，流向灭火管网，同时打开通向水力警铃的通道，水流冲击水力警铃发出声响报警信号。消防控制中心根据水流指示器或压力开关的报警信号，自动启动消防水泵向系统加压供水，达到维持自动喷水灭火的目的。

湿式自动喷水灭火系统具有结构简单，施工、管理方便，灭火速度快，控火效率高，建设投资和经常管理费用省，适用范围广等优点。但使用受到环境温度的限制，适用于环境温度不低于 4℃，且不高于 70℃的建、构筑物。水渍危险性较大，在易被碰撞或损坏的场所，喷头应向上安装。

(二)干式自动喷水灭火系统

为满足在低于 4℃或高于 70℃的场所安装使用自动喷水灭火系统，对湿式自动喷水灭火系统进行改动，在报警阀前的管道内仍充以压力水，将其设置在适宜的环境温度中，而在报警阀后的管道充以压力气体代替压力水，处于低温或高温场所。由于报警阀后管路和喷头内平时没有水，处于充气状态，故称为干式自动喷水灭火系统。该系统在湿式自动喷水灭火系统的基础上增加了一套充气设备。

干式自动喷水灭火系统的工作原理是：平时，系统的干式报警阀前管道与供水管网相连并充满水，干式报警阀后灭火管网及喷头内充满有压气体，干式报警阀处于关闭状态。发生火灾时，喷头动作后首先喷出气体，报警阀后管网内的压力下降，阀前压力大于阀后压力，干式报警阀被自动打开。接着压力水进入灭火管网，将剩余压力气体从动作的喷头处推赶出去，喷水灭火。在干式报警阀被打开的同时，通向水力警铃和压力开关的通道也被打开，水流推动水力警铃发出声响报警，压力开关发回电信号，自动启动消防水泵加压供水。干式系统的主要工作过程与湿式系统无本质区别，只是在喷头动作后有一个排气过程，这将影响灭火的速度和效果。因此，对于管网容积较大的干式系统应有加速排气装置，以便及时喷水灭火。干式自动喷水灭火系统的喷头一般应向上安装，采用干式悬吊型喷头时，可以向下安装。

（三）干湿式自动喷水灭火系统

干湿式自动喷水灭火系统是干式自动喷水灭火系统和湿式自动喷水灭火系统交替使用的系统形式。组成与干式自动喷水灭火系统基本相同，报警阀采用干湿式报警阀或将干式报警阀与湿式报警阀叠加在一起，在寒冷季节管路中充气，系统呈干式系统；在非冰冻季节管路中充水，系统呈湿式系统。由于管理较复杂，一般较少采用。

（四）预作用自动喷水灭火系统

预作用自动喷水灭火系统是将火灾自动报警系统和灭火系统有机地结合起来，利用火灾探测器对火的敏感性比喷头灵敏的特点，实现预先排气充水的功能。系统平时呈干式系统，火灾时由火灾报警系统自动控制开启预作用阀使管道充水呈湿式系统。具有湿式系统灭火速度快和干式系统温度适应范围广、水渍危险性小的优点。用于不允许有水渍损失的建、构筑物。

（五）循环系统

循环系统是在预作用自动喷水灭火系统的基础上发展起来的，它采用了一个能自动复位的改进型雨淋阀及一套热探测装置，其特点是能够确认火灾被扑灭，并自动关闭系统。若火灾再次复燃，又可重新启动系统喷水灭火。这种系统的水渍损失可以限制到最小，用于库房类经常无人的场合较为适宜。

三、系统主要组件

（一）喷头

喷头是系统的一个主要组件，它在系统中担负着探测火灾、启动系统和喷水灭火的任务。喷头的喷水口被由热敏感元件组成的释放机构封闭，既用于控制系统的启动喷水，又通过溅水盘使水较好分布，以利于灭火。喷头有玻璃球洒水喷头和易熔金属洒水喷头，如图 8-6。前者是通过玻璃球内的液体膨胀将其炸裂，使喷头堵盖失去支撑，喷头开启；后者是通过易熔金属熔化，轭臂失去拉力脱落，使喷头堵盖失去支撑，喷头开启。玻璃球洒水喷头外形美观、体积小、重量轻、耐腐蚀，目前应用较广泛。喷头的公称动作温度与颜色标志见表 8-3。

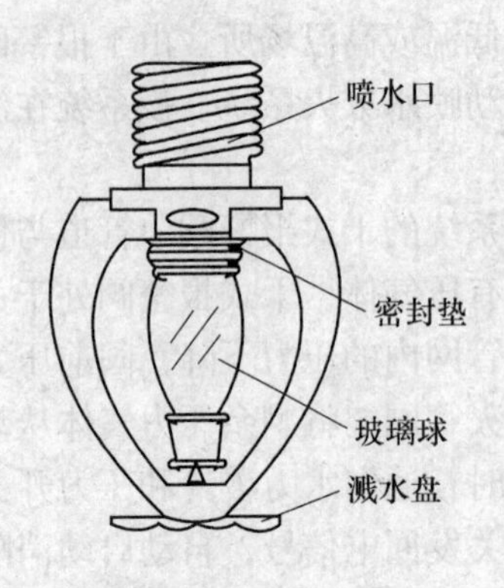

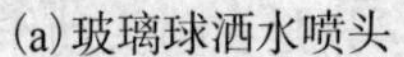
(a)玻璃球洒水喷头

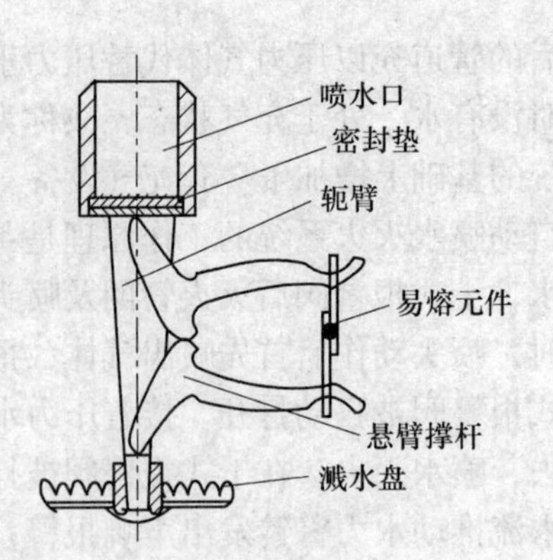

(b)易熔金属洒水喷头

图 8-6 喷头示意图

表 8-3 闭式喷头的公称动作温度和颜色标志

玻璃球洒水喷头		易熔金属洒水喷头	
公称动作温度(℃)	工作液色标	公称动作温度(℃)	轭臂色标
57	橙	57～75	本色
68	红	80～107	白
79	黄	121～149	蓝
93	绿	136～191	红
141	蓝	204～246	绿
182	紫红	260～302	橙
227	黑	320～343	黑
260	黑		
343	黑		

(二)报警阀

报警阀具有报警、控制作用，是系统的又一个主要组件。闭式自动喷水灭火系统目前使用的报警阀主要有湿式报警阀、干式报警阀、预作用阀三种，各自应用于相应的系统形式。湿式报警阀、干式报警阀具有逆止阀的功能，平时处于关闭状态，一旦喷头打开喷水(排气)，阀瓣在水流作用下被开启，通过水力报警装置报警。另外，在水力警铃管路上安装的压力或流量监测装置动作，向消防控制中心发回信号。根据接收到的这些信号，消防控制中心进行相应的联动控制。

(三)监控装置

监控装置用于监测、控制系统工作情况，一般可通过检测系统的流量、压力等来实施。目前常用的监测装置有以下几类：

(1)水流指示器：用于监测管网内的水流情况。安装在各分区的水平管上，当有水流过装有水流指示器的管道时，流动的水流推动水流指示器的桨片发生偏转，使电接点接通，输出一个电信号，表明喷头已动作喷水，并指出喷水的大致位置。

(2)压力开关：用于检测管网内的水压，安装在水力报警装置的管路上。平时由于报警阀关闭，管内呈无压状态，系统一旦开启，报警阀打开，水力报警装置的管路内充有压力水，压力开关动作，向消防控制中心发回电信号。消防控制中心一般可根据水流指示器、压力开关等的信号，自动控制开启消防水泵。

(3)水位监视器：用于监测消防水箱、消防水池内的水位情况。一般可使用液位继电器或信号器来实施，安装在水箱或水池的侧壁或顶盖上，将水位情况反映给消防控制中心，水位低于设定值时报警。

(4)阀门限位器：通常设置在干管的总控制闸阀上或管径较大支管的闸阀上。当这些闸阀被误操作关闭时，立即发出报警信号，以保证闸阀始终处于开启状态。

(5)气压保持器：用于干式自动喷水灭火系统，其作用是补偿系统管网轻微泄漏，使系统始终保持安全压力，避免干式阀误动作。

(四)供水设施

闭式自动喷水灭火系统的供水设施包括消防水池、消防水箱、水泵设备、水泵接合器等。

四、系统设计要求

(一)系统消防用水量

系统的消防用水量应保证设计喷水强度和设计作用面积的要求，可按下式计算：

$$Q_S=(1.15\sim1.30)Q_L$$

式中 Q_S——系统设计流量，L / min；

Q_L——设计喷水强度与设计作用面积的乘积，L / min。

设计喷水强度和设计作用面积见表 8-4。

表 8-4 系统基本设计参数

建、构筑物危险等级		项目	
		设计喷水强度（L / (min · m^2)）	设计作用面积（m^2）
严重危险级	生产建筑物	10.0	300
	储存建筑物	15.0	300
中危险级		6.0	200
轻危险级		3.0	180

(二)系统的水压

系统的水压应满足最不利点喷头工作压力要求，即不小于 9.8×10^4 Pa。

(三)喷头的选用和布置

1．喷头的选用

在选用喷头时，要注意满足下列要求：

(1)喷头的公称动作温度宜比最高环境温度高 30℃；

(2)在展览厅、餐厅、会议室和宾馆等装饰要求较高的场所，应选择外形美观的吊顶型喷头或其他装饰性喷头；

(3)在走廊内可选用边墙型喷头；

(4) 根据不同的屋顶结构选择直立型或下垂型喷头；

(5) 在管路要求隐蔽或管路与屋面板的距离受到限制时，应选择下垂型喷头；

(6) 在干式系统中，如果喷头的安装方式为下垂，应选择干式垂吊型喷头；

(7) 在有腐蚀性介质存在的场所，应选用经防腐处理的喷头，或选用耐腐蚀的玻璃球洒水喷头。

2. 喷头的布置间距

喷头的布置间距根据喷头的流量和设计喷水强度确定，最大布置间距应不超过表 8-5 的规定。

表 8-5 喷头最大间距表

建、构筑物危险等级		项目		
		每只喷头最大保护面积（m^2）	设计喷水强度喷嘴最大水平间距（m）	喷头与墙、柱最大距离（m）
严重危险级	生产建筑物	8.0	2.8	1.4
	储存建筑物	5.4	2.3	1.1
中危险级		12.5	3.6	1.8
轻危险级		21.0	4.6	2.3

3. 喷头的布置要求

(1) 喷头(吊顶型喷头除外)溅水盘与吊顶、楼板、屋面板的距离，不宜小于 7.5 cm，并不宜大于 15 cm；

(2) 喷头安装在有坡度的屋面板、吊顶下面时，喷头应垂直于斜面，间距应按水平投影确定；

(3) 喷头布置在梁侧附近时，应按不影响洒水面积的原则布置喷头；

(4) 舞台部位的葡萄棚以上如为金属承重构件时，应在屋面板下面布置闭式喷头，以保护钢屋架不致很快塌落；

(5) 在自动扶梯、螺旋楼梯穿过楼板的部位，除采用防火卷帘外，还应设置闭式喷头或采用水幕分隔，以加强封闭效果；

(6) 其他各种条件下的布置要求可参看有关规范和规定。

第三节　开式自动喷水灭火系统

开式自动喷水灭火系统采用开式喷头，通过阀门控制系统的开启。该系统用于保护特定的场合，可分为雨淋系统、水幕系统、水喷雾系统三种。

一、开式自动喷水灭火系统设置部位

(一) 雨淋系统设置部位

(1) 火柴厂的氯酸钾压碾厂房，建筑面积超过 100 m^2，生产、使用硝化棉、喷漆棉、火胶棉、赛璐珞胶片、硝化纤维的厂房；

(2) 建筑面积超过 60 m^2 或储存量超过 2 t 的硝脂棉、喷漆棉、赛璐珞胶片、硝化纤维的库房；

(3) 日装瓶数量超过 3 000 瓶的液化石油气储配站的灌瓶间、实瓶库；

(4) 超过 1 500 个座位的剧院和超过 2 000 个座位的会堂舞台的葡萄架下部；

(5) 建筑面积超过 400 m^2 的演播室，建筑面积超过 500 m^2 的电影摄影棚；

(6) 乒乓球厂的轧坯、切片、磨球、分球检验部位。

(二) 水幕系统设置部位

(1) 超过 1 500 个座位的剧院和超过 2 000 个座位的会堂、礼堂的舞台口，以及与舞台相连的侧台、后台的门窗洞口；

(2) 应设防火墙等防火分隔物而无法设置的开口部位；

(3) 防火卷帘或防火幕的上部；

(4) 超过 800 个座位的剧院、礼堂的舞台口宜设防火幕或水幕分隔。

(三) 水喷雾系统设置部位

(1) 单台容量在 40 MW 及以上的厂矿企业可燃油油浸电力变压器、单台容量在 90 MW 及以上可燃油油浸电力变压器或单台容量在 125 MW 及以上的独立变电所可燃油油浸电力变压器。

(2) 飞机发动机试车台的试车部位。

(3) 高层建筑内的下列房间应设置水喷雾灭火系统：

①燃油、燃气的锅炉房；

②可燃油油浸电力变压器室；

③充可燃油的高压电容器和多油开关室；

④自备发电机房。

二、开式自动喷水灭火系统类型

(一) 雨淋喷水灭火系统

雨淋喷水灭火系统用于火灾危险性大、可燃物多、发热量大、燃烧猛烈和蔓延迅速(即严重危险级)的场合。由于其使用开式喷头，系统一旦开启，设计作用面积内的所有喷头同时喷水，可以在瞬间喷出大量的水，覆盖或阻隔整个火区。雨淋喷水灭火系统的应用场合有火灾危险性大的厂房和库房(如乒乓球厂的轧坯、切片、磨球、分球检验部位，火柴厂的氯酸钾压碾厂房，生产、使用硝化棉、喷漆棉、火胶棉、赛璐珞胶片、硝化纤维的厂房和库房)，液化石油气储配站的灌瓶间、实瓶间，剧院、会堂、礼堂的舞台葡萄架下部，演播室及电影摄影棚。

雨淋喷水灭火系统包括火灾自动报警系统和喷水灭火系统两部分，如图 8-7。雨淋阀入口侧与进水管相通，出口侧接喷水灭火管路，平时雨淋阀在传动管网中的水压作用下紧紧关闭，灭火管网为空管。发生火灾时，火灾探测器或感温探测控制元件(闭式喷头、易熔锁封)探测到火灾信号后，通过传动阀门(电磁阀、闭式喷头)自动地释放掉传动管网中有压力的水，使传动管网中的水压骤然降低，雨淋阀在进水管的水压作用下被打开，压力水立即充满灭火管网，所有喷头喷水，实现对保护区的整体灭火或控火。

雨淋喷水灭火系统的启动控制方式有火灾探测器电动控制开启、带闭式喷头的传动管控制开启和易熔锁封的钢丝绳控制开启三种，根据保护区域的具体情况选定。系统用水量的计算、喷头的布置要求等，同闭式自动喷水灭火系统。

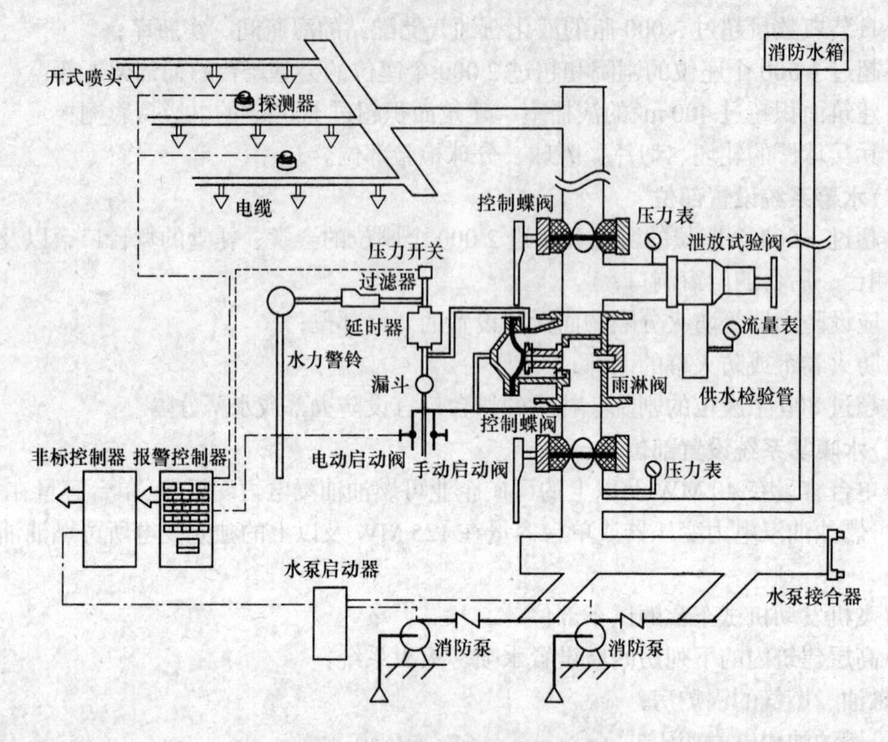

图 8-7　雨淋喷水灭火系统示意图

(二)水幕系统

水幕系统是将水喷洒成水帘幕状，用以阻火、隔火或冷却简易防火分隔物的一种自动喷水系统。其作用是通过冷却简易防火分隔物，提高其耐火性能，或用水帘阻止火焰穿过开口部位，直接作防火分隔。如图 8-8 是用以冷却防火门的水幕系统。水幕系统适应下列部位设置：设置防火卷帘或防火幕等简易防火分隔物的上部；应设防火墙，但由于工艺需要而无法设置防火分隔物的开门部位；相邻建筑物之间的防火间距不能满足要求时，建筑物外墙上的门、窗、洞口处；大型剧院、会堂、礼堂的舞台口以及与舞台相连的侧台、后台的门窗洞门；石油化工企业中的防火分区或设备之间。

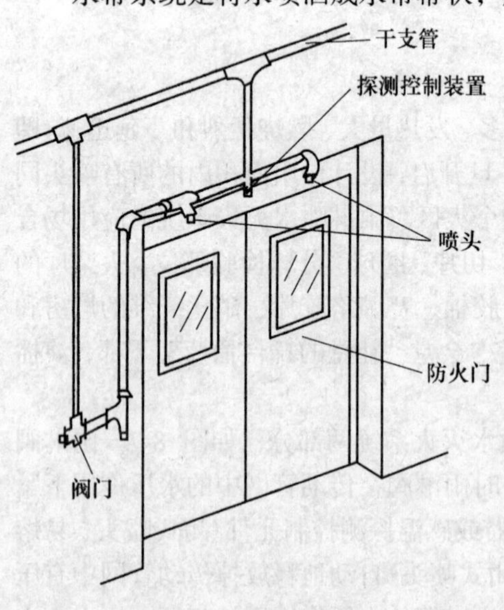

图 8-8　水幕系统示意图

水幕系统由水幕喷头、控制阀、管道等组成，其控制启动基本上与雨淋喷水灭火系统相同。在实际应用中有三种情况：冷却型水幕系统，通过喷水冷却防火分隔物，延长这些防火分隔物的耐火极限。这种情况喷头一般采用单排布置，喷水强度不小于 0.5 L / (s · m)。阻火型水幕系统，用于建筑物中面积较小(不超过 3 m^2)的孔洞、开口部位防火分隔，喷头可布置成一排或两排，喷水强度不小于 1.0 L / (s · m)。水幕带，用来对较大空间进行防火分隔，起着防火墙的作用。用于舞台口等的水幕系统，喷头布置成两排，两排喷头间距 0.6 ~ 0.8 m。用做防火分区的水幕带，喷头宜布置成三排，相邻两排喷头间距不小于 2.5 m。水幕带的喷水强度不小于 2 L / (s · m)。

在使用水幕系统时，要注意每组水幕系统安装的喷头数不应超过 72 个，对称于配水管布置，在同一配水管上设置相同规格的喷头。水幕系统采用自动开启方式时，还必须设置手动开启装置，手动开启装置应设置在人们容易发现和接近的部位。

(三) 水喷雾灭火系统

水喷雾灭火系统的组成及工作原理与雨淋喷水灭火系统基本相同，喷头采用水雾喷头，如图 8-9 所示。它是利用水雾喷头在较高的水压力作用下，将水分离成细小的水雾滴(平均粒径一般在 100 ~ 700 μm 之间)，并喷向保护对象达到灭火或防护冷却的目的。

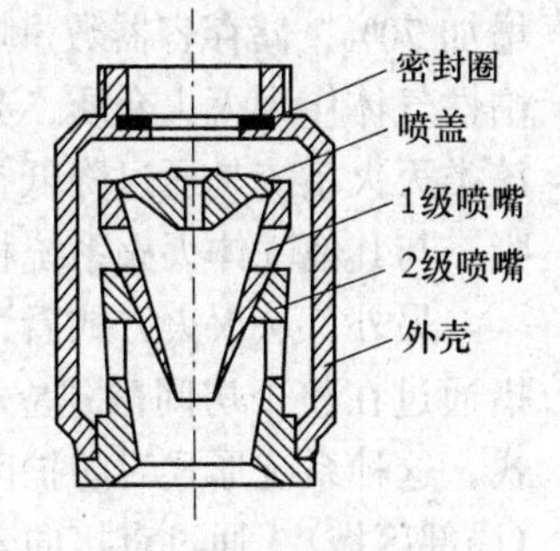

图 8-9　双级水雾喷头

与雨淋喷水灭火系统等相比，水喷雾灭火系统具有系统压力高、喷水量大、可灭液体火灾和电气设备火灾、灭火效果好等特点，多用于工业设备(如可燃油油浸电力变压器、充有可燃油的高压电容器和多油开关室、柴油发电机房、燃油燃气锅炉房、球形可燃气体液体储罐、飞机发动机试车台的试车部位等)的消防保护。

在应用水喷雾灭火系统保护电气设备时，管网及喷头的布置要确保安全用电间距，具有很好的接地(接地电阻小于 16Ω)，并不影响正常生产操作。为防止喷头堵塞，在控制阀后设置过滤器，过滤器孔眼直径小于喷头孔径的一半，滤网的孔隙系数应大于 0.8。

第四节　气体灭火系统

气体灭火系统是以某些气体作为灭火介质，通过这些气体在整个防护区或保护对象周围的局部区域建立起灭火浓度实现灭火。由于其特有的性能特点，主要用于保护某些特殊场合，是固定灭火系统中的一种重要系统形式。

一、气体灭火系统的类型及应用

(一) 系统的类型

根据所使用的灭火剂，气体灭火系统可归纳为四类。

(1) 卤代烷 1301 灭火系统。以卤代烷 1301 灭火剂(三氟一溴甲烷)作为灭火介质，由于其灭火剂毒性小、使用期长、喷射性能好、灭火性能好，是应用最广泛的一种气体灭火系统。但由于其对大气臭氧层有较大的破坏作用，目前已开始停止生产使用。

(2) 卤代烷 1211 灭火系统。以卤代烷 1211 灭火剂(二氟一氯一溴甲烷)作为灭火介质，由于其比卤代烷 1301 灭火剂便宜，在我国应用较卤代烷 1301 灭火系统广泛。同样，由于其对大气臭氧层有较大的破坏作用，目前已开始停止生产使用。

(3) 二氧化碳灭火系统。以二氧化碳灭火剂作为灭火介质，相对于卤代烷灭火系统来说，系统投资较大，灭火时的毒性危害较大，且二氧化碳会产生温室效应，也不宜广泛使用。

(4)卤代烷替代系统。卤代烷替代系统目前正处于研究阶段，从目前的研究进展情况看，七氟丙烷灭火系统和“烟烙烬”灭火系统较为理想，但有待进一步确定。七氟丙烷灭火系统以七氟丙烷作为灭火介质，仍属卤代烷灭火系统系列，具有卤代烷灭火系统的特点，毒性较低，可用于经常有人工作的防护区。若代替卤代烷 1301 灭火系统，其灭火剂重量约增加 70%，储存容器数量增加约 30%。“烟烙烬”灭火系统以氮气、氩气、二氧化碳三种惰性气体作为灭火介质，其中氮气含量为 52%，氩气含量为 40%，二氧化碳含量为 8%。该类灭火系统是通过降低空气中的氧气含量(低于 15%)灭火，但人在灭火环境下可自由呼吸。与其他气体灭火系统相比，造价较高。

另外，从灭火方式看，气体灭火系统有全淹没和局部应用两种应用形式。全淹没系统指通过在整个房间内建立灭火剂设计浓度(即灭火剂气体将房间淹没)实施灭火的系统形式，这种系统形式对防护区提供整体保护；局部应用系统指保护房间内或室外的某一设备(局部区域)，通过直接向着火表面喷射灭火剂实施灭火的系统形式，就整个房间而言，灭火剂气体浓度远远达不到灭火浓度。

在工程应用中，一个工程中的几个防护区可共用一套系统保护，称为组合分配系统，这样较为经济，可节省大量投资，但前提是这些防护区不会同时着火。若几个防护区都非常重要或有同时着火的可能性，则每个防护区各自设置灭火系统保护，称为单元独立系统。很明显，采用单元独立系统投资较大。对于较小的、无特殊要求的防护区，可以不设计，直接从工厂生产的系列产品中选择，这样即可省去烦琐的设计计算，施工强度又较小，这种系统称为无管网灭火装置。

(二)系统的应用

在选择使用气体灭火系统时要注意，有些火灾适宜用气体灭火系统扑救，如液体和气体火灾、固体物质的表面火灾、电气设备火灾等；而有些火灾不宜用气体灭火系统扑救，如本身能供氧物质(像炸药)的火灾、金属火灾、有机过氧化物火灾、固体的深位火灾等。

气体灭火系统最大的优点是灭火剂清洁，灭火后不会对保护对象产生危害，对于那些比较重要需要消防保护但又怕灭火剂污染的场合特别合适。常用的具体场合有：大、中型电子计算机房、图书馆的珍藏室、中央及省市级文物资料档案室、广播电视发射塔楼内的重要设备室、程控交换机房、国家及省级有关调度指挥中心的通信机房和控制室等。

二、气体灭火系统的组成及工作过程

(一)系统的基本组成

气体灭火系统的基本组成如图 8-10，由储存装置、启动分配装置、输送释放装置、监控装置等设施组成。

(二)系统的工作过程

防护区一旦发生火灾，首先火灾探测器报警，消防控制中心接到火灾信号后，启动联动装置(关闭开口、停止空调等)，延时约 30 s 后，打开启动气瓶的瓶头阀，利用气瓶中的高压氮气将灭火剂储存容器上的容器阀打开，灭火剂经管道输送到喷头喷出实施灭火。这

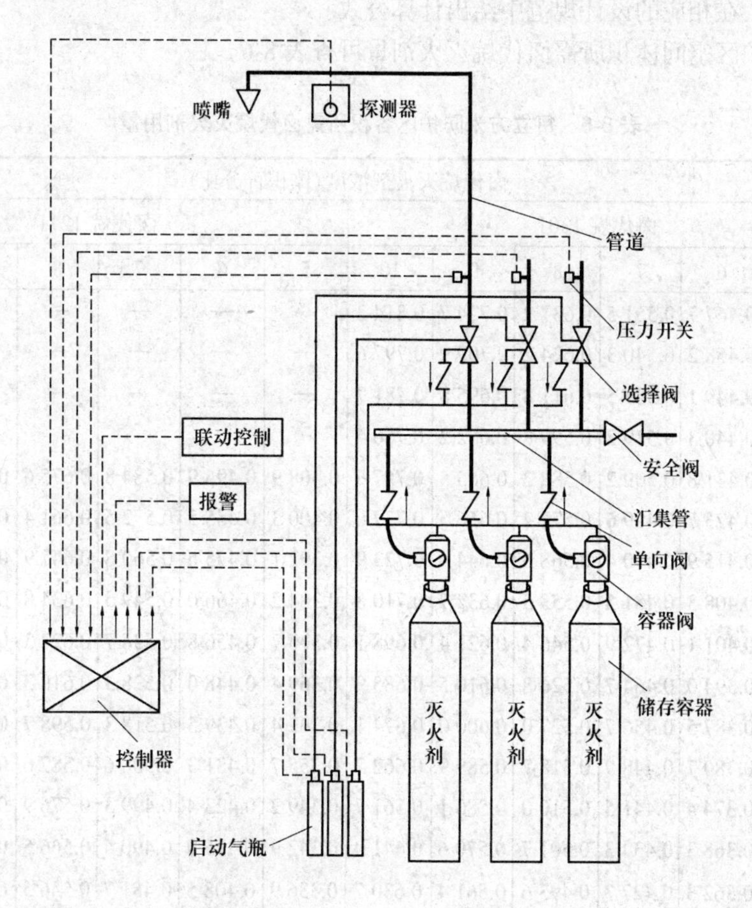

图 8-10　气体灭火系统组成示意图

中间的延时是考虑防护区内人员的疏散。另外，通过压力开关监测系统是否正常工作，若启动指令发出，而压力开关的信号迟迟不返回，说明系统故障，值班人员听到事故报警，应尽快实施人工启动。系统的工作过程可用图 8-11 所示框图表示。

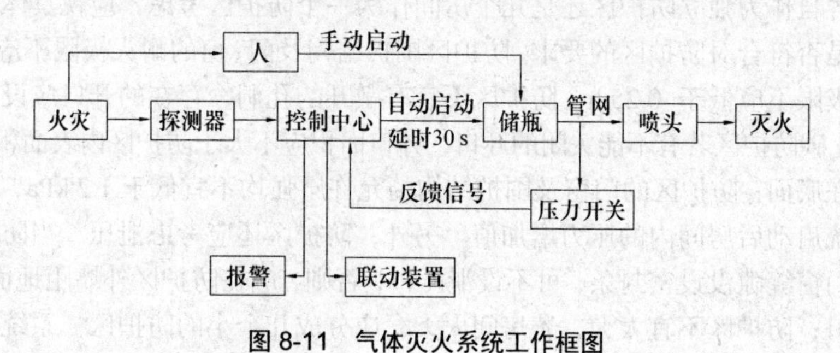

图 8-11　气体灭火系统工作框图

三、气体灭火系统的性能要求

(一)灭火剂需用量

灭火剂需用量根据防护区的大小、环境温度、保护对象的性质及选用气体灭火系统的类型等确定，在相应的设计规范中给出计算公式。

单位防护区空间体积所需卤代烷灭火剂量可查表 8-6。

表 8-6　每立方米防护区容积所需卤代烷灭火剂用量　　（单位：kg / m^3）

温度(℃)	卤代烷灭火剂浓度(体积百分比)											
	卤代烷 1301						卤代烷 1211					
	5	6	7	8	9	10	5	6	7	8	9	10
–20	0.385 7	0.467 7	0.551 5	0.637 2	0.724 7	0.814 2	—	—	—	—	—	—
–15	0.377 8	0.458 2	0.540 3	0.624 2	0.709 9	0.797 6	—	—	—	—	—	—
–10	0.370 3	0.449 1	0.529 5	0.611 8	0.695 8	0.781 7	—	—	—	—	—	—
–5	0.363 0	0.440 3	0.519 2	0.599 8	0.682 2	0.766 4						
0	0.356 1	0.431 8	0.509 2	0.588 2	0.665 5	0.757 6	0.408 9	0.495 9	0.584 8	0.675 6	0.768 4	0.863 2
5	0.349 4	0.423 7	0.499 6	0.577 2	0.656 5	0.737 6	0.400 3	0.485 5	0.572 5	0.661 4	0.752 3	0.845 2
10	0.342 9	0.415 9	0.490 4	0.568 6	0.644 4	0.723 9	0.392 1	0.475 6	0.560 8	0.647 9	0.736 9	0.827 8
15	0.336 7	0.408 3	0.481 5	0.553 3	0.632 7	0.710 8	0.384 2	0.466 0	0.549 5	0.634 8	0.720 0	0.811 2
20	0.330 7	0.401 1	0.472 9	0.546 4	0.621 4	0.698 1	0.376 7	0.456 8	0.538 7	0.622 3	0.707 8	0.795 2
25	0.324 0	0.394 0	0.464 7	0.526 8	0.610 5	0.685 9	0.369 4	0.448 0	0.528 3	0.610 3	0.694 1	0.779 8
30	0.313 9	0.387 5	0.456 7	0.527 0	0.600 0	0.674 1	0.362 4	0.439 5	0.518 3	0.598 7	0.681 0	0.765 1
35	0.308 7	0.380 7	0.448 9	0.518 7	0.589 9	0.662 7	0.355 7	0.431 3	0.508 6	0.587 6	0.668 3	0.750 8
40	0.303 7	0.374 4	0.441 5	0.510 0	0.580 1	0.561 7	0.349 2	0.423 4	0.499 3	0.576 9	0.656 1	0.737 1
45	0.298 8	0.368 3	0.434 3	0.501 7	0.570 6	0.641 0	0.342 9	0.415 9	0.490 4	0.566 5	0.644 3	0.723 9
50	0.294 0	0.362 3	0.427 3	0.493 6	0.561 4	0.630 7	0.336 9	0.408 5	0.481 7	0.556 5	0.633 0	0.711 1

(二) 对防护区的要求

防护区指设置气体灭火系统保护的场所。为了确保气体灭火系统能够将火彻底扑灭，防护区应满足一定的要求，这一点非常重要。防护区应以固定的封闭空间来划分。几个相连的房间是各自作为独立防护区还是几个房间作为一个防护区考虑，应视具体情况确定，主要依据其是否符合对防护区的要求。防护区围护结构及门、窗的耐火极限不应低于 0.5 h，吊顶的耐火极限不应低于 0.25 h；防护区不宜有敞开的孔洞，存在的开口应设置自动关闭装置。二氧化碳防护区若有不能关闭的开口，开口面积应不大于防护区内表面积的 3 %，且开口不应设在底面；防护区的门窗及围护结构的允许压强均不宜低于 1.2 kPa，使其能够承受住灭火系统启动后房间内的压力增加值。另外，防护区还应考虑泄压，当防护区设有防爆泄压孔或门窗缝隙没设密封条，可不设泄压口，否则，应在防护区外墙距地面 2 / 3 以上处设置泄压口；防护区不宜太大，若房间太大，应分成几个小的防护区。系统启动前，应关闭通风机和通风管道的防火阀，停止空调及影响灭火效果的生产操作。

(三) 对储瓶间的要求

气体灭火系统应有专用的储瓶间，放置系统设备，以便于系统的维护管理。对储瓶间的要求基本同消防水泵房，储瓶间耐火极限不低于二级，应有安全出口，应具有良好的通风设施。

（四）系统的启动控制

气体灭火系统应具有自动控制启动、手动控制启动、机械应急操作三种方式。自动控制启动应采用复合探测，如图 8-12 所示，在同时接到两个相互独立的火灾探测器的信号后，才启动系统；机械应急操作应在一个地方一次完成，以保证灭火剂喷射时间。

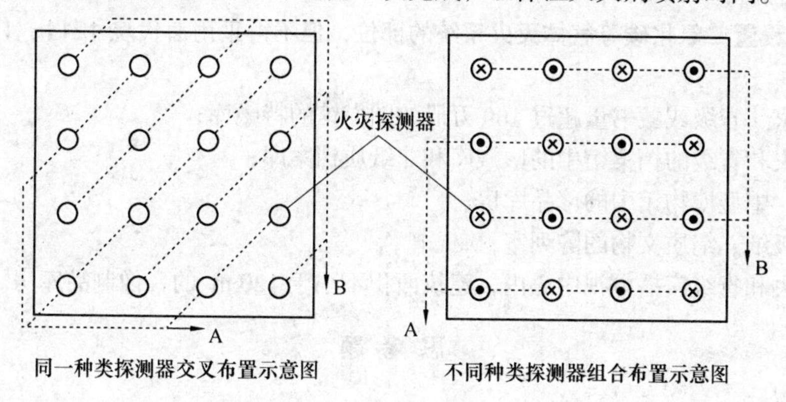

图 8-12　复合火灾探测方式

（五）系统的安全措施

由于气体灭火系统有一定的毒性危害，因此应有一定的安全措施，以避免其启动后对人的威胁。

(1)防护区应设火灾声光报警器，必要时，防护区的入口处应设光报警器。

(2)防护区入口处应设灭火系统防护标志和灭火剂释放指示灯，防护标志应标明灭火剂释放对人的危害，遇到火灾应采取的自我保护措施和其他注意事项。灭火剂释放指示灯提示人们不要误入防护区。

(3)防护区应有能在 30 s 内使该区域人员疏散完毕的走道和出口，在疏散走道和出口处，应设火灾事故照明和疏散指示标志。

(4)防护区的门应向疏散方向开启，并能自动关闭，且保证在任何情况下均能从防护区内打开。

(5)设有气体灭火系统的建筑物应配备专用的空气呼吸器或氧气呼吸器。

(6)地下防护区和无窗或固定窗扇的地上防护区，应设机械排风装置。

四、气体灭火系统设置部位

（一）应设置气体灭火系统的部位

(1)省级或超过 100 万人口城市广播电视发射塔楼内的微波机房，分米波机房，米波机房，变、配电室和不间断电源(UPS)室。

(2)国际电信局、大区中心、省中心和一万路以上的地区中心的长途程控交换机房、控制室和信令转接点室。

(3)二万线以上的市话汇接局和六万门以上的市话端局程控交换机房、控制室和信令转接点室。

(4)中央及省级治安、防灾、网局级及以上的电力等调度指挥中心的通信机房和控制室。

(5) 主机房的建筑面积不小于 140 m^2 的电子计算机房中的主机房和基本工作间的已记录磁(纸)介质库；当有备用主机和备用已记录磁(纸)介质，且设置在不同建筑内或同一建筑内的不同防火分区内时，亦可采用预作用自动喷水灭火系统。

(6) 其他特殊重要设备室。

(二) 应设置二氧化碳等气体灭火系统的部位，但不得采用卤代烷 1211、1301 灭火系统

(1) 国家、省级或藏书量超过 100 万册的图书馆的特藏库；

(2) 中央和省级的档案馆中的珍藏库和非纸质档案库；

(3) 大、中型博物馆中的珍品库房；

(4) 一级纸、绢质文物的陈列室；

(5) 中央和省级广播电视中心内，建筑面积不小于 120 m^2 的音像制品库房。

思考题

1. 设置建筑灭火设施的意义是什么?
2. 常用的建筑灭火设施有哪些?
3. 消火栓给水系统用于哪些场所?
4. 消火栓给水系统的主要组件有哪些?
5. 简述消火栓给水系统的工作过程。
6. 闭式自动喷水灭火系统有几种类型?各类系统有什么特点?
7. 自动喷水灭火系统主要组件有哪些?其作用是什么?
8. 简述湿式自动喷水灭火系统的工作过程。
9. 闭式自动喷水灭火系统的应用场所有哪些?
10. 开式自动喷水灭火系统有几种类型?各类系统有什么特点?
11. 雨淋喷水灭火系统常用于哪些场所?
12. 水喷雾灭火系统常用于哪些场所?
13. 水幕系统常用于哪些场所?
14. 气体灭火系统有哪些显著特点?
15. 简述气体灭火系统的组成及工作过程。
16. 气体灭火系统对防护区有哪些要求?
17. 设置气体灭火系统的场所要有哪些安全措施?

第九章　防排烟系统与通风防火

第一节　概　述

一、火灾烟气的组成

火灾烟气的成分和性质首先取决于发生热解和燃烧的物质本身的化学组成，其次还与燃烧条件有关，即指环境的供热条件、空间时间条件和供氧条件。火灾烟气中含有燃烧和热分解所生成的气体(如一氧化碳、二氧化碳、氯化氢等)、悬浮在空气中的液态颗粒(由蒸气冷凝而成的均匀分散的焦油类粒子和高沸点物质的凝缩液滴等)和固态颗粒(由燃料充分燃烧后残留下来的灰烬和炭黑固体粒子)。火灾烟气的毒性是由燃烧的材料所决定的，火灾时各种可燃物质燃烧生成的有毒气体见表 9-1。

表 9-1　各种可燃物质燃烧时生成的有毒气体

物质名称	燃烧时产生的主要有毒气体
木材、纸张	二氧化碳(CO_2)、一氧化碳(CO)
棉花、人造纤维	二氧化碳(CO_2)、一氧化碳(CO)
羊毛	二氧化碳(CO_2)、一氧化碳(CO)、硫化氢(H_2S)、氨(NH_3)、氰化氢(HCN)
聚四氟乙烯	二氧化碳(CO_2)、一氧化碳(CO)
聚苯乙烯	苯(C_6H_6)、甲苯($C_6H_5CH_3$)、二氧化碳(CO_2)、一氧化碳(CO)、乙醛(CH_3CHO)
聚氯乙烯	二氧化碳(CO_2)、一氧化碳(CO)、氯化氢(HCl)、光气($COCl_2$)、氯气(Cl_2)
尼龙	二氧化碳(CO_2)、一氧化碳(CO)、氨(NH_3)、氰化物(HCN)、乙醛(CH_3CHO)
酚树脂	一氧化碳(CO)、氨(NH_3)、氰化物(HCN)
三聚氢胺—醛树脂	一氧化碳(CO)、氨(NH_3)、氰化物(HCN)
环氧树脂	二氧化碳(CO_2)、一氧化碳(CO)、丙醛(C_3H_6O)

由于火灾时参与燃烧的物质比较复杂，尤其是发生火灾的环境条件千差万别，所以火灾烟气的组成相当复杂，火灾在发生、发展和熄灭各阶段中所生成的气体是不同的。图 9-1 为日本进行实体火灾试验所得到的着火房间内的气体成分变化情况。

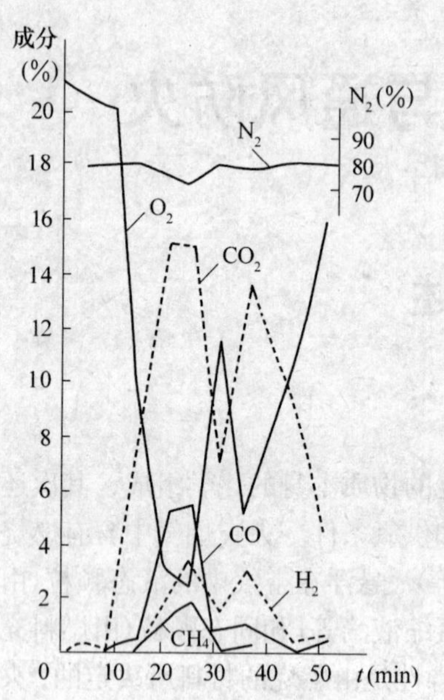

图 9-1　着火房间内气体成分变化曲线

二、火灾烟气的浓度

火灾中的烟气浓度，一般有质量浓度、粒子浓度和光学浓度三种表示法。在建筑物发生火灾时，其内部充满烟和其他燃烧产物，影响火场的能见距离，从而妨碍人员的安全疏散，阻碍消防人员扑救火灾，因此在此仅介绍烟的光学浓度。

当可见光通过烟层时，烟粒子使光线的强度减弱，光线减弱的程度与烟气的浓度之间存在函数关系。光学浓度就是由光线通过烟层后的能见距离，求出减光系数 C_S 来表示的。设光源与受光物体之间的距离为 L，无烟时受光物体处的光线强度为 I_0，有烟时光线强度为 I，则根据朗伯—比尔定律得：

$$I = I_0 \mathrm{e}^{-C_S L}$$

或者

$$C_S = \frac{1}{L}\ln\frac{I_0}{I}$$

式中　C_S——烟的减光系数，m^{-1}；

L——光源与受光体之间的距离，m；

I_0——光源处的光强度，cd；

I——有烟时光线强度，cd。

从上式可以看出，当 C_S 值愈大时，亦即烟的浓度愈大时，光线强度 I 就愈小；I 值愈大时，亦即距离愈远时，C_S 值就愈小，这一点与人们在火场的体验是一致的。

三、能见距离

火灾烟气使人们辨认目标的能力大大降低，在疏散时看不清周围的环境，甚至会辨不清疏散方向，找不到安全出口，影响人员安全疏散。各国普遍认为当能见距离降到 3 m 以下时，逃离火场就十分困难了。

研究表明，烟的减光系数与能见距离之积为常数 C。其数值因观察目标的不同而不同。例如，疏散通道上的反光标志、疏散门等，$C=2\sim4$；对发光型标志、指示灯等，$C=5\sim10$。用公式表示：

反光型标志及门的能见距离

$$D \approx \frac{2\sim4}{C_S} \quad (\mathrm{m})$$

发光型标志及白天窗的能见距离

$$D \approx \frac{5\sim10}{C_S} \quad (\mathrm{m})$$

能见距离与烟气浓度的关系可以从图 9-2 和图 9-3 的试验结果予以说明。

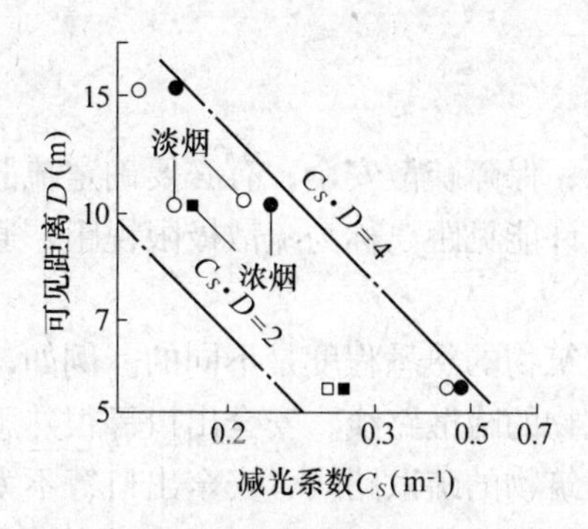

图 9-2 反光型标志的能见距离

○●反射系数为 0.7

□■反射系数为 0.3

室内平均照度为 40 lx

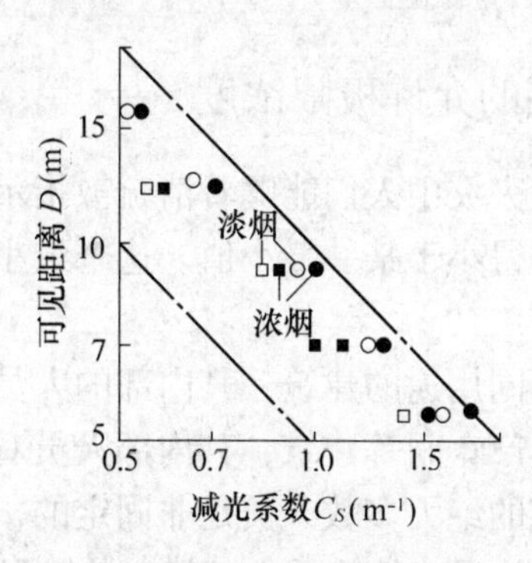

图 9-3 发光型标志的能见距离

○●20 cd / m²

□■500 cd / m²

室内平均照度为 40 lx

有关室内装饰材料等反光型材料的能见距离和不同功率电光源的能见距离，分别列于表 9-2 和表 9-3 中。

表 9-2 反光型饰面材料的能见距离 D　（单位：m）

反光系数	室内饰面材料名称	烟的浓度 C_S（m⁻¹）					
		0.2	0.3	0.4	0.5	0.6	0.7
0.1	红色木地板、黑色大理石	10.40	6.93	5.20	4.16	3.47	2.97
0.2	灰砖、菱苦土地面、铸铁、钢铁地面	13.87	9.24	6.93	5.55	4.62	3.96
0.3	红砖、塑料贴地板、混凝土地面、红色大理石	15.98	10.59	7.95	6.36	5.30	4.54
0.4	水泥砂浆抹面	17.33	11.55	8.67	6.93	5.78	4.95
0.5	有窗未挂帘的白墙、木板、胶合板、灰白色大理石	18.45	12.30	9.22	7.23	6.15	5.27
0.6	白色大理石	19.36	12.90	9.68	7.74	6.45	5.53
0.7	白墙、白色水磨石、白色调和漆、白水泥	20.13	13.42	10.06	8.05	6.93	5.75
0.8	浅色瓷砖、白色乳胶漆	20.80	13.86	10.40	8.32	6.93	5.94

表 9-3 发光型标志的能见距离 D　（单位：m）

I_0（lm / m²）	电光源类型	功率(W)	烟的浓度 C_S(m⁻¹)				
			0.5	0.7	1.0	1.3	1.5
2 400	荧光灯	40	16.95	12.11	8.48	6.52	5.65
2 000	白炽灯	150	16.59	11.85	8.29	6.38	5.53
1 500	荧光灯	30	16.01	11.44	8.01	6.16	5.34
1 250	白炽灯	100	15.56	11.18	7.82	6.02	5.22
1 000	白炽灯	80	15.21	10.86	7.60	5.85	5.07
600	白炽灯	60	14.18	10.13	7.09	5.45	4.73
350	白炽灯、荧光灯	40.8	13.13	9.36	6.55	5.04	4.37
222	白炽灯	25	12.17	8.70	6.09	4.68	4.06

四、烟的允许极限浓度

为了使火灾中人们能够看清疏散指示标志，保障疏散安全，有必要确定疏散时人们的能见距离不得小于某一最小值。这个最小的允许能见距离称为疏散极限视距，通常用 D_{min} 表示。

对于不同用途的建筑，其内部的人员对建筑物的熟悉程度是不同的。例如，住宅楼、教学楼、生产车间等建筑，其内部人员对建筑物的疏散路线、安全出口等很熟悉；而各类旅馆等建筑的绝大多数人员是非固定的，对建筑物的疏散路线、安全出口等不太熟悉。因此，对于不熟悉建筑物的人，其疏散极限视距要求规定大，D_{min}=30 m；对于熟悉建筑物的人，其疏散极限视距要求规定小，D_{min}=5 m。则要看清疏散通道上的门和反光型标志烟的允许极限浓度 C_{Smax} 为：

对于不熟悉建筑物的人，C_{Smax} =0.07 ~ 0.13 m^{-1}，平均为 0.1 m^{-1}；

对于熟悉建筑物的人，C_{Smax} =0.2 ~ 0.4 m^{-1}，平均为 0.3 m^{-1}。

在任何情况下都能保证安全疏散的烟气浓度为 0.1 m^{-1}。火灾房间的烟气浓度根据试验取样检测，一般为 25 ~ 30 m^{-1}。因此，为了保障疏散安全，无论是熟悉建筑物的人，还是不熟悉建筑物的人，烟气在走道里的浓度只允许为着火房间内烟气浓度的 1 / 300（0.1 / 30）的程度。

五、火灾烟气的危害

火灾烟气是一种混合物，包括：①可燃物热解或燃烧产生的气相产物，如未燃燃气、水蒸气、CO_2、CO 及多种有毒或有腐蚀性的气体；②由于卷吸而进入的空气；③多种微小的固体颗粒和液滴。其主要危害如下：

(1) 烟气的毒性。烟气中含有大量有毒气体，研究表明，火灾中死亡人员约有一半是由于 CO 中毒引起的，尽管现有火灾数据还无法提供其他有毒气体对人员死亡的可能影响，但大多数研究机构已达成共识，即火灾燃烧的副产物能对人产生极大危害，且多种气体的共同存在可能加强毒性，而这并不一定需要医疗方面的证据加以证实。

(2) 烟气的高温危害。火灾烟气的高温对人、对物都可产生不良影响。研究表明，人暴露在高温烟气中，65℃时人可短时忍受，在 100℃左右时，一般人只能忍受几分钟，则会使口腔及喉头肿胀而发生窒息。

(3) 烟气的遮光性。光学测量发现烟气具有很强的减光作用，使得人们在有烟场合下能见度大大降低，给现场带来恐慌和混乱状态，严重妨碍人员安全疏散和消防人员扑救。

六、火灾烟气的控制

一般建筑（特别是高层建筑）发生火灾后，烟气在室内外温差引起的烟囱效应、燃烧气体的浮力和膨胀力、风力、通风空调系统、电梯的活塞效应等驱动力的作用下，会迅速从着火区域蔓延，传播到建筑物内其他非着火区域，甚至传到疏散通道，严重影响人员逃生及灭火。因此，有效的烟气控制是保护人们生命财产安全的重要手段。所谓烟气控制即指通过有效的防排烟设计，控制烟气的合理流动，从而最大限度地保护人们的生命财产安全。

防、排烟作用主要有以下三个方面。

(1)为安全疏散创造有利条件。防、排烟设计与安全疏散和消防扑救关系密切，是综合防火设计的一个组成部分，在进行建筑平面布置和室内装修材料以及防、排烟方式的选择时，应综合加以考虑。火灾统计和试验表明：凡设有完善的防、排烟设施和自动喷水灭火系统的建筑，一般都能为安全疏散创造颇为有利的条件。

(2)为消防扑救创造有利条件。火场实际情况表明，如消防人员在建筑物处于熏烧阶段，房间充满烟雾的情况下进入火场区。由于浓烟和热气的作用，往往使消防人员睁不开眼，呛得透不过气，看不清着火区情况，从而不能迅速准确地找到起火点，大大影响灭火战。如果采取有效的防、排烟措施，则情况就有很大不同，消防人员进入火场时，火场区的情况看得比较清楚，可以迅速而准确地确定起火点，判断出火势蔓延的方向，及时扑救，最大限度地减少火灾损失。

(3)可控制火势蔓延扩大。试验情况表明，有效的防烟分隔及完善的排烟设施不但能排除火灾时产生的大量烟气，还能排除一场火灾中 70%～80%的热量，起到控制火势蔓延的作用。

七、防排烟系统中的相关名词

(1)防烟楼梯间。一类建筑和除单元式和通廊式住宅外的建筑高度超过 32 m 的二类建筑以及塔式住宅，均应设防烟楼梯间。具体规定如下：

①楼梯间入口处应设前室、阳台或凹廊。

②前室的面积，公共建筑不应小于 6 m^2，居住建筑不应小于 4.5 m^2。

③前室和楼梯间的门均应为乙级防火门，并应向疏散方向开启。

高层建筑的裙房和除单元式建筑和通廊式住宅外的建筑高度不超过 32 m 的二类建筑，可以只设封闭楼梯间，具体规定详见有关文献。

(2)疏散通道。它是指当火灾发生时，人员从房间经走道到前室再进入防烟楼梯间的消防通路。此外，国外也有利用消防电梯作为人员逃生的垂直疏散通道。

(3)消防电梯。普通电梯的平面布置，一般都敞开在走道或电梯厅，且无防烟、防水等措施，火灾时必须停止使用。

高度超过 24 m 的一类公共建筑、十层及十层以上的塔式住宅、十二层及十二层以上的单元式住宅和通廊式住宅、高度超过 32 m 的二类建筑都必须设置消防电梯。消防电梯平时可与普通电梯兼用，发生火灾时，仅供消防队员登高扑救火灾使用。因此，其设置必须遵循有关规范规定，详见有关文献。

(4)前室。防烟楼梯间或消防电梯的入口处均应设有一小室，称为前室。发生火灾时，前室可起一定的防烟作用；还可以使不能同时进入楼梯间的人在前室内短暂停留，以减缓楼梯间的拥挤程度；此外，还在一定程度上削弱楼梯间或电梯井的烟囱效应。有时防烟楼梯间与消防电梯的入口处共用一个小室，称为合用前室。

(5)避难层。建筑高度超过 100 m 的公共建筑，一旦遇有火灾，要将建筑物内的人员完全疏散到室外比较困难，此时应在建筑物内部设置避难层(或避难间)。由于避难层是发生火灾时人员逃避火灾威胁的安全场所，因此对设置避难层的技术条件有严格规定，详见第四章。

第二节 建筑防排烟系统

防排烟系统设计的目的是将火灾时产生的大量烟气及时予以排除，以及阻止烟气从着火区向非着火区蔓延扩散，特别是防止烟气侵入作为疏散通道的走廊、楼梯间及其前室，以确保建筑物内人员顺利疏散、安全避难和为消防队员扑救创造有利条件。防排烟系统设计的指导思想是当一幢建筑物内部某个房间或部位发生火灾时，迅速采取必要的防排烟措施，对火灾区域实行排烟控制，使火灾产生的烟气和热量能迅速排除，以利人员的疏散和扑救；对非火灾区域及疏散通道等迅速采用机械加压送风的防烟措施，使该区域的空气压力高于火灾区域的空气压力，阻止烟气的侵入，控制火势的蔓延。

一、防排烟设施组成和一般规定

(1)高层建筑的防烟设施应分为机械加压送风的防烟设施和可开启外窗的自然排烟设施。

(2)高层建筑的排烟设施应分为机械排烟设施和可开启外窗的自然排烟设施。

(3)一类高层建筑和建筑高度超过 32 m 的二类高层建筑的下列部位应设排烟设施：

①长度超过 20 m 的内走道。

②面积超过 100 m^2，且经常有人停留或可燃物较多的房间。

③高层建筑的中庭和经常有人停留或可燃物较多的地下室。

(4)通风、空气调节系统应采取防火、防烟措施。

(5)机械加压送风和机械排烟的风速，应符合下列规定：

①采用金属风道时，不应大于 20 m / s。

②采用内表面光滑的混凝土等非金属材料风道时，不应大于 15 m / s。

③送风口的风速不宜大于 7 m / s；排烟口的风速不宜大于 10 m / s。

二、防火与防烟分区的划分

(一)防火分区

划分防火分区就是把建筑物平面和空间划分为若干防火单元，以便把火势控制在起火单元，阻止火势进一步蔓延并将其扑灭，从而有利于消防扑救和减少火灾损失。每个防火分区之间用防火墙、耐火楼板、防火卷帘或防火门隔断。每个防火分区允许的最大建筑面积见本书第三章表 3-3。

划分防火分区的方法如下：

(1)水平防火分区用防火墙、防火卷帘或防火门将各楼层在水平方向分成若干防火分区。

(2)垂直防火分区一般宜每层划分，用耐火楼板和窗间墙(上下窗之间的距离不小于 1.2 m)将上下层隔开，当上下层设有走廊、自动扶梯、传送带等开口部位时，应将相连通的各层作为一个防火分区考虑，即连通部分各层面积之和不应超过允许的水平防火分区的面积。

(3)所有通过楼板的竖井，如电缆井、排烟井、管道井等应单独设置防火分区，要求管井材料为非燃烧体，竖井与每层楼板(或者相隔 2 ~ 3 层楼板)之间的缝隙处应用耐火材料充填作为防火分隔。

(二)防烟分区

划分防烟分区的目的是为了把火灾烟气控制在一定范围内，并通过排烟设施迅速排除。现行《高层民用建筑设计防火规范》规定：设置排烟设施的走道，净高不超过 6 m 的房间，应划分防烟分区。划分防烟分区主要是采用挡烟垂壁、隔墙，或从顶棚下凸出不小于 0.5 m 的挡烟梁等措施来实现，如图 9-4 所示。

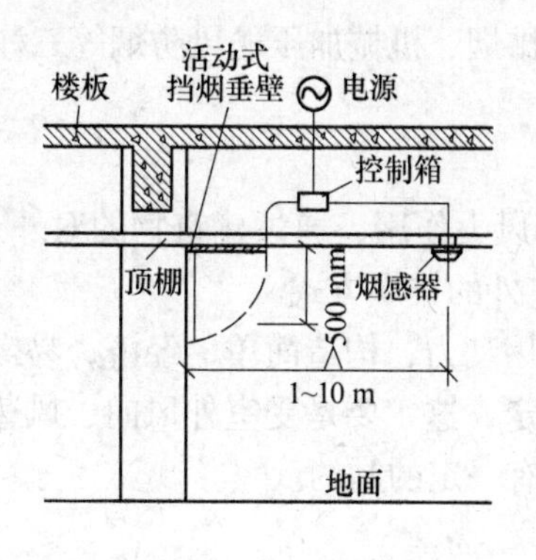

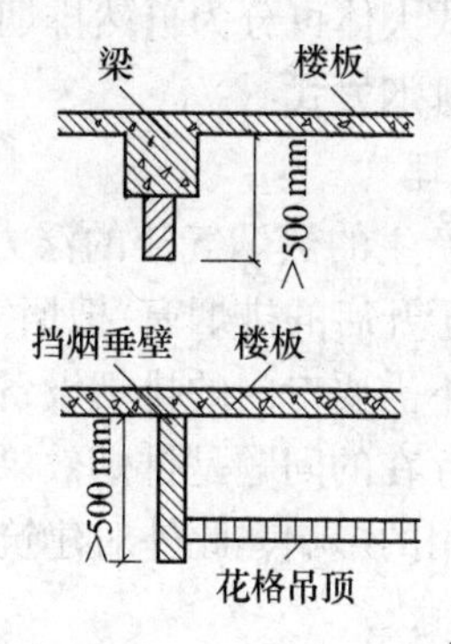

图 9-4　挡烟垂壁

1．防烟分区的划分要求

(1)防烟分区不应跨越防火分区。

(2)每个防烟分区的建筑面积不宜超过 500 m²。对地下建筑，鉴于烟气造成的严重危害，则要严格控制不应超过 500 m²。

(3)通常是以建筑物的每个楼层划分防烟分区的，一个楼层可以包括一个以上的防烟分区。有些情况下，如建筑每层面积远小于 500 m²时，为节约投资，一个防烟分区可以跨越一个以上的楼层，但一般不宜超过 3 层，最多不应超过 5 层。

(4)疏散楼梯间及其前室和消防电梯间及其前室作为疏散和扑救的主要通道，应单独划分防烟分区，并采用良好的防排烟设施。对于超高层建筑设置的避难间或避难层，不论面积多大，都应单独划分防烟分区，并有良好的防排烟设施。

(5)对一类高层建筑和高度超过 32 m 的二类高层建筑，当无自然采光和通风的内走道长度超过 20 m、一端有自然采光和通风的内走道长度超过 40 m，以及两端有自然采光和通风的内走道长度超过 60 m 时，一般是和相邻的房间划分为同一防烟分区，而在一些重要的建筑物中，也可以把走道单独划分为防烟分区，并设置排烟设施，其分区面积不宜超过 500 m²。

2．隔烟装置

(1)挡烟垂壁。挡烟垂壁起阻挡烟气的作用，同时可提高防烟分区排烟口的吸烟效果。挡烟垂壁应用不燃材料制作，如钢板、夹丝玻璃、钢化玻璃等。挡烟垂壁可采用固定式或活动式的，当建筑物净空较高时可采用固定式的，将挡烟垂壁长期固定在顶棚面上；当建筑物净空较低时，宜采用活动式的挡烟垂壁，其应由感烟探测器控制，或与排烟口联动，受消防控制中心控制，但同时应能就地手动控制。活动挡烟垂壁落下时，其下端距地面的高度应大于 1.8 m。

(2) 挡烟隔墙。从挡烟效果看，挡烟隔墙比挡烟垂壁的效果要好些，因此要求在成为安全区域的场所，宜采用挡烟隔墙。

(3) 挡烟梁。有条件的建筑物可利用从顶棚下凸出不小于 0.5 m 的钢筋混凝土梁或钢梁进行挡烟。

三、防排烟方式

防排烟方式大体可分为自然排烟、机械排烟、机械加压送风防烟等三种方式。

(一) 自然排烟方式

1．基本原理

利用火灾产生的热烟气流的浮力和外部风力作用，通过建筑物的对外开口(阳台或设置在外墙上便于开启的排烟窗)把烟气排至室外的排烟方式。

这种方式不需要专门的排烟设备，不使用动力，构造简单，经济，易操作，平时可兼作换气用。其存在的问题是排烟效果不太稳定，这主要是受室外风向、风速和建筑本身的密封性或热作用的影响，此外对建筑设计也有一定的制约。

2．设置要求

自然排烟方式可分为利用可开启外窗的自然排烟和利用室外阳台或凹廊的自然排烟两种(图 9-5)。需要说明的是，为安全起见和提高建筑的利用面积，对无窗房间、内走道和前室设置专用排烟竖井、排烟口的自然排烟方式已被取消。根据现行《高层民用建筑设计防火规范》的规定，采用自然排烟方式的部位和要求是：

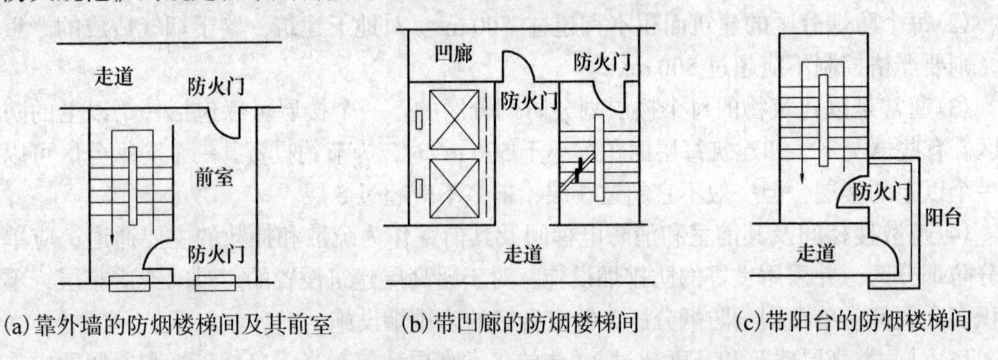

(a) 靠外墙的防烟楼梯间及其前室　(b) 带凹廊的防烟楼梯间　(c) 带阳台的防烟楼梯间

图 9-5　利用阳台、凹廊及外窗的自然排烟

(1) 除建筑高度超过 50 m 的一类公共建筑和建筑高度超过 100 m 的居住建筑外，靠外墙的防烟楼梯间及其前室、消防电梯间前室和合用前室，宜采用自然排烟方式。

(2) 采用自然排烟的开窗面积应符合下列规定：

①防烟楼梯间前室、消防电梯间前室可开启外窗面积不应小于 2.00 m^2，合用前室不应小于 3.00 m^2。

②靠外墙的防烟楼梯间每五层内可开启外窗总面积之和不应小于 2.00 m^2。

③长度不超过 60 m 的内走道可开启外窗面积不应小于走道面积的 2%。

④需要排烟的房间可开启外窗面积不应小于该房间面积的 2%。

⑤净空高度小于 12 m 的中庭可开启的天窗或高侧窗的面积不应小于该中庭地面积的 5%。

(3) 防烟楼梯间前室或合用前室，利用敞开的阳台、凹廊或前室内有不同朝向的可开启外窗自然排烟时，该楼梯间可不设防烟设施。

(4) 排烟窗宜设置在上方，并应有方便开启的装置。

(5) 长度超过 20 m，但不超过 60 m 的内走道，其可开启外窗面积或排烟口面积不应小于走道面积的 2%。

(6) 面积超过 100 m^2 且经常有人停留或可燃物较多的地上房间，其可开启外窗面积或排烟口面积不应小于该房间面积的 2%。

(7) 经常有人停留或可燃物较多的地下室，其可开启外窗面积或排烟口面积不应小于该房间面积的 2%。

3．自然排烟设计要点

(1) 凡自然排烟口应设于房间净高的 1／2 以上，宜设在距顶棚或顶板下 800 mm 以内（以排烟口的下边缘计）。自然进风口应设于房间净高的 1／2 以下（以排烟口的上边缘计）。

(2) 内走道和房间的自然排烟口，至该防烟分区最远点应在 30 m 以内，如图 9-6 所示。

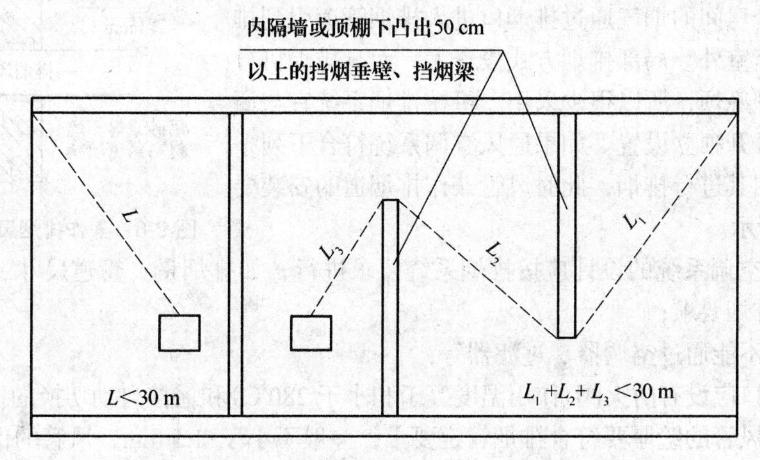

图 9-6　排烟口至防烟分区最远点的水平距离示意图

(3) 自然排烟窗、排烟口、送风口应由非燃材料制成，宜设置手动或自动开启装置，手动开关应设在距地坪 0.8～1.5 m 处。

(4) 多层房间公用一个排烟竖井时，其排烟方式如图 9-7 所示。

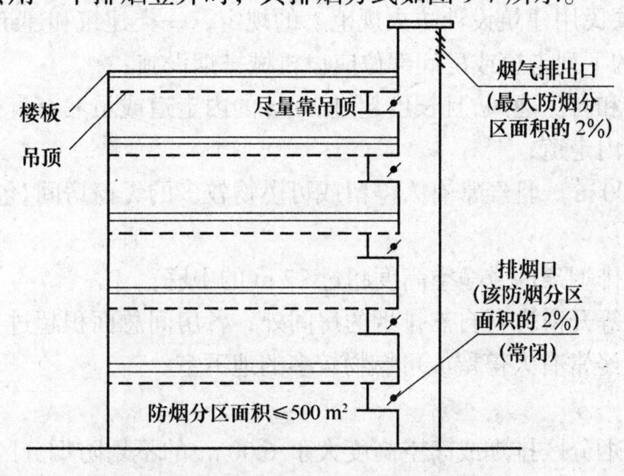

图 9-7　多层房间共用一个竖井的排烟方式

(二)机械排烟方式

1．基本原理

利用排烟机把着火房间中所产生的烟气通过排烟口排至室外。据有关资料介绍，一个设计优良的机械排烟系统在火灾时能排出 80%的热量，使火灾温度大大降低，从而对人员安全疏散和扑救起重要的作用。这种方式排烟效果稳定，特别是火灾初期能有效地保证非着火层或区域的人员疏散和物资转移的安全。这种方式存在的缺点是，为了使建筑物的任何一个房间或部位发生火灾时都能有效地进行排烟，排烟机的容量必然选得较高，耐高温性能要求高，不但初投资大，而且维护管理费用也高。

2．设置要求

机械排烟可分为局部排烟和集中排烟两种方式。局部排烟方式是在每个需要排烟的部位设置独立的排烟机直接进行排烟；集中排烟方式是将建筑物划分为若干个系统，在每个系统设置一台大型排烟机，系统内的各个房间的烟气通过排烟口进入排烟管道引到排烟机直接排至室外。局部排烟方式投资大，而且排烟机分散，维修管理麻烦，所以很少采用。机械排烟系统宜与通风空调系统分开独立设置。如果通风空调系统符合下列条件，可以利用其进行排烟，此时风管兼作排烟道的安装要求如图 9-8 所示。

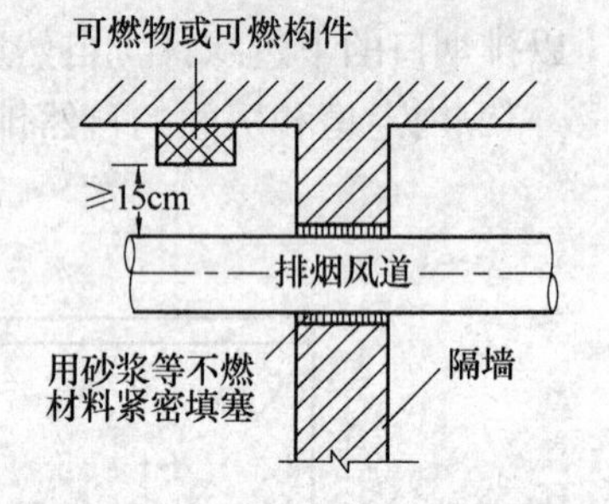

图 9-8　兼作排烟风管时的安装要

(1)通风空调系统的设计应按排烟系统要求进行，如排烟量、管道尺寸、风机、电源等必须满足排烟要求；

(2)烟气不能通过空调器、过滤器等；

(3)排烟口应设有防火阀(作用温度等于和小于 280℃)和遥控自动切换的排烟阀；

(4)钢制风管的壁厚要符合排烟管道要求，一般不小于 1.5 mm，风管的保温材料包括胶粘剂必须采用不燃烧材料。

机械排烟系统由挡烟垂壁(活动式或固定式)、防火阀、排烟口、排烟管道、排烟机以及电气控制等设备组成，如图 9-9 所示。

3．设置部位

根据现行《高层民用建筑设计防火规范》的规定，一类建筑和建筑高度超过 32 m 的二类高层民用建筑的下列走道或房间部位应设机械排烟设施：

(1)无直接采光和自然通风，且长度超过 20 m 的内走道或虽然有直接采光和自然通风，但长度超过 60 m 的内走道；

(2)面积超过 100 m^2，且经常有人停留或可燃物较多的无窗房间(包括设固定窗扇的房间和地下室的房间)；

(3)不具备自然排烟条件或净空高度超过 12 m 的中庭；

(4)除利用窗井等开窗进行自然排烟的房间外，各房间总面积超过 200 m^2 或一个房间面积超过 50 m^2，且经常有人停留或可燃物较多的地下室。

4．机械排烟量

(1)担负一个防烟分区排烟或净空高度大于 6.00 m 的不划防烟分区的房间时，应按每平方米面积不小于 60 m^3 / h 计算(单台风机最小排烟量不应小于 7 200 m^3 / h)。

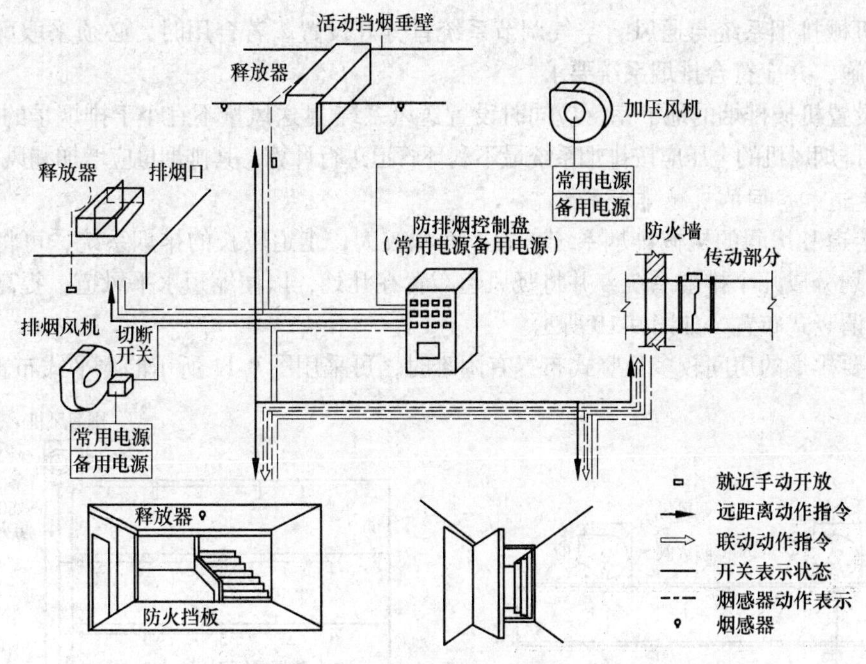

图 9-9 排烟系统组成示意图

(2)担负两个或两个以上防烟分区排烟时，应按最大防烟分区面积每平方米不小于 120 m^3/h 计算，系统排烟量最大值为 60 000 m^3/h。

(3)中庭体积小于 17 000 m^3 时，其排烟量按其体积的 6 次 / h 换气计算；中庭体积大于 17 000 m^3 时，其排烟量按其体积的 4 次 / h 换气计算；但最小排烟量不应小于 102 000 m^3/h。

5．排烟风机及排烟口设置

(1)带裙房的高层建筑防烟楼梯间及其前室，消防电梯间前室或合用前室，当裙房的以上部分利用可开启外窗进行自然排烟，裙房部分不具备自然排烟条件时，其前室或合用前室应设置局部正压送风系统。正压值应符合以下要求，机械加压送风机的全压，除计算最不利环管道压头损失外，尚应有余压。其余压应符合：①防烟楼梯间为 40～50 Pa；②前室、合用前室、消防电梯间前室、封闭避难层(间)为 25～30 Pa。

(2)排烟口应设在顶棚上或靠近顶棚的墙面上，且与附近安全出口沿走道方向相邻边缘之间的最小水平距离不应小于 1.50 m。设在顶棚上的排烟口，距可燃构件或可燃物的距离不应小于 1.00 m。排烟口平时关闭，并应设置有手动和自动开启装置。

(3)防烟分区内的排烟口距可燃构件或可燃物的距离不应超过 30 m，在排烟支管上应设有当烟气温度超过 280℃时能自行关闭的排烟防火阀。

(4)走道的机械排烟系统宜竖向设置，房间的机械排烟系统宜按防烟分区设置。

(5)排烟风机可采用离心风机或采用排烟轴流风机，并应在其机房入口处设有当烟气温度超过 280℃时能自动关闭的排烟防火阀。排烟风机应保证在 280℃时能连续工作 30 min。

(6)机械排烟系统中，当任一排烟口或排烟阀开启时，排烟风机应能自行启动。

(7)排烟管道必须采用不燃烧材料制作。安装在吊顶内的排烟管道，其隔热层应采用不燃烧材料制作，并应与可燃物保持不小于 150 mm 的距离。

(8)机械排烟系统与通风、空气调节系统宜分开设置。若合用时，必须采取可靠的防火安全措施，并应符合排烟系统要求。

(9)设置机械排烟的地下室，应同时设置送风系统,且送风量不宜小于排烟量的 50%。

(10)排烟风机的全压应按排烟系统最不利环管道进行计算，其排烟量应增加漏风系数。

6．走道和房间的机械排烟系统

(1)走道和房间的机械排烟系统布置。面积较大，走道较长的排烟系统，可将每个防烟分区，划分成几个排烟系统，并将竖风道布置在几处，以便缩短水平风道，提高排烟效果，即所谓竖式布置，如图 9-10 所示。

当需要排烟的房间较多且竖式布置有困难时，可采用图 9-11 所示的水平式布置。

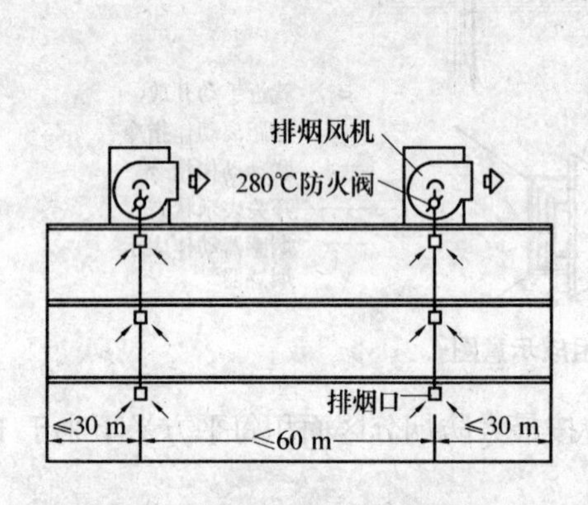

图 9-10 竖井布置的走道排烟系统

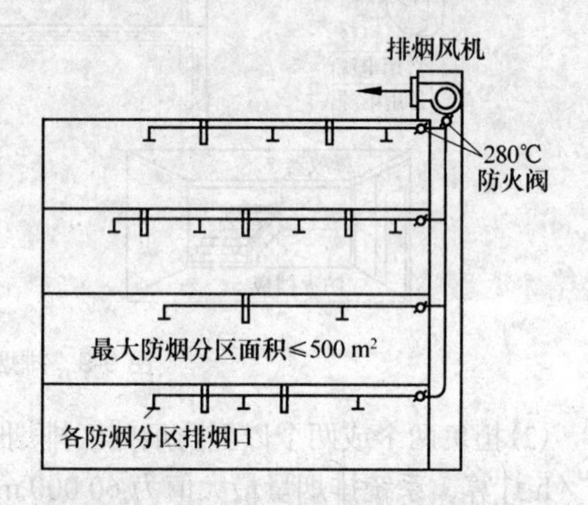

图 9-11 水平式布置的房间排烟系统

(2)走道和房间的排烟量。设置机械排烟系统的内走道和房间，其排烟量按表 9-4 及图 9-12 的原则确定。

表 9-4 走道和房间的排烟量标准

负担防烟分区个数	排烟量标准
负担一个防烟分区排烟时（包括净高大于 6 m 的大空间房间）	按该防烟分区面积每平方米不小于 60 m³／h 计算，且最少不小于 7 200 m³／h
负担两个或两个以上防烟分区时	按最大一个防烟分区面积每平方米不小于 120 m³／h 计算，且最大不宜超过 60 000 m³／h

注：①选择排烟风机时,应考虑 20%的漏风量；②设机械排烟的地下室房间,其机械补风量不宜小于排风量的 50%。

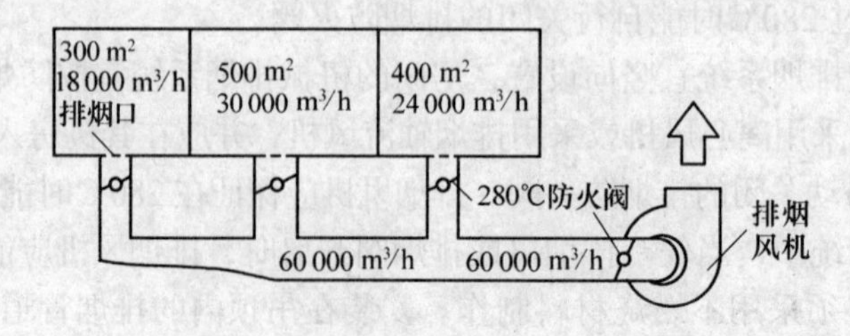

图 9-12 走道和排烟系统最大计算风量示图

7．机械排烟系统设计

设置机械排烟的走道和房间的排烟口应设在顶棚或靠近顶棚的墙面上，排烟口平时关闭，当发生火灾时仅开启着火层的排烟口，排烟口应设有手动、自动开启装置，手动开启装置的操作部位应设置在距地面 0.8 ~ 1.5 m 处。排烟口和排烟阀应与排烟风机连锁，当任一排烟口或排烟阀开启时，排烟风机即能启动。

机械排烟系统与通风和空气调节系统一般情况下应分开设置。特殊条件下，也可利用通风和空气调节系统进行排烟，但必须采取相应的安全措施，如设有在火灾时能将通风和空气调节系统自动切换为排烟系统的装置等。

1) 排烟口

⑴ 排烟口应设在顶棚上或靠近顶棚的墙面上，以利于烟气排出。且与附近安全出口沿走道方向相邻边缘之间的最小水平距离不应小于 1.5 m。

设在顶棚上的排烟口，距可燃构件或可燃物的距离不应小于 1 m。墙面上的排烟口宜设置在距顶棚 800 mm 以内的高度上，当顶棚高度超过 3 m 时，排烟口可设在距地面 2.1 m 以上的高度上。

⑵ 每个防烟分区内均应设置排烟口，排烟口至该防烟分区内最远点的水平距离不应超过 30 m。

⑶ 每个防烟分区可以设置一个或几个排烟口，要求做到一个防烟分区内的排烟口能同时开启，排烟量等于各排烟口排烟量的总和。

⑷ 合理布置排烟口，尽量考虑使烟气气流与人流疏散方向相反。

⑸ 一般排烟口平时常闭，排烟时通过手动或自动方式开启，手动复位。选用时应参阅相关产品样本，主要内容如下：

- 手动开启。人手操纵机械开关或电动开关使排烟口开启，分就地操作和远距离操作两种。就地操作时开启装置宜设在墙面上，距地面 0.8 ~ 1.5 m 处；从顶棚下垂时，距地面宜为 1.8 m。有些排烟口还同时具备远距离手动开启或 DC 24V 电讯号开启的功能，详见有关产品样本。
- 自动开启。分为与烟感器联动开启和温度熔断器动作两种。

⑹ 每个排烟系统，排烟口数量不宜多于 30 个。

⑺ 排烟口的尺寸，可根据烟气通过排烟口有效断面时的速度不大于 10 m / s 来计算，排烟口的最小面积不宜小于 0.04 m^2。根据排烟风速的要求，可按表 9-5 确定常用排烟口尺寸。不同类型、不同厂家的排烟口规格尺寸都不尽相同，应以厂家样本作为选择依据。

2) 排烟风道

⑴ 排烟风道的材料。风道材料必须为不燃烧材料，宜采用镀锌钢板或冷轧钢板，也可采用混凝土制品，但不宜采用砖砌风道(漏风量较大)。金属排烟风道其壁厚依风道大小取 0.8 ~ 1.2 mm；与防火阀门连接的排烟风道，穿过防火楼板或防火墙时，风道厚度应采用不小于 1.5 mm 的钢板制作。排烟时风道不应变形或脱落，同时应有良好的气密性。风道配件应采用钢板制作。

⑵ 排烟风道的保温。排烟风道应采用非燃材料进行保温隔热，采用玻璃纤维材料时，保温层厚度不应小于 25 mm。安装在吊顶内的排烟管道，其隔热层应采用不燃烧材料制作，并应与可燃物保持不小于 150 mm 的距离。

表 9-5 排烟口规格系列及排烟量表 （单位：m^3/h）

规格(mm×mm)	排烟量				
	排烟风速 6 m／s	排烟风速 7 m／s	排烟风速 8 m／s	排烟风速 9 m／s	排烟风速 10 m／s
200×200	864	1 008	1 152	1 296	1 440
250×250	1 350	1 575	1 800	2 025	2 250
250×320	1 728	2 016	2 304	2 592	2 380
300×300	1 944	2 268	2 592	2 916	3 240
250×400	2 160	2 520	2 880	3 240	3 600
300×400	2 592	3 024	3 456	3 888	4 320
250×500	2 700	3 150	3 600	4 050	4 500
300×500	3 240	3 780	4 320	4 860	5 400
250×630	3 402	3 969	4 536	5 103	5 670
400×400	3 456	4 032	4 608	5 184	5 760
300×600	3 888	4 536	5 184	5 832	6 480
400×500	4 320	5 040	5 760	6 480	7 200
400×600	5 184	6 048	6 912	7 776	8 640
500×500	5 400	6 300	7 200	8 100	9 000
500×600	6 480	7 560	8 640	9 720	10 800
400×800	6 912	8 064	9 216	10 368	11 520
600×600	7 776	9 072	10 368	11 664	12 960
500×800	8 640	10 080	11 520	12 960	14 400
600×800	10 368	12 096	13 824	15 552	17 280
500×1 000	10 800	12 600	14 400	16 200	18 000
600×1 000	12 960	15 120	17 280	19 440	21 600
800×800	13 824	16 128	18 432	20 736	23 040
800×1 000	17 280	20 160	23 040	25 920	28 800
1 000×1 000	21 600	25 200	28 800	32 400	36 000

(3)排烟风道的风速。采用金属材料风道时，风速不应大于 20 m／s；采用非金属材料风道时，风速不应大于 15 m／s，见表 9-6(1)

表 9-6(1) 机械防排烟系统允许最大风速

风道风口类别	允许最大风速（m／s）
金属风道	≤20
内表光滑的混凝土风道	≤15
排烟口	≤10
送风口	≤7

(4)排烟风道原则上不应穿越防火分区。垂直穿越各层的竖风道应采用由耐火材料构成的专用或合用管道井或采用混凝土风道。

(5)排烟管道在穿越排烟机房楼板或其防火墙处，在垂直排烟管道与每层水平排烟支管交接处的水平管段上，均应设置温度达到 280℃即关闭的排烟防火阀，并应符合下列要求。

● 该阀门应采用不小于 1.5 mm 厚的钢板制作。

● 该阀门必须牢固地固定在墙壁上或楼板上。

● 在便于检查阀门的部位应设置检查口，且能看清阀门叶片的开闭和动作状态。

● 防火墙与该阀门之间的风道，应作 10 mm 以上的耐火保护壳或采用厚度 1.5 mm 以上的钢板制作，采用受热时不宜变形的结构。

(6) 烟气排出口应采用 1.5 mm 厚的钢板或具有同等耐热性能的材料制作，此外烟气排出口的位置应考虑风速、风向、道路状况及周围建筑物等因素，确保排除烟气的同时不妨碍人员避难和灭火活动的进行。

3) 排烟风机

(1) 排烟风机可以采用离心风机或专用排烟轴流风机，并应在其机房入口处设有当烟气温度超过 280℃时能自动关闭的排烟防火阀。

(2) 排烟风机应设置在该排烟系统最高排烟口的上部，位于防火分区的机房内。当设在机房有困难时，也尽量使排烟风机与其所负担的房间或走道之间由墙体、楼板等隔开，以确保风机安全运行。

(3) 若排烟风机的设置地点为耐火构造，且当其热量向周围传递时，不会发生事故，此时机壳外可不保温。

(4) 为维修方便，离心风机外壳与墙壁或其他设备之间的距离不应小于 600 mm，如图 9-13(图中 *W* 均应大于 600 mm)。此外，离心风机应设在混凝土或钢架基础上。近年来生产的专用排烟轴流风机在应用上则有更大的灵活性。

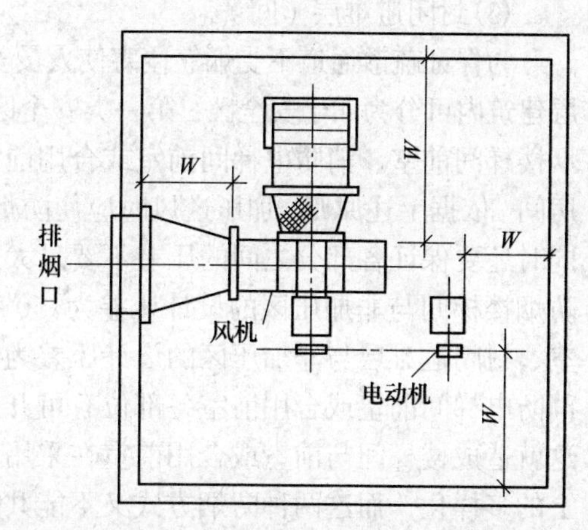

图 9-13　离心风机与墙壁、设备的距离

(5) 排烟风机应有备用电源并能自动切换。排烟风机应保证在 280℃时能连续工作 30 min。

(6) 对于自带发电机的排烟机房，还应设计用于排除余热的全面通风系统。

(7) 排烟风机应与该排烟系统的任一排烟口连锁，以确保任何一个排烟口开启且排烟风机都能自动启动。

(8) 排烟风机的选择：

● 排烟风机的风量。应在计算的系统排烟量的基础上考虑一定的排烟风道漏风系数，金属制风道漏风系数取 1.1～1.2，混凝土风道漏风系数取 1.2～1.3。

● 排烟风机的风压。应按排烟系统最不利条件进行水力计算得到，即应满足当该系统最远的两个防烟分区内的排烟口同时开启的条件。

4) 机械排烟系统的补风

机械排烟设计应考虑补风的途径，在不能自然补风时应进行机械补风，恰当地补风可使排烟效果更好。一般考虑地上建筑机械排烟时，有门窗洞口及其缝隙的空气渗透，可以不进行补风就能有较好的效果；但是对于地下建筑来说，由于其周边处于封闭条件下，因此必须设有补风系统，且送风量不宜小于排烟量的 50%。

(三)机械防烟

1. 基本原理

利用送风机供给走道、楼梯间前室和楼梯间等以新鲜空气，使其维持高于建筑物其他部位的压力，从而把其他部位中因着火产生的火灾烟气或因扩散侵入的火灾烟气堵截于被加压的部位之外。这种方式能确保疏散通路的绝对安全，但还存在着一些问题，当机械加压送风楼梯间的正压值过高时，会使楼梯间通向前室或走道的门打不开。

2. 设置要求

机械加压送风防烟系统根据压力水平和使用场合分为单级系统和双级系统两种。单级加压送风防烟系统只有在火灾紧急情况下才投入运行，要求正压水平较高。双级加压送风系统在正常情况下以低压水平运行，而在火灾紧急情况下增压运行。因此，单级系统的目标单一，设备及系统的有效利用率很低；而双级系统把日常的通风和火灾紧急情况下的防烟结合起来，系统虽然比较复杂，但设备及系统的有效利用率很高。该系统由送风口、送风管道、送风机及电气控制等设备组成。

3. 设置部位

(1) 不具备自然排烟条件的防烟楼梯间，消防电梯间前室或合用前室。

(2) 采用自然排烟措施的防烟楼梯间，其不具备自然排烟条件的前室。

(3) 封闭避难层（间）。

为保证疏散通道不受烟气侵害使人员安全疏散，发生火灾时，从安全性的角度出发，高层建筑内可分为四个安全区：第一类安全区——防烟楼梯间、避难层；第二类安全区——防烟楼梯间前室、消防电梯间前室或合用前室；第三类安全区——走道；第四类安全区——房间。依据上述原则，加压送风时应使防烟楼梯间压力＞前室压力＞走道压力＞房间压力，同时还要保证各部分之间的压差不要过大，造成开门困难影响疏散。我国现行规范规定，防烟楼梯间与非加压区的设计压差为 50 Pa，防烟楼梯间前室、合用前室、消防电梯间前室、封闭避难层与非加压区的设计压差为 25 Pa。根据有关规定，当防烟楼梯间及其前室、消防电梯间前室或合用前室各部位有可开启外窗且面积满足要求时，可以采用自然排烟，这就造成楼梯间与前室或合用前室在采用自然排烟方式与采用机械加压送风方式排列组合上的多样化，而这两种防烟方式又不能共用。各种组合关系及其防烟部位详见表 9-6(2)。表 9-6(2) 还列出几种加压送风方案的图示及方案选择评价，供设计者参考。

表 9-6(2)　加压送风方案分析及选择评价

加压部位	图示	方案评价
防烟楼梯间加压（其前室不加压）	A B + +	防烟效果较差（有条件的选用方案）
防烟楼梯间及其前室分别加压	A + B + +	防烟效果好（首选方案）

续表 9-6(2)

加压部位	图示	方案评价
防烟楼梯间及其与消防电梯间的使用前室分别加压	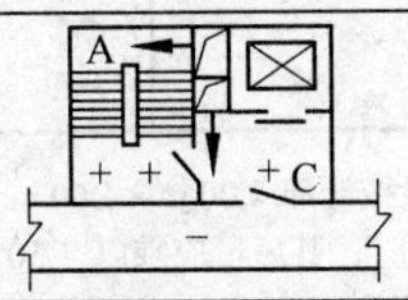	防烟效果好(首选方案)
消防电梯间前室加压	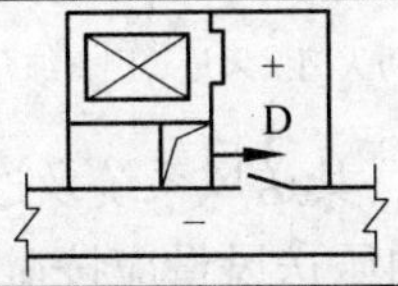	防烟效果一般(若能维持压差为 50 Pa，则效果较好)
前室或合用前室加压	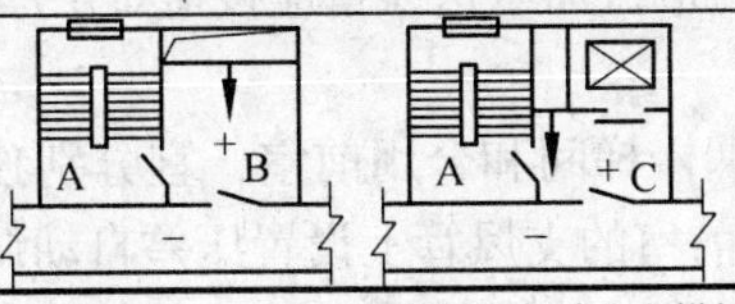	防烟效果差(不可取方案)

注：①图示中 A 为防烟楼梯间；B 为防烟楼梯间前室；C 为防烟楼梯间与消防电梯间合用前室；D 为消防电梯间前室。
②图示中“++”、“+”、“–”表示各部位静压力的大小。

4．机械防烟量及压力设计

高层建筑防烟楼梯间及其前室，合用前室和消防电梯间前室的机械加压送风量应由计算确定，或按表 9-7、表 9-8、表 9-9 和表 9-10 的规定确定。当计算和表不一致时，应按两者中较大值确定。

表 9-7　防烟楼梯间(前室不送风)的加压送风量

系统负担层数	加压送风量(m^3 / h)
<20 层	25 000 ~ 30 000
20~32 层	35 000 ~ 40 000

表 9-8　防烟楼梯间及其合用前室的分别加压送风量

系统负担层数	送风部位	加压送风量(m^3 / h)
<20 层	防烟楼梯间	16 000~20 000
	合用前室	12 000~16 000
20 ~ 32 层	防烟楼梯间	20 000~25 000
	合用前室	18 000~22 000

表 9-9　消防电梯间前室的加压送风量

系统负担层数	加压送风量(m^3 / h)
<20 层	15 000~20 000
20 ~ 32 层	22 000~27 000

表 9-10 防烟楼梯间采用自然排烟，前室或合用前室不具备自然排烟条件时的送风量

系统负担层数	加压送风量(m^3/h)
<20 层	22 000 ~ 27 000
20~32 层	28 000 ~ 32 000

注：①表 9-7、表 9-8、表 9-9 和表 9-10 的风量按开启 2.00 m × 1.60 m 的双扇门确定，当采用单扇门时，其风量可乘以 0.75 系数计算；当有两个或两个以上的入口时，其风量应乘以 1.50 ~ 1.75 系数计算。开启门时，通过门的风速不宜小于 0.70 m / s。

②风量上下限选取应按层数、风道材料、防火门漏风量等因素综合比较确定。

(1)层数超过 32 层的高层建筑，其送风系统及送风量应分段设计。

(2)封闭避难层（间）的机械加压送风量应按避难层净面积每平方米不小于 30 m^3 / h 计算。

(3)机械加压送风的防烟楼梯间和合用前室，宜分别独立设置送风系统，当必须共用一个系统时，应在通向合用前室的支风管上设置压差自动调节装置。

(4)机械加压送风机的全压，除计算最不利环管道压头损失外，应有余压。其压值应符合下列要求：①防烟楼梯间为 40 ~ 50 Pa；②前室、合用前室、消防电梯间前室、封闭避难层(间)为 25 ~ 30 Pa。

5．机械防烟系统设计

(1)加压送风机的全压，除计算系统风道压力损失外，尚有下列余压值：

①机械加压送风机可采用轴流风机或中、低压普通离心式风机。

②加压送风机应设置在不受建筑物内火灾影响的送风机房内。机房位置可根据供电条件、风量分配均衡和新风入口不受火、烟威胁等因素确定。

③加压风机的实际风量应考虑加压风道的漏风系数，金属风道漏风系数取 1.1 ~ 1.2，混凝土风道漏风系数取 1.2 ~ 1.3，此外漏风系数还与加压风道的长短等因素有关。

④机械加压送风机的全压，除计算最不利环路管道的压头损失外，尚应留有余压；当所有门均关闭时，余压值应符合下列要求。

- 防烟楼梯间为 50 Pa；
- 前室、合用前室、消防电梯间前室、封闭避难层余压值为 25 Pa。

(2)系统布置

①机械加压送风的防烟楼梯间、前室及其与消防电梯合用的前室，宜分别设置独立的加压送风系统。在同一个防火分区内，所有前室允许设计一个送风系统。

②当防烟楼梯间、前室及其与消防电梯合用的前室的送风系统必须共用一个系统时，应在通向前室或合用前室的支风管上设置压差自动调节装置。

③剪刀式楼梯间加压送风系统可合用一个风道，其送风量应按两个楼梯间的风量计算，送风口应分别设置。

④超过 32 层的高层建筑，其加压送风系统和送风量应分段设计和计算。

⑤机械加压送风系统的新风口必须保证新风安全可靠。新风口应低于排烟口，与排烟口的水平距离应大于 20 m。

⑥当建筑物的门缝、窗缝及结构构件等比较严密时，为防止当加压部位所有门都关闭时，其内部压力超过某一数值，给开启疏散门带来困难，在楼梯间与室内非加压空间的隔

墙上应当设置余压阀。当加压部位压力比设计值超过 10 Pa 时，将多余的风量有效地泄出。但考虑到目前我国的生产、施工安装等情况，一般超压现象还很少发生，因此现行规范规定对限压装置可以暂不考虑。

(3) 加压送风道：

①加压送风管道最好采用金属风道，金属风道应设在土建管道井内；也可采用钢筋混凝土风道，但要注意内表面应平整光滑，无凸出物或构件；不宜采用砖砌土建风道，以避免漏风，影响加压效果。

②金属风道的风速不应大于 20 m / s，采用内表面光滑的混凝土风道时，风速不应大于 15 m / s；风道的漏风量应小于 10%左右。

③当加压送风口采用常开百叶送风口时，为防止平时空气自然对流，应在加压送风机的压出管上设置止回阀；当加压送风口采用自垂百叶风口时，可不设止回装置。

④加压送风系统的管道上不应装设防火阀。

⑤为便于工程设计，加压送风管道断面积可以根据加压风量和控制风速由表 9-11 确定。

表 9-11 加压送风管道断面积及风量表 （单位：m^3 / h）

风道断面积 (m^2)	风速(m / s)								
	12	13	14	15	16	17	18	19	20
0.2	8 640	9 360	10 080	10 800	11 520	12 240	12 960	13 680	14 400
0.3	12 960	14 040	15 120	16 200	17 280	18 360	19 440	20 520	21 600
0.4	17 280	18 720	20 160	21 600	23 040	24 480	25 920	27 360	28 800
0.5	21 600	23 400	25 200	27 000	28 800	30 600	32 400	34 200	36 000
0.6	25 920	28 080	30 240	32 400	34 560	36 720	38 880	41 040	43 200
0.7	30 240	32 760	35 280	37 800	40 320	42 840	45 360	47 880	50 400
0.8	34 560	37 440	40 320	43 200	46 080	48 960	51 840	54 720	57 600
0.9	38 880	42 120	45 360	48 600	51 840	55 080	58 320	61 560	64 800
1.0	43 200	46 800	50 400	54 000	57 600	61 200	64 800	68 400	72 000
1.1	47 520	51 480	55 440	59 400	63 360	63 720	71 280	75 240	—
1.2	51 840	56 160	60 480	64 800	69 120	73 440	—	—	—
1.3	56 160	60 840	65 520	70 200	74 880	—	—	—	—
1.4	60 480	65 520	70 560	—	—	—	—	—	—
1.5	64 800	70 200	—	—	—	—	—	—	—
1.6	69 120	74 880	—	—	—	—	—	—	—

(4) 加压送风口：

①防烟楼梯间的加压送风口，宜每隔 2 ~ 3 层设置一个，其地下部分宜每层设置一个；风口宜采用自垂百叶风口或常开式普通百叶风口。

②前室的送风口应每层设置一个，具体要求如下。

- 风口形式通常采用常闭型电磁式多叶调节阀加上百叶风口组成，或者选用某些排烟口作为加压送风口。常闭型加压风口应同时具有手动和自动开启功能，并与加压风机连锁，手动开启装置宜设在距地面 0.8 ~ 1.5 m 处。

● 也可以同防烟楼梯间的加压送风口一样，采用自垂百叶风口或常开式普通百叶风口，但此时应注意与采用常闭风口时加压送风量的计算不同。

③送风口的风速不宜大于 7 m / s。

④加压送风口下边缘距地面宜为 0.5 ~ 1.0 m。

⑤防烟楼梯间每个加压送风口的风量为系统总风量除以楼梯间内的风口总数。前室压送风口的风量(无论是常闭还是常开)，应为系统总风量除以火灾时开启门的数量，关于火灾时开启门的数量，一般规定 20 层以下取 2，20 层以上取 3。

⑥为便于工程设计，常用加压送风口尺寸可根据实际风量大小和控制风速由表 9-12 确定。

表 9-12　加压送风口规格系列及送风量表　　(单位：m^3 / h)

规格(mm × mm)	送风量			
	送风风速 4 m / s	送风风速 5 m / s	送风风速 6 m / s	送风风速 7 m / s
200 × 200	576	720	864	1 008
250 × 250	900	1 125	1 350	1 575
250 × 320	1 152	1 440	1 728	2 016
300 × 300	1 296	1 620	1 944	2 268
250 × 400	1 440	1 800	2 160	2 520
300 × 400	1 728	2 160	2 592	3 024
250 × 500	1 800	2 250	2 700	3 150
300 × 500	2 160	2 700	3 240	3 780
250 × 630	2 268	2 835	3 402	3 969
400 × 400	2 304	2 380	3 456	4 032
300 × 600	2 592	3 240	3 888	4 536
400 × 500	2 880	3 600	4 320	5 040
400 × 600	3 456	4 320	5 184	6 048
500 × 500	3 600	4 500	5 400	6 300
500 × 600	4 320	5 400	6 480	7 560
400 × 900	4 608	5 760	6 912	8 064
600 × 600	5 184	6 480	7 776	9 072
500 × 800	5 760	7 200	8 640	10 080
600 × 800	6 912	8 640	10 368	12 096
500 × 1 000	7 200	9 000	10 800	12 600
600 × 1 000	8 640	10 800	12 960	15 120
800 × 800	9 216	11 520	13 824	16 128
800 × 1 000	11 520	14 400	17 280	20 160
1 000 × 1 000	14 400	18 000	21 600	25 200

四、防排烟系统的设备及部件

防排烟系统的设备及部件主要包括风机、排烟口、送风口、管道及防火阀等。

(一)风机

1．排烟风机

排烟风机在设置上应满足以下要求。

(1) 用于排烟的风机主要有离心式风机和轴流式风机，还有自带电源的专用排烟机。排烟风机应有备用电源，并应有自动切换装置。排烟风机应耐热，变形小，使其在排出280℃的烟气时，能连续工作 30 min 仍能达到设计要求。排烟风机的入口处必须设有当烟气温度超过 280℃时能自动关闭的装置。

(2) 排烟风机应位于排烟系统最高排烟口的上部，并应设在用耐火极限不小于 2.5 h 的隔墙隔开的机房内，机房的门应采用耐火极限不低于 0.6 h 的防火门。

(3) 为了方便维修管理，排烟风机外壳至墙壁或其他设备的距离不应小于 60 cm。

(4) 排烟风机与排烟口应设有连锁装置，当任何一个排烟口开启时，排烟机能自动启动，火灾时能立即关闭着火区的通风空调系统，使非着火区保持正压，以减少烟气的蔓延扩散。

(5) 排烟风机应设在混凝土或钢架基础上，但可不设置减振装置。

2．送风机

(1) 机械加压送风机房应采用耐火极限不低于 2.5 h 的隔墙和 1.5 h 的楼板与其他部位隔开，隔墙上的门应为甲级防火门；

(2) 送风机的取风口应尽可能远离烟气的排出口，布置在各种不利孔口的上风向，以及设置自动关闭装置等，一般取风口应设在靠近地面的墙上。

(二) 排烟口、送风口

1．排烟口

安装排烟口时应注意下列几点。

(1) 当用挡烟隔墙或挡烟垂壁划分防烟分区时，每个防烟分区应分别设置排烟口。排烟口的设置应根据建筑平面布局的具体情况，尽可能做到使烟气流动方向与人员疏散方向相反，烟气和空气形成上下分层的气流流动状况。对于顶棚高度不超过 3 m 的建筑物，排烟口可设在距顶棚 800 mm 以内的高度上；对于顶棚高度在 3 ~ 4 m 的建筑物，排烟口可设在距地面 2.1 m 的高度以上，或者对于顶棚高度超过 4 m 的建筑物，排烟口可设在地面与顶棚之间 1 / 2 以上高度的墙面上。

(2) 设在屋顶的排烟口距可燃构件和可燃物不应小于 1 m。

(3) 排烟口应尽量设置在防烟分区的中心部位，且距该防烟分区最远点的水平距离不应超过 30 m。

(4) 若同一防烟分区内设置数个排烟口时，所有排烟口应能同时开启。排烟口均应设有手动开启装置、与感烟探测器连锁的自动开启装置或消防控制中心远距离控制的开启装置等，除开启装置将其打开外，排烟口平时需保持闭锁状态。手动开启装置宜设在墙面上，距地板面 0.8 ~ 1.5 m 处或从顶棚下垂时，距地板面宜为 1.8 m 处。

2．送风口

送风口的布置形式有单点送风和多点送风两种。

(1) 对单点送风形式，为确保在任何情况下使远离送风口的楼梯间处保持足够的正压，建筑物的高度不宜超过 8 层，最多不能超过 12 层。

(2) 对多点送风形式，通常的做法是每隔 2 ~ 5 层设置一个送风口。剪刀式楼梯间可合用一个风道，但其风量应按两个楼梯间风量计算，送风口应分别设置。

(3) 防烟楼梯间的加压送风口应采用自垂式百叶风口或常开的双层百叶风口，当采用后者时，应在其加压风机的吸入管上设置与开启风机连锁的电动阀。

（三）排烟管道

（1）排烟管道不应穿越防火分区，竖直穿越各层的竖风道应用耐火材料制成，并宜设在管道井内或采用混凝土风道。排烟管道与排烟机的连接宜采用法兰连接或采用不燃烧的软性连接。

（2）排烟管道因排出火灾时烟气温度较高，除应采用金属板、混凝土等非燃烧材料制作外，还应安装牢固，保证排烟时不因温度升高变形脱落，并应具有良好的气密性。

（3）排烟管道外表面与木质等可燃构件应保持不小于 15 cm 的距离或在排烟管道外表面包厚度不小于 10 cm 的保温材料进行隔热。

（4）混凝土砌块等非金属材料排烟管道，灰缝必须饱满，防止漏烟。通过闷顶的部分必须勾缝或抹水泥砂浆。需要隔热的金属排烟管道必须采用不燃烧保温材料。排烟管道穿过挡烟隔墙时，管道与挡烟隔墙之间的空隙应用水泥砂浆等不燃烧材料严密填塞。

（5）烟气排出口的材料可采用 1.5 mm 厚钢板或用具有同等耐火性能的材料制作。烟气排出口的设置应根据建筑物所处的条件（风向、风速、周围建筑物以及道路等情况）考虑确定。

（四）防火阀

此类阀门种类较多，至今还未见有统一的国家标准出台，各生产厂家产品命名也不尽相同。因此，要求设计者在选用时，应仔细阅读厂家产品样本，了解其功能特性。这些阀门主要归纳为以下两大类。

1．防火阀类

该类阀门一般常用于通风空调管道穿越防火分区处。平时开启，火灾时关闭，以防止烟、火沿通风空调管道向其他防火分区蔓延。

（1）防火阀。平时开启，70℃时温度熔断器动作，阀门关闭；也可手动关闭，手动复位。阀门关闭后可发出电讯号至消防控制中心。防火阀与普通百叶风口组合，可构成防火风口。

（2）防火调节阀。平时阀门常开，阀门叶片可在 0°～90°内五档调节，当气流温度达到 70℃时，温度熔断器动作，阀门关闭；也可手动关闭，手动复位。阀门关闭后可发出电讯号至消防控制中心。

（3）防烟防火调节阀。平时阀门常开，阀门叶片可在 0°～90°内五档调节，当气流温度达到 70℃时，温度熔断器动作，阀门关闭；也可手动关闭，手动复位。消防控制中心也可根据烟感探头发出的火警信号通过 DC 24V 电压将阀门关闭。阀门关闭后可发出反馈电讯号至消防控制中心。

2．排烟阀类

该类阀门一般设在专用排烟风道或兼用风道上。

（1）排烟阀。一般用于排烟系统的风管上，平时常闭，发生火灾时烟感探头发出火警信号，消防控制中心通 DC 24V 电将阀门打开排烟，也可手动使阀门打开，手动复位。阀门开启后可发出电讯号至消防控制中心。根据用户要求，还可与其他设备连锁。排烟阀与普通百叶风口或板式风口组合，可构成排烟风口。

（2）排烟防火阀。一般安装在排烟系统的风管上，平时常闭，发生火灾时，烟感探头发出火警信号，消防控制中心通 DC 24V 电将阀门迅速打开排烟；也可手动使阀门打开，手动复位。当烟道内烟气温度达到 280℃时，温度熔断器动作，阀门自动关闭。阀门开启后可发出电讯号至消防控制中心。根据用户要求，还可与其他设备连锁。

(3)回风排烟防火阀。主要用在回风、排烟合二为一的管道(兼用风道)中，平时该阀门可常开用于排风，发生火灾时，烟感探头发出火警信号，阀体在消防控制中心电讯号的作用下可以有选择地关闭或打开进行排烟。当烟道内烟气温度达到 280℃时，温度熔断器动作，阀门自动关闭。

五、部分防排烟设备及部件介绍

(一)各种防火、防排烟阀口

1．防火、防排烟阀口的分类

国内生产防火、防排烟阀口的厂家较多，表示性能特点的字母含义也不统一，其基本分类见表 9-13。

表 9-13　国产防火、防排烟阀口分类

类别	名称	性能及用途
防火类	防火阀	70℃温度熔断器自动关闭（防火），可输出联动讯号，用于通风空调系统风管内，防止火势沿风管蔓延
	防烟防火阀	靠烟感器控制动作，用电讯号通过电磁铁关闭（防烟），还可用 70℃温度熔断器自动关闭（防火），用于通风空调系统风管内，防止烟火蔓延
防烟类	加压送风口	靠烟感器控制，电讯号开启，也可手动（或远距离缆绳）开启，可设 280℃温度熔断器重新关闭装置，输出动作电讯号，联动送风机开启。用于加压送风系统的风口，起感烟、防烟作用
排烟类	排烟阀	电讯号开启或手动开启，输出开启电讯号联动排烟机开启，用于排烟系统风管上
	排烟防火阀	电讯号开启，手动开启，280℃靠温度熔断器重新关闭，输出动作电讯号，用于排烟风机吸入口处管道上
	排烟口	电讯号开启，手动（或远距离缆绳）开启，输出电讯号联动排烟机，用于排烟房间的顶棚或墙壁上。可设 280℃时重新关闭装置
	排烟窗	靠烟感器控制动作，电讯号开启，还可缆绳手动开启，用于自然排烟处的外墙上

2．常用防火、防排烟阀口性能及规格

常用防火、防排烟阀口性能及规格列于表 9-14 中。型号表示方法为国内诸多产品之一例，其型号字母含义是：第一组字母为产品名称汉语拼音缩写，P—排，Y—烟，F—防，H—火，S—送，K—口；第二组数字为产品的设计顺序号；第三组字母为产品操作装置功能汉语拼音缩写，Y—远距离缆绳操作，S—手动，D—电讯号 DC 24V，F—风量调节，W—温度熔断器动作。

各防火、防排烟阀口的外型见图 9-14(1) ~ 图 9-14(6)；具体规格尺寸见表 9-15(1) ~ 表 9-15(5)。多叶及板式风口在墙上安装预埋件尺寸见图 9-14(7)。

表 9-14　防火、防排烟阀口性能及规格

序号	名称	型号	功能特点	规格	图表号
1	防火调节阀	FH—02SFW	70℃自动关闭，手动复位，0～90℃无级调节，可以输出关闭电讯号	矩形≥100×100×160 圆形≥ϕ100×140	图 9-14(1)
2	防烟防火阀	FYH—02SDW	70℃自动关闭，电讯号 DC 24V 关闭，手动关闭，手动复位，输出关闭电讯号	矩形≥250×250×320 圆形≥ϕ250×320	图 9-14(2)(a)
		FYH—03FDSW	70℃自动关闭，电讯号 DC 24V 关闭，手动关闭，手动复位，0～90℃无级调节，输出关闭电讯号		图 9-14(2)(b)
3	排烟阀	PY—02SD	电讯号 DC 24V 开启，手动开启，手动复位，输出开启电讯号	矩形≥250×250×320	图 9-14(3)(a)
		PY—02YSD	电讯号 DC 24V 开启，远距离手动开启，远距离手动复位，输出开启电讯号		图 9-14(3)(b)
4	排烟防火阀	PYFH—02SDW	电讯号 DC 24V 开启，手动开启，280℃重新关闭，手动复位，输出动作电讯号	矩形≥320×320×320	图 9-14(4)(a)
		PYFH—02YSDW	电讯号 DC 24V 开启，远距离手动开启，280℃重新关闭，手动复位，输出动作电讯号		图 9-14(4)(b)
5	板式排烟口	PYK—02YSD	电讯号 DC 24V 开启，远距离手动开启，远距离手动复位，输出开启电讯号	矩形≥320×320	图 9-14(5)
6	多叶排烟口 多叶送风口	PSK—02SD	电讯号 DC 24V 开启，手动开启，手动复位，输出开启电讯号	矩形≥500×500	图 9-14(6)(a)
		PSK—02SDW	电讯号 DC 24V 开启，手动开启，280℃重新关闭，输出动作电讯号		图 9-14(6)(c)
		PSK—02YSDW	电讯号 DC 24V 开启，远距离手动开启，280℃重新关闭，手动复位，输出动作电讯号		图 9-14(6)(b)

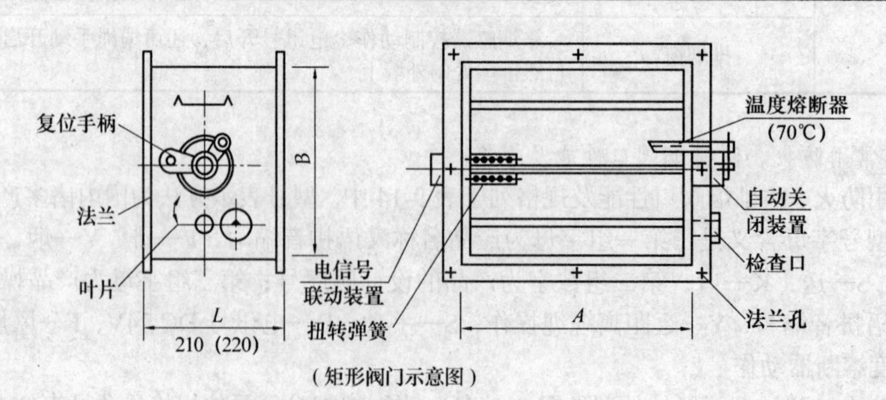

图 9-14(1)　防火调节阀（FH—02SFW）

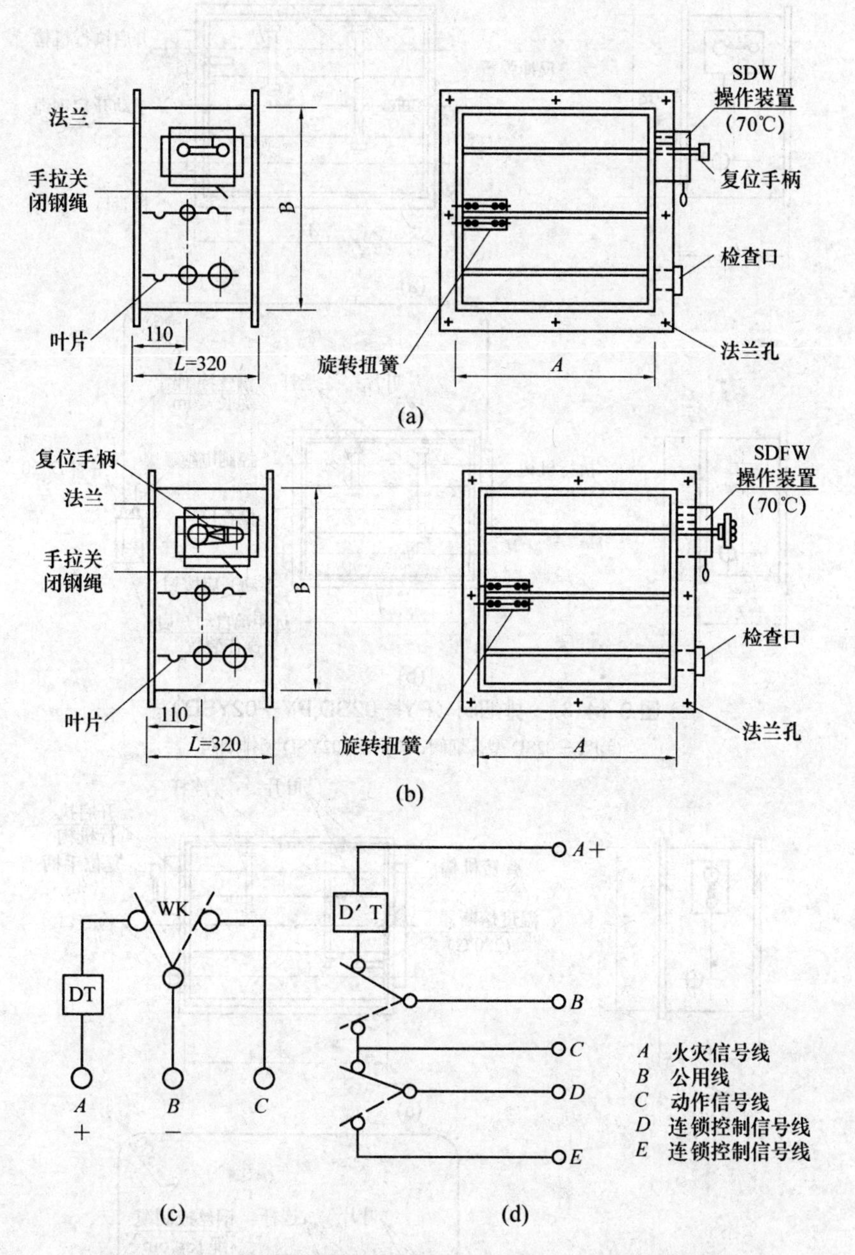

图 9-14(2) 防烟防火阀（FYH—02SDW,FYH—03SDFW）

(a)FYH—02SDW 型防烟防火阀；(b)FYH—03SDFW 型防烟防火阀；(c)单微动开关原理图；(d)双微动开关原理图

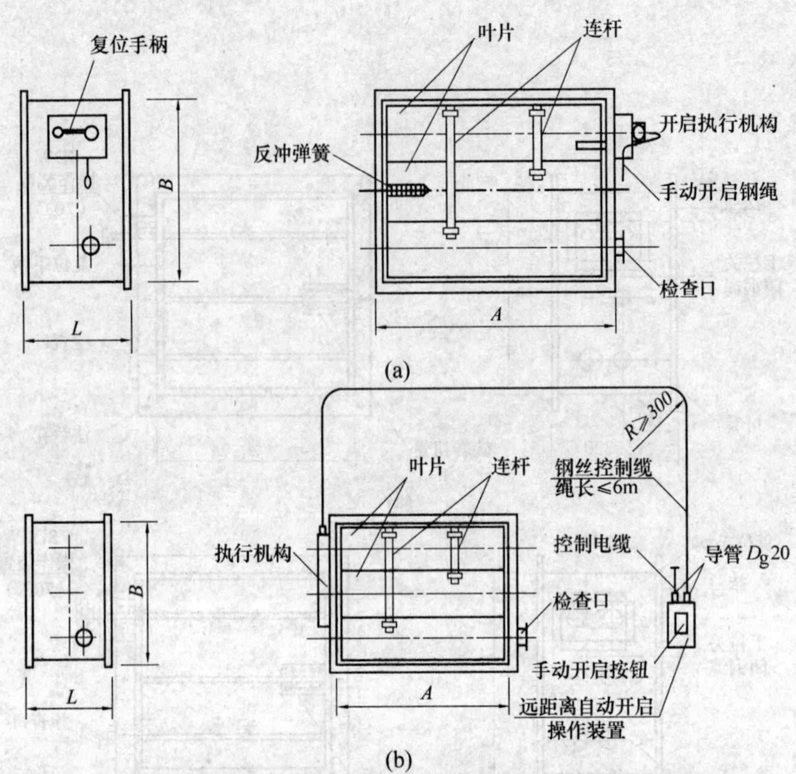

图 9-14(3)　排烟阀（PY—02SD,PY—02YSD）

(a)PY—02SD 型排烟阀；(b)PY—02YSD 型排烟阀

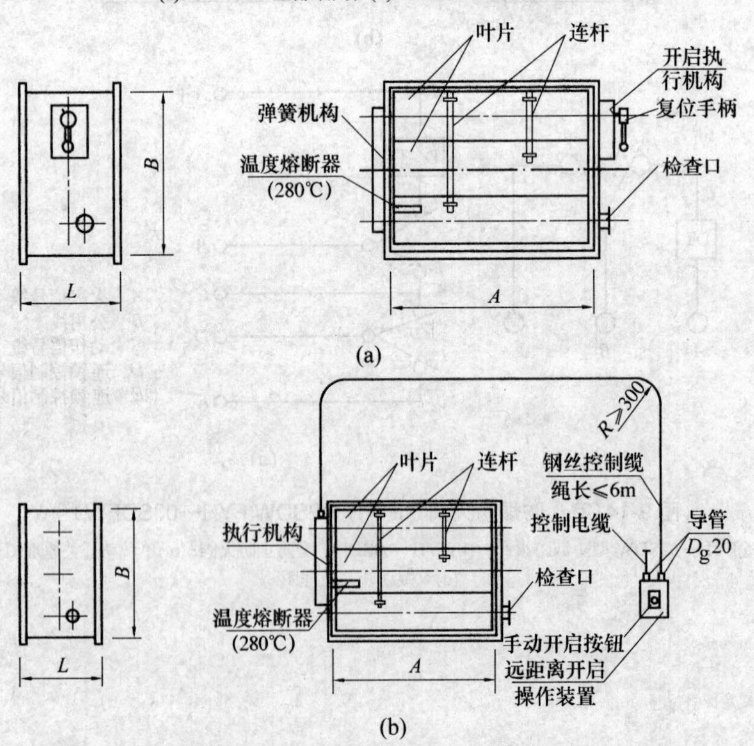

图 9-14(4)　排烟防火阀（PYFH—02SDW,PYFH—02YSDW）

(a) PYFH—02SDW 型排烟防火阀；(b) PYFH—02YSDW 型排烟防火阀

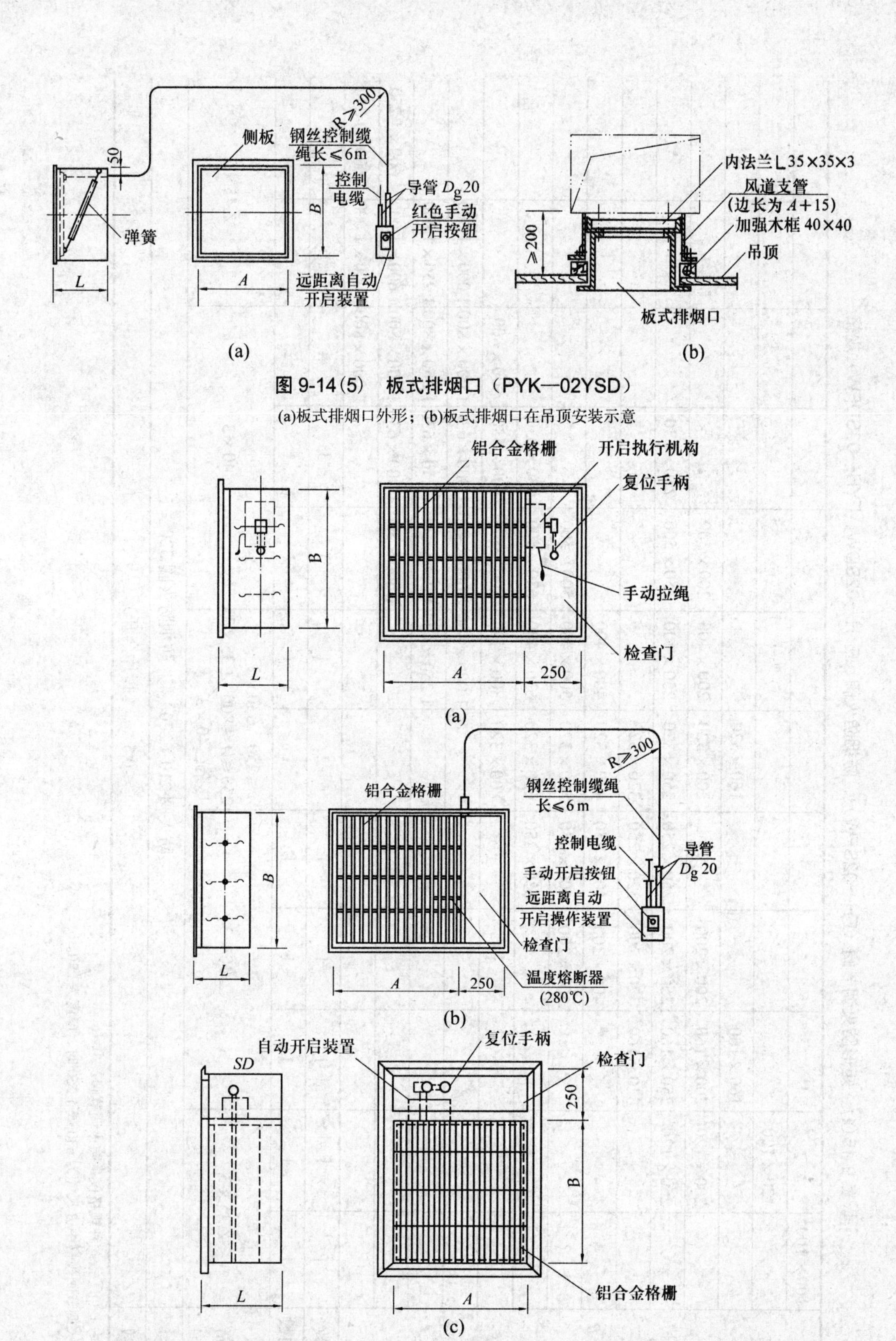

图 9-14(5)　板式排烟口（PYK—02YSD）

(a)板式排烟口外形；(b)板式排烟口在吊顶安装示意

图 9-14(6)　多叶排烟口、送风口(PSK—02SD、PSK—02SDW、PSK—02YSDW)

(a)PSK—02SD(W)[A] 型多叶排烟口、送风口；(b)PSK—02YSDW[A] 型多叶排烟口、送风口；
(c)PSK—02SD(W)[B] 型多叶排烟口、送风口

表 9-15(1)　矩形防火调节阀（FH—02SFW）、防烟防火阀（FYH—02SDW、FYH—03SDFW）规格

规格 $A\times B$ (mm)												
	100×100①											
		120×120①										
			160×160①			160×320						
		200×120①	200×160①	200×200①		200×320	200×400	200×500				
		250×120①	250×160①	250×200①	250×250	250×320	250×400	250×500	250×630			
			320×160①	320×200①	320×250	320×320						
				400×200①	400×250	400×320	400×400					
				500×200①	500×250	500×320	500×400	500×500				
					630×250	630×320	630×400	630×500	630×630			
						800×320	800×400	800×500	800×630	800×800		
							1 000×400	1 000×400	1 000×630	1 000×800	1 000×1 000	
							1 250×400	1 250×500	1 250×630	1 250×800	1 250×1 000	
								1 600×500	1 600×630	1 600×800	1 600×1 000	1 600×1 250
										2 000×800	2 000×1 000	2 000×1 250
叶片组数	1	1	1	1	1	2	1	3	3	4	6	6
操作结构数	1	1	1	1	1	1	1	1	1	2	2	2
法兰规格	∠25×3		∠30×3			$A\leqslant250$ ∠30×3 $250\leqslant A\leqslant800$ ∠35×3 其余∠40×3		∠40×3			∠45×3	
阀体厚度	防火阀 210（220）　防烟防火阀 320											
阻力系数	≤0.5　（阀片全开）											

注：①表内上角①指此种规格仅是防火调节阀；

②防火调节阀规格中 B 尺寸为 630 或 1 250 时，厚度为 220。

表 9-15(2)　圆形防火调节阀（FH—02SFW）、防烟防火阀（FYH—02SDW、FYH—03SDFW）规格

规格 ϕ (mm)	120[①]	160[①]	180[①]	200[①]	250	280	320	360	400	450	500	560	630	700	800	900	1 000
操作机构	1	1	1	1	1	1	1	1	1	1	1	1	1	1	1	1	1
法兰规格	∠25×25×3				∠30×30×3			∠35×35×4				∠40×40×5					
阀厚 L	160	$L=\phi$															
阻力系数	≤0.5(阀片全开)																

注：上角①仅是防火调节阀。

表 9-15(3)　排烟阀（PY—02SD、PY—02YSD），排烟防火阀（PYFH—02SDW、PYFH—02YSDW）规格

规格 $A\times B$ (mm)	320×320						
	400×320	400×400					
	500×320	500×400	500×500				
	630×320	630×400	630×500	630×630			
	800×320	800×400	800×500	800×630	800×800		
	1 000×320	1 000×400	1 000×500	1 000×630	1 000×1 000	1 000×1 000	
		1 250×500	1 250×500	1 250×630	1 000×800	1 250×1 000	
			1 600×500	1 600×630	1 250×800	1 600×1 000	1 600×1 250
					1 600×800	2 000×1 000	2 000×1 250
阀片组数	2	2	3	3	4	6	6
操作机构数	1	1	1	1	2	2	2
法兰规格	∠30×3	A≤800 时，∠35×3，其余∠40×3			∠40×3		∠45×3
阀体厚度 L(mm)	320						
阻力系数	≤0.5 阀片全开						
漏风量	≤1 000 $m^3/(m^2\cdot h)$ (压差 250 Pa)、≤2 000 $m^3/(m^2\cdot h)$ (压差 1 000 Pa)						

表 9-15(4)　板式排烟口(PYK—02YSD)规格

规格 $A\times B$（mm）	320×320	400×400	500×500	630×630	700×700	800×800
阀体厚度 L（mm）	150	150	150	150	180	180
有效净面积（m^2）	0.07	0.125	0.203	0.306	0.421	0.563
操作机构数	1					
阻力系数	≤0.5					
漏风量	≤150 $m^3/(m^2\cdot h)$ (压差 250 Pa)、≤300 $m^3/(m^2\cdot h)$ (压差 1 000 Pa)					

表 9-15(5)　多叶排风口、多叶送风口(PSK—02SD、PSK—02SDW、PSK—02YSDW)规格

规格 $A\times B$（mm）	500 × 500				
		630 × 630			
			700 × 700		
		800 × 630		800 × 800	
		1 000 × 630		1 000 × 800	
		1 250 × 630		1 000 × 1 000	1 250 × 1 000
					1 600 × 1 000
操作机构数	1		2		
阀体厚度 L（mm）	275				
阻力系数	≤0.5				
漏风量	≤1 000(压差 250 Pa)、≤2 000(压差 1 000 Pa)				
有效净面积（m^2）	≈0.84 × ($A\times B$)				
	0.07	0.125	0.203	0.306	0.421

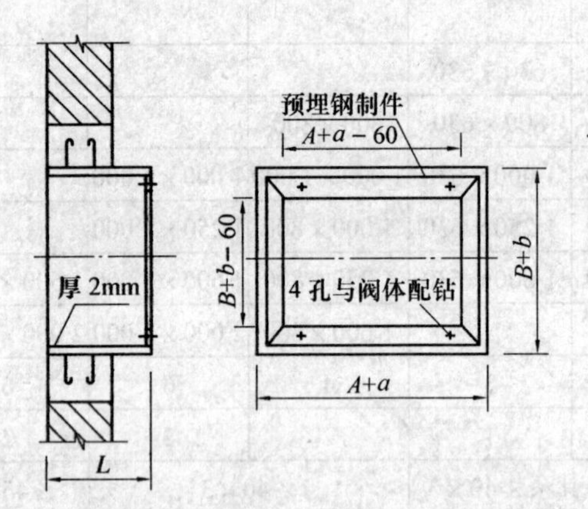

预埋件尺寸选取表 (mm)

阀 门 型 号	a	b
PSK［A］	265	15
PSK［B］	15	265
PYK （板式）	15	15

(a)

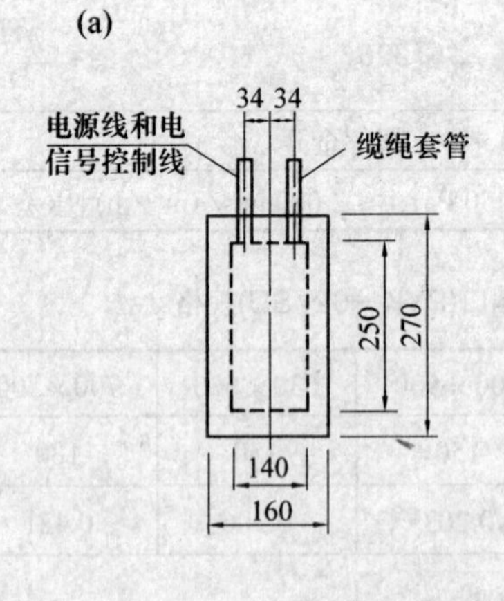

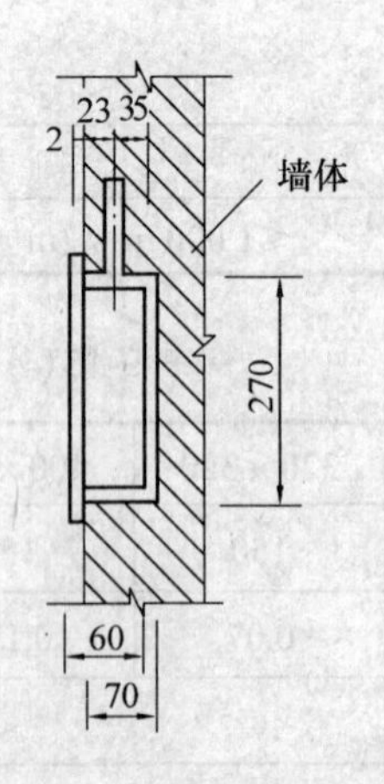

(b)

图 9-14(7)　多叶及板式风口在墙上安装预埋件

(a)阀体预埋件；(b)远距离操作机构墙上留洞

(二)防排烟通风机

1．防排烟通风机选用原则

用于防排烟系统的通风机，可采用普通钢制离心式通风机，如 T4—72 型、T4—68 型，C6—48 型等，或采用防火排烟专用通风机，如 HTF 型、PA 型（电机在机壳外面）轴流式排烟风机、PW 型排烟屋顶风机等。

2．防火排烟专用通风机

(1) HTF 型排烟风机，是一种消防高温排烟专用风机。烟气温度小于 150℃时可长时间运行，温度在 300℃时，可连续运行 40 min。HTF 型排烟风机的性能见表 9-16，外形见图 9-14(8)，外形尺寸见表 9-17。

表 9-16 HTF 型消防高温排烟专用轴流风机性能

机号 No.	页轮直径 （mm）	风量 (m^3 / h)	静压 (Pa)	转速 (r / min)	装机容量 (kW)	重量 (kg)
5	500	8 000	505	2 900	3.0	125
6	600	15 000	510	2 900	5.5	150
7	700	22 000	460	1 450	7.5	200
8	800	28 000	420	1 450	7.5	220

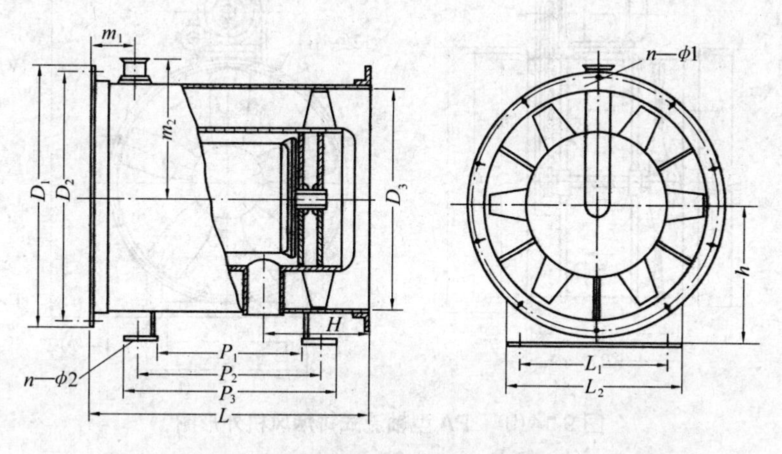

图 9-14(8) HTF 型消防高温排烟专用轴流风机外形图

表 9-17 HTF 型消防高温排烟专用轴流风机外形尺寸 （单位：mm）

机号 No.	D_1	D_2	D_3	m_1	m_2	L	L_1	L_2	P_1	P_2	P_3	H	h	$n—\phi1$	$n—\phi2$
5	595	550	506	130	353	800	300	400	400	540	580	227	347	10—10.5	2—10.5
6	695	655	606	130	403	830	400	500	589	729	769	220	397	10—10.5	2—10.5
7	800	770	706	130	503	956	500	600	540	690	730	300	447	10—10.5	2—10.5
8	898	870	806	130	503	956	500	600	540	690	730	300	497	12—10.5	2—10.5

(2) PA 型轴流式排烟风机，结构上考虑了热胀的影响，电机装于机壳之外，能在280℃高温下连续运转 30 min。作管道排烟风机时，可设在机房或技术夹层内，也可装于外墙外侧直接排烟。PA 型轴流式排烟风机性能见表 9-18，外形见图 9-14 (9)，外形尺寸见表 9-19。

表 9-18　PA 型轴流式排烟风机性能

机号 No.	风量 (m^3 / h)	风压 (Pa)	功率 (kW)	电压 (V)	转数 (r / min)	电机型号	噪声 [dB(A)]	重量 (kg)
4A	3 000	100	0.12	220	1 340	$A_1$5642	52	30
4B	4 000	80	0.37	380	1 350	$A_1$7124	54	32
4C	5 100	230	0.55	380	1 350	$A_1$7134	57	34
5	11 000	260	0.75	380	1 400	$A_1$7132	68	40
6	13 000	200	1.10	380	1 420	Y90S—1	65	45
6A	16 000	210	1.5	380	1 440	Y90L—4	68	47
7.1	23 000	280	2.2	380	1 440	Y100L_1—4	71	55
7A	26 000	300	3.0	380	1 440	Y100L_2—4	73	60
8	40 000	300	5.5	380	1 440	Y132S—4	79	80

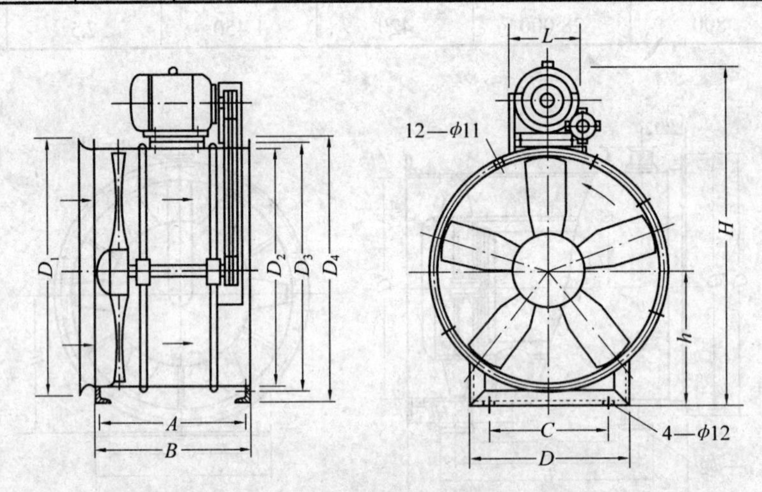

图 9-14(9)　PA 型轴流式排烟风机外形图

表 9-19　PA 型轴流式排烟风机外形尺寸　　(单位：mm)

No.	D_1	D_2	D_3	D_4	A	B	C	D	h	H	L
4A	510	410	450	490	290	510	260	370	280	670	150
4B	510	410	450	490	290	510	260	370	280	670	150
4C	510	410	450	490	290	510	260	370	280	670	150
5	670	570	610	650	400	460	305	500	360	910	200
6	750	650	690	730	450	510	345	560	400	990	200
6A	750	650	690	730	450	510	345	560	400	990	200
7.1	910	770	810	850	450	510	510	600	440	1 105	250
7A	910	770	810	850	450	510	510	600	440	1 105	300
8	1 100	870	910	950	500	560	560	600	500	1 105	330

(3)PW 型排烟屋顶风机。该风机的电机在外，筒内噪声较低，适于从屋顶直接排除100℃以上的高温、高湿及烟气，280℃时能连续运转 30 min。其外形见图 9-14(10)，性能及外形尺寸间表 9-20（表中功率 kW_1 和尺寸 H_1 用于厨房排除油烟时通风）。

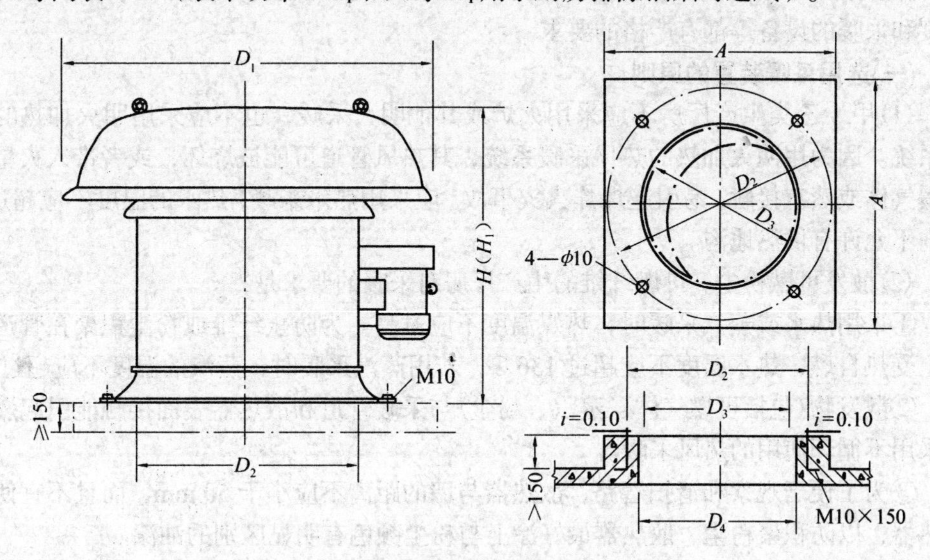

图 9-14(10)　PW 型排烟屋顶风机外形图

表 9-20　PW 型排烟屋顶风机外形尺寸

机号	风量	风压	噪声	功率		重量	外形尺寸（mm）						
No.	m^3/h	Pa	dB(A)	kW	KW_1	kg	D_1	D_2	D_3	D_4	A	H	H_1
4A	3 000	100	52	0.37	0.55	35	840	570	470	490	700	600	1 000
4B	4 000	80	54	0.55	0.75	37	840	570	470	490	700	600	1 000
4C	5 000	230	57	0.75	1.1	39	840	570	470	490	700	600	1 000
5	8 000	240	63	1.1	1.5	45	840	740	630	660	870	800	1 300
6	10 000	200	65	1.1	1.5	45	1 000	820	710	750	950	900	1 500
6A	13 000	200	65	1.5	2.2	50	1 000	820	710	750	950	900	1 500
6B	16 000	160	68	2.2	2.2	53	1 000	820	710	750	950	900	1 500
7	23 000	280	71	3.0	4.0	60	1 100	980	870	910	1 100	1 000	1 700
7A	26 000	300	76	4.0	5.5	65	1 100	980	870	910	1 100	1 000	1 700
8	40 000	330	80	5.5	7.0	90	1 300	1 200	1 000	1 300	1 400	1 300	1 800

第三节　建筑采暖、通风防火

一、采暖系统防火

采暖按设施的布置情况主要分集中采暖和局部采暖两大类。其中集中采暖由锅炉房供给热水和蒸汽，通过管道分别输送到建筑内部的各个室内的散热器，将热量散发后再流回锅炉循环使用；或将空气加热后用风管分送各室。局部采暖则由火炉、电炉或煤气炉等就地发出热量，只供给本室内部和少数房间应用。

建筑采暖系统的防火设计，关键是针对具有一定危险性的生产厂房。火灾危险性不同的生产厂房，对采暖有不同的要求。易燃、易爆和散发可燃粉尘、纤维的生产，以及有特殊防火要求的生产(如遇水或水蒸气能燃烧爆炸或产生可燃气体的生产等)，对采暖的形式、温度和采暖的设备等都有严格的要求。

(一)选用采暖装置的原则

(1)甲、乙类生产厂房不应采用火炉或其他明火采暖，也不应采用明火加热的热风采暖系统。因为用明火加热的热风采暖系统，其热风管道可能被烧坏，或者带入火星，易燃易爆气体或蒸汽接触，易引起爆炸火灾事故。应采用热水采暖，热水的温度不应超过 80℃，室内不允许有供热地沟。

(2)散发可燃粉尘、可燃纤维的生产厂房对采暖的要求是：

①采用热水或蒸汽采暖时，热媒温度不应过高。为防止纤维或粉尘积聚在管道和散热器上受热自燃，热水温度不应超过 130℃；若用蒸汽采暖时，蒸汽的温度不应超过 110℃。

②散发物(包括可燃气体、蒸汽、粉尘)与采暖管道和散热器表面接触能引起燃烧时，应采用不循环使用的热风采暖。

③为了便于观察和清扫管路，散热器与墙的距离不应小于 50 mm，而且不宜使用肋形散热器，以防积聚粉尘。散热器最好涂上与粉尘颜色有明显区别的油漆。

(3)在生产中，使用或产生遇到水和水蒸气能引起燃烧爆炸的物品时(如电石、锌粉、铅粉等)，不应采用热水或蒸汽采暖，并且其他用房的热水、蒸汽采暖管道也不得穿过这些部位。因此，这些车间只允许采用热风采暖。

(二)采暖设备的防火要求

1．采暖管道要与建筑物的可燃构件隔离

采暖管道穿过可燃构件时，要用非燃烧材料隔开绝热，或根据管道外壁的温度，在管道与可燃构件之间保持适当的距离；当管道温度超过 100℃时，距离不小于 10 cm；温度小于 100℃时，距离不小于 5 cm，如图 9-15 所示。

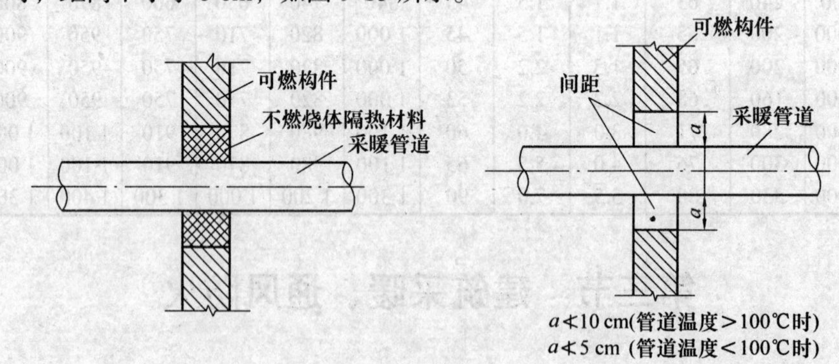

图 9-15　采暖管道穿过可燃物构件的要求

2．电加热送风采暖设备的防火要求

(1)电加热设备及送风设备的电气开关应有连锁装置，以防止风机停转时，电加热设备仍单独继续加热因温度过高而引起火灾。

(2)在重要部位应设感温自动报警器，必要时加设自动防火阀，以控制取暖温度，防止过热起火。

(3)电加热设备的送风管道应用不燃烧材料制成，并采用不燃烧的保温材料。

3．对采暖锅炉和煤气、液化石油气、天然气采暖的防火要求

(1)锅炉房一般应单独设置。如因条件、规模限制，可在建筑物的地下室、半地下室或底层靠外墙部位设置低压锅炉房，并应在外墙上开门。外墙开口部位的上方均应设置宽度不小于1 m的防火挑檐，且应设置火灾自动报警和固定灭火装置。低压锅炉房不应紧靠人员比较集中房间的上、下、左、右面或主要疏散出口的两旁。在浴室、影剧院、托儿所、医院等人员众多的房间内，不应装设蒸汽锅炉。

(2)锅炉房应为一、二级耐火等级的建筑。但锅炉每小时的总蒸发量不超过4 t时，可采用三级耐火等级的建筑。锅炉房可采用轻型屋顶或布置一定面积的天窗。三级耐火等级锅炉房的烟囱与屋顶可燃结构之间的距离不应小于 50 cm。托儿所、幼儿园的采暖火炉和烟囱不仅不能靠近和穿过可燃物、可燃构件，而且还必须加防护栅栏，以防止儿童烫伤和玩火。

(3)在总平面布置时，锅炉房应布置在主体建筑的下风或侧风方向。与建筑物、构筑物、堆场、可燃气体、液体储罐等保持一定的防火间距。炉渣场地的位置要选择适当，并在周围最好砌筑围墙。在锅炉房周围30 m范围内不要搭建易燃建筑或堆放可燃物。

(4)锅炉房为多层布置时，每层至少应有两个出口，并设置安全疏散楼梯直达各层操作地点。

(5)高层民用建筑内使用可燃气体时，应采用管道供气。使用可燃气体的部位宜设在靠外墙，且通风良好的房间内。输送可燃气体和易燃、可燃液体的管道，均严禁穿过防火墙。当穿过沉降缝时，应加套管。

二、通风空调系统防火

通风可分为自然通风和机械通风两种。此外，还可分全面通风和局部通风以及混合通风等方式。在散发可燃气体、可燃蒸气和粉尘的厂房内加强通风，及时排除空气中的可燃有害物质是一项很重要的防火防爆措施。

(一)通风系统的设置

(1)甲、乙类生产厂房所采用的送风设备和排风设备不应布置在同一机房内，而且排风设备也不应和其他房间的送、排风设备布置在一起；某些实验室，如果易燃易爆物质的操作在专门的通风柜内进行，散发到通风柜外的易燃易爆物质的量较少，危险性较小，从基本保障安全和节约投资出发，其通风系统可以合用；建筑物的地下室、半地下室内不应布置排除有爆炸危险物质的排风设备，以免一旦发生爆炸时，地下和半地下层的上部建筑遭到破坏，扩大灾情。

(2)甲、乙类生产厂房中排出的空气不应循环使用，以防止排出的含有可燃物质的空气重新进入厂房，增加火灾危险。丙类生产厂房中所排出的空气，如含有燃烧危险的粉尘、纤维时，宜经过净化后，再循环使用。含有爆炸危险粉尘的空气，宜在进入排风机前先进行净化。

(3)排气口设置的位置应根据可燃气体、蒸汽的比重不同而有所区别。比空气轻者，应设在房间的顶部；比空气重者，则设在房间的下部。进风口的位置应布置在上风方向，并尽可能远离排气口，必须保证在吸入的新鲜空气中，不再含有从车间中排放出来的易燃、

易爆气体或物质。

(4)对于没有气楼或气窗的厂房内，在易燃、可燃材料集中，容易起火部位的屋顶上，应设置排烟窗或其他排烟设施，如利用事故排风设施等。厨房的通风竖井最好与排烟道靠在一起，这样可以加大抽力。为了便于清理，在罩子和管道的上部明露于顶棚之下的部分，需用直板围挡。排气罩及排风管和可燃体之间的净距离不得小于 450 mm。

(5)通风机室设在甲、乙、丙类生产厂房内时，应用耐火极限不低于 1 h 的不燃烧体与其他部位隔开；设在其他生产厂房内时，可用耐火极限不低于 0.5 h 的难燃烧体与其他部位隔开。附设在高层民用建筑内的通风空调机房、制冷机房等，应用耐火极限不低于 3 h 的隔墙和 2 h 的楼板与其他部位隔开。隔墙的门应为耐火极限不低于 1.2 h 的甲级防火门。不使用的地下室和地下技术层，当设有煤气管道时应设有排风系统。

(6)空气中含有容易起火或爆炸危险物质的房间，其送、排风系统应采用防爆型的通风设备。送风机如设在单独隔开的通风机房内且送风干管上设有止回阀门，可采用普通型的通风设备。

(7)排除有燃烧和爆炸危险的粉尘的空气，在进入排风机前应进行净化。对于空气中含有容易爆炸的铝、镁粉尘，应采用不产生火花的除尘器；如粉尘与水接触能形成爆炸性混合物，不应采用湿式除尘器。

(8)有爆炸危险的粉尘的排风机、除尘器，宜分组布置，并应与其他一般风机、除尘器分开设置。

(9)净化有爆炸危险的粉尘的干式除尘器和过滤器，宜布置在生产厂房之外的独立建筑内，且与所属厂房的防火间距不应小于 10 m。但符合下列条件之一的干式除尘器和过滤器，可布置在生产厂房的单独间内：

①有连续清灰设备；

②风量不超过 15 000 m^3 / h，且集尘斗的储尘量小于 60 kg 的定期清灰的除尘器和过滤器。

(10)有爆炸危险的粉尘和碎屑的除尘器、过滤器、管道，均应按现行国家标准《采暖通风与空气调节设计规范》的有关规定设置汇压装置。

净化有爆炸危险的粉尘的干式除尘器和过滤器，应布置在系统的负压段上。

(11)排除、输送有燃烧或爆炸危险的气体、蒸气和粉尘的排风系统，应设有导除静电的接地装置，其排风设备不应布置在建筑物的地下室、半地下室内。

(二)通风管道的设置

(1)甲、乙、丙类生产车间的送排风管道，宜每层分别设置。但进入生产车间的水平或垂直送风管道中如有防火阀时，各层的水平或垂直送风管，可合用总的送风干管。

(2)丁、戊类生产厂房中每层的独立垂直的总通风干管和通风设备。

(3)排除有燃烧或爆炸危险的粉尘、气体的排风管道不应暗设，不得穿越其他房间，应直接通至室外安全处。

(4)通风管道不宜穿过防火墙、变形缝(包括伸缩缝、沉降缝、地震缝)和不燃烧体的楼板等防火隔断物，如必须穿过时，应在穿过处两侧设防火阀；对该处的管道及其保温材料均应由不燃烧材料制作，并在穿过处的空隙，采用不燃烧材料加以紧密填塞，如图 9-16 所示。

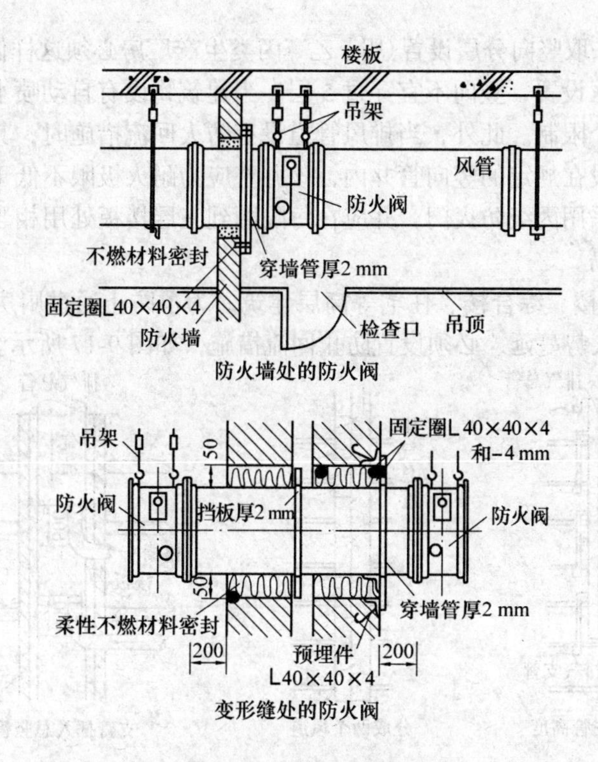

图 9-16　防火分隔做法

(5)送、排温度超过 80℃的空气或其他气体以及容易起火的碎屑的管道与燃烧体或难燃烧体构件之间的填塞物，应采用不燃烧的隔热材料。

(6)通风空调系统的管道不应采用塑料等可燃材料的管道，必须采用金属等不燃烧材料的管道，但考虑到安全和实际需要，在有腐蚀性的建筑内可采用耐腐蚀的管道如塑料管、难燃玻璃钢管等。

(7)风管和设备的保温材料、消声材料及其黏结剂，应采用非燃烧材料或难燃烧材料。风管内设有电加热器时，电加热器的开关与通风机开关应连锁控制。电加热器前后各 80 cm 范围内的风管和穿过设有火源等容易起火房间的风管，均应采用非燃烧保温材料。

(8)排除含有比空气轻的可燃气体与空气的混合物时，其排风水平管全长应顺气流方向向上坡度敷设。

(三)通风空调设备的防火要求

(1)为了有效地阻止火灾蔓延扩大，通风空调设备的保温材料、消声材料及其胶粘剂，应尽量采用不燃烧材料或难燃烧材料。某些建筑的通风空调系统的管道的保温材料，如全部采用不燃烧材料或难燃烧材料有困难，而必须采用可燃材料时，下列部位的风管局部保温材料必须采用不燃烧材料进行分隔：

①穿过防火墙、变形缝两侧各 2 m 范围内的风管和穿过走道隔墙、公共活动用房的隔墙两侧各 1 m 范围内的风管；

②穿过各层楼板上下各 1 m 范围的风管；

③电加热器前后各 80 cm 范围内的风管，以及穿过设有火源等容易起火部位的管道等。

(2)火灾实例说明，通风空调系统穿越楼板的垂直风道是火灾向竖向蔓延的主要途径之一，为此应尽量采取竖向分层设置(甲、乙、丙类生产厂房必须这样做)。如设置有困难，横向应每个防火分区设置，竖向不宜穿过 5 层。当建筑物设有自动喷水灭火系统时，穿过楼层数可以不受这个限制。此外，当排风管道设有防火回流措施时，其通风管道也可不受此限。垂直风道应设在规定的竖向管井内，该井壁应为耐火极限不低于 1 h 的不燃烧体，井壁上的检查门应采用丙级防火门，并应在每隔两到三层楼板处用相当于楼板耐火极限的不燃烧体作防火分隔。

(3)旅馆、办公楼、综合楼、住宅等高层建筑，为了防止通过厨房、浴室、厕所等的垂直排气管道扩大火势蔓延，必须设置防止回流措施，如图 9-17 所示。

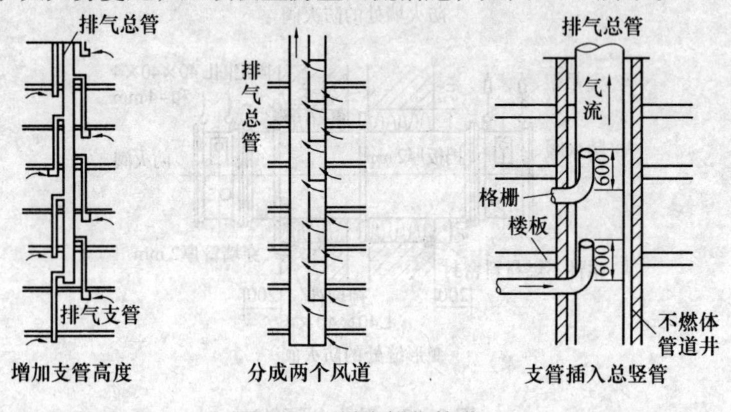

图 9-17　垂直排气管道

①加高各层垂直排气道的长度，使各层的排气管道穿过两层楼板，在第三层接入总排气道，及每隔两层垂直排气道引入穿出屋顶的总排气道内。

②将高层民用建筑的浴室、厕所间内的排气竖管分成大小两个管道，大管为总管，直接通到屋顶，高出屋面。每间浴室、厕所的排气管分别在本层上部接入总排气管。

③将排气支管顺气流方向接入总竖管中，且从支管插入处至支管出口的高度不小于 600 mm。

(4)防火阀是阻止火灾蔓延的一个有效装置，其应设易熔环或其他感温元件进行控制，使其在发生火灾时能顺气流方向自行严密关闭。易熔环或其他感温元件，应安装在容易感温的部位，其动作温度应较通风系统在正常工作时的最高温度约高 25℃，一般可采用 70℃。在安装防火阀处应设有单独的支吊架，以防止风管变形而影响其关闭。通风空调系统的下列情况应安装防火阀：

①送、回风总管穿过机房的隔墙和楼板处。

②通过贵重设备或火灾危险性大的房间隔墙和楼板处的送、回风管道。

③管道穿越防火分区处。

④垂直风管与水平风管交接处的水平支管上。

⑤通信楼的重要机房、价值特高的精密仪器间以及火灾危险性较大的房间隔墙和楼板处。

⑥通过防火墙与防火阀相连接的管道，其壁厚应采用大于或等于 1.6 mm 的钢板，外包 35 mm 厚的水泥砂浆；当风管穿过两个防火分区时，该区间的风管应采用大于或等于 1.6 mm 厚的钢板制作，外加 30 mm 厚的石棉隔热层，再做 35 mm 厚的水泥砂浆保护壳。

⑦在便于检查阀门的部位应设置检查口，在风道检查口处应能看清防火阀叶片的开闭

和动作状态。

⑧穿越变形缝处的两侧。

(四)管道交叉综合

可燃气体管道和甲、乙、丙类液体管道不应穿过通风管道和通风机房，也不应在风管的外壁敷设。

(五)通风空调系统的合理布置

(1)通风空调系统横向宜按防火分区进行布置。要做到这一点，必须与建筑师密切配合，合理选择机房、竖井位置等，尽量使风道不穿越防火分区。

(2)通风空调系统竖向不宜超过 5 层。通风空调系统穿越楼板的垂直风道是火势垂直蔓延传播的主要途径之一，为防止火灾竖向蔓延，应对系统所在层数加以限制。

(3)通风空调系统垂直风道应设在管井内，具体要求如下：

①管井材料应为不燃烧体(耐火极限 1 h 以上)，井壁上的检查门应采用丙级以上防火门。

②若建筑高度小于 100 m，管道井可在每隔 2 ~ 3 层楼板处用相当于楼板耐火等级的不燃烧体作为防火分隔；若建筑高度超过 100 m，管道井则应在每层楼板处用相当于楼板耐火等级的不燃烧体作为防火分隔。

(4)从经济、技术处理等角度考虑，当浴室、卫生间等处的垂直排风管道有防止回流的措施(或设有防火阀)且各层设有自动喷水灭火系统时，垂直风道可不受层数限制。

第四节　部分特殊场合防排烟系统设计

一、中庭及大空间防、排烟系统设计

(一)中庭式建筑的特点

一般认为中庭式建筑即为通过两层或更多层楼，顶部封闭的无间隔筒体空间，筒体周围的大部或全部被建筑物所包围，又称共享空间。由于中庭具有引入自然光、加强通风效果和改善室内环境等多方面的作用，愈来愈多的建筑，尤其是商业建筑采用这种建筑形式。但是由于中庭建筑自身的特点和不同的类型，直接导致防、排烟设计的复杂性，如果设计不合理，将留下十分严重的设计隐患，加上中庭建筑防排烟设计研究起步较晚等原因，尚存在不少问题有待研究。中庭式建筑主要类型及其特点见表 9-21。

(二)排烟方式

中庭式建筑烟气控制的目的是限制烟气从中庭空间蔓延到邻近的周围房间或其他安全地点的疏散通路中，控制有害气体的浓度，在规定的时间内保持一定高度的清晰空间，便于人员疏散及灭火。目前采取的排烟方式主要有以下两种。

1. 集中式排烟

在中庭顶部设置排烟口，进行自然或机械排烟，将侵入到中庭上部的烟气排至室外，如图 9-18 所示。根据中庭顶部烟感器的报警信号，消防控制中心将排烟口打开进行排烟。它具有便于统一控制管理、运行可靠性高、日常维护简单及大火时排烟效果好等优点，但当周围建筑层起火，且火灾规模较小时，其排烟效果较差，有时还会影响建筑美观。我国

表 9-21　中庭式建筑主要类型及其特点

中庭式建筑类型	建筑特点	常用排烟方式及其设计要点	
		排烟方式	设计要点
第一类	中庭与周围建筑之间无任何间隔，中庭与周围房间之间空气自由流通	中庭集中排烟	1.中庭四周房间一般均应设自动喷淋系统 2.正确计算排烟量 3.合理布置进风口
		分散式排烟	参照本章第二节机械排烟系统设计
		集中排烟与分散排烟相结合	1.中庭与周围房间之间应设防火、防烟卷帘分隔 2.中庭与房间的排烟量应分别计算 3.中庭四周房间一般均应设自动喷淋系统
第二类	中庭与周围建筑之间采用玻璃间隔，中庭与周围房间之间无空气流通	中庭集中排烟	1.中庭与周围房间之间应设防火、防烟卷帘分隔 2.中庭与房间的排烟量应分别计算 3.中庭四周房间一般均应设自动喷淋系统
		集中排烟与分散排烟相结合	1.中庭与周围房间之间应设防火、防烟卷帘分隔 2.中庭与房间的排烟量应分别计算 3.中庭四周房间一般均应设自动喷淋系统
第三类	中庭与周围建筑的走廊相通，走廊与周围房间之间采用玻璃或墙间隔，中庭与周围房间之间无空气流通	中庭集中排烟	1.中庭周围建筑的走廊应设自动喷淋系统 2.计算排烟量的体积应为中庭和回廊体积之和

现行规范明确规定：一类高层建筑和建筑高度超过 32 m 的二类高层建筑的中庭应该设置以下排烟设施。

(1)净空高度小于 12 m 的中庭，当其可开启的天窗或高侧窗的面积不小于中庭地面面积的 5%时，可以利用天窗或高侧窗自然排烟。

(2)不具备自然排烟条件或净空高度超过 12 m 的中庭，应设置机械排烟设施。当中庭体积小于 17 000 m^3时，排烟量按其体积的 6 次／h 换气计算；当中庭体积大于 17 000 m^3时，排烟量按其体积的 4 次／h 换气计算；最小排烟量不应小于 102 000 m^3／h。

2．分散式排烟

利用设在建筑物内各个部位的排烟风管将烟气直接排至室外，如图 9-19 所示。其排烟量计算及设计要点与机械排烟系统设计相同。火灾发生时，着火部位烟感器发出报警信号，

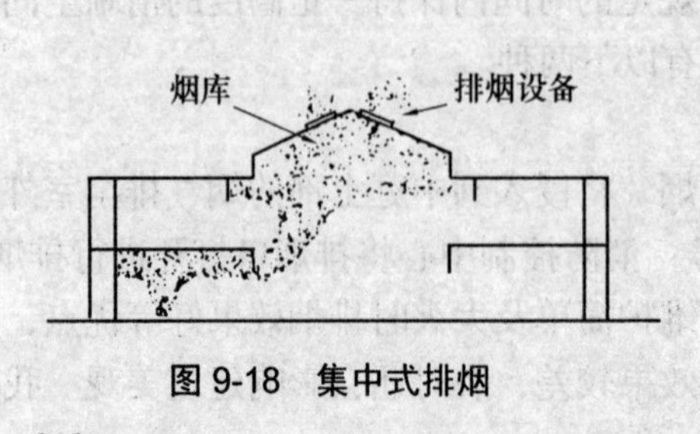

图 9-18　集中式排烟

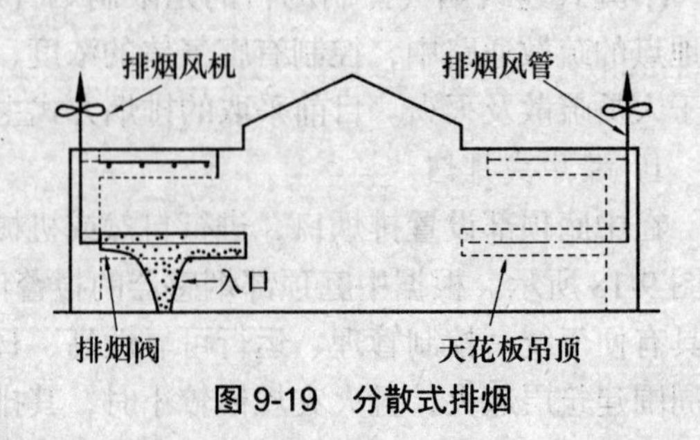

图 9-19　分散式排烟

消防控制中心将着火处的排烟阀打开，排烟风机联动开启排烟。它具有排烟量小，可把烟气控制在着火区域而不向其他非着火区域扩散等优点，但其设计、控制较集中，排烟复杂，且日常维护管理工作量大、系统可靠性较差，造价和运行费用均较高，而且一旦发生火灾则无法有效排烟。

3．排烟方式的选择

不同类型的中庭式建筑在防、排烟方式的选择上差异较大，至今观点尚未统一。表 9-21 给出国内外通常采用的排烟方式及其设计要点，设计者可根据实际工程具体情况参考采用。

（三）中庭式建筑防火、防烟分区的划分及排烟量的确定

中庭式建筑防火、防烟分区的划分应符合前述内容（本章第二节）的要求，在此基础上，现行规范对中庭式建筑有如下补充：高层建筑中庭防火分区的面积应按上下层连通的面积叠加计算，当超过一个防火分区面积时，应符合下列规定。

(1)房间与中庭回廊相通的门、窗，应设自行关闭的乙级防火门、窗。

(2)与中庭相通的过厅、通道等，应设乙级防火门或耐火极限大于 3 h 的防火卷帘分隔。

(3)中庭每层回廊应设有自动喷水灭火系统。

(4)中庭每层回廊应设火灾自动报警系统。

前已述及，现行规范中中庭的集中机械排烟量是以中庭体积为单位、按换气次数确定的。因此，正确确定中庭的排烟体积十分重要，它与中庭建筑防火分区面积的确定原则基本相同，应按表 9-22 中的几种情况分别考虑。

表 9-22　中庭式建筑防火分区面积及排烟体积的确定

中庭与周围房间的分隔情况	中庭防火分区面积	中庭的排烟体积
中庭空间与周围房间相通，无防火、防烟卷帘分隔	应按上、下层连通的面积叠加计算(即包括中庭在内以及与中庭相通的内部各楼层的全部空间面积)	中庭以及与中庭相通的内部各楼层的全部空间的体积
中庭空间与周围房间相通，但有防火、防烟卷帘分隔	中庭面积	中庭空间本身体积
中庭空间只与中庭回廊相通而与周围房间不相通	包括中庭以及与中庭相通的各楼层回廊的面积	中庭以及与中庭相通的各楼层回廊的全部空间的体积
中庭空间只与中庭回廊相通，但回廊与中庭之间设有防火、防烟卷帘分隔	中庭面积	中庭空间本身体积
中庭空间与周围房间不相通，有防火隔墙或防火、防烟卷帘分隔	中庭面积	中庭空间本身体积

二、地下停车场排烟系统设计

随着人民生活水平的提高，中、小型汽车数量飞快增长，为解决汽车存放与城市用地日益紧张的矛盾，地下停车场应运而生。地下停车场内含有大量汽车排出的尾气，而且除汽车出入口外一般无其他与室外相通的孔洞，因此必须进行机械通风。另外，由于地下车库的密闭性，一旦发生火灾，高温烟气会因无处排放而在地下停车场内蔓延，因此还必须设置机械排烟系统。工程设计追求的目标就是既要同时满足这两方面的要求，又要使系统简单、经济和便于管理。

(一)地下停车场机械通风与机械排烟系统的关系

1．地下停车场机械通风的设计原则

(1)地下停车场一般应设机械排风系统，排风量应按稀释废气量计算，本书不进行详细介绍，可参阅有关文献。如缺乏资料时，可参考换气次数进行估算，一般排风量不小于6次／h，送风量不小于5次／h。

(2)地下停车场排风的一般做法是：下部排除2／3，上部排除1／3。笔者认为，应视实际情况具体考虑。若地下停车场净高比较低(如不超过 3 m)，且只为停放轿车、面包车等小型车辆，则可以考虑将全部风量均由上部排除。

(3)送风温度(尤指北方寒冷地区)应按满足地下停车场的热量平衡计算确定。

(4)系统功能单一，只要送、排风口分布均匀即可。

2．地下停车场机械排烟的设计原则

由于强制性国家标准《汽车库、修车库、停车场设计防火规范》(简称新库规)已于1998年5月1日起开始实施，因此地下停车场机械排烟的设计原则应遵照该规范执行。

(1)具有一、二级耐火等级的地下停车场，其防火分区的最大允许建筑面积为2 000 m^2；当停车场内设有自动灭火系统时，面积还可增加1倍。

(2)地下停车场每个防烟分区的最大建筑面积不宜超过2 000 m^2，且防烟分区不应跨越防火分区。

(3)排烟风机的排烟量应按换气次数不小于6次／h计算确定。

(4)设置机械排烟的地下停车场，应同时有新鲜空气的补风系统，补风量不宜小于排烟量的50%。当利用车道进行自然补风时，应使车道断面风速小于0.5 m／s，以保证进出车道不受影响；当车道较长且弯道较多或车道断面风速超过0.5 m／s时，应采用机械补风系统。

(5)排烟系统功能复杂，系统分布与地下停车场的防火分区、防烟分区紧密联系，排烟口的分布和启闭要与防烟分区的划分相对应；系统控制较复杂。

3．机械排风与机械排烟系统的关系

地下停车场机械排风、机械排烟系统有以下两种设置方法。

(1)机械排风与机械排烟系统分开设置。平时运行机械排风系统，该系统火灾时关闭，另外启动机械排烟系统排烟。这种系统的优点是：两系统按各自的功能要求进行设计，互不影响，独立性强，维护管理方便；设计单一，没有复杂的技术问题。其缺点是：占用地下停车场空间多，管路复杂，不宜布置；两套系统，一次性投资高；由于排烟系统很少使用，为保证其可靠性，需定期进行设备维护和系统试运行。

(2)机械排风与机械排烟系统合用。由于机械排风和机械排烟存在共同点，即均为排气系统，可以将机械排风与机械排烟两个系统叠加起来，变成一个复合系统，使其具备两种功能。平时运行机械排风的功能，火灾时，启动该系统机械排烟部件，实现消防排烟的功能。排风、排烟合用系统具有管路简单、投资省等优点，但由于该系统要适应两种场合，因此控制转换装置较为复杂，而且该系统应满足排烟的使用要求。对于排风、排烟合用系统，其机械进风系统的送风量可按 5 次 / h 左右换气计算，此时既可满足排风时的送风要求，又同时满足排烟时的补风要求。近些年，随着新设备、新技术的出现，排风、排烟合用系统愈来愈成为地下停车场(尤其是中、小型)常用的方式。下面重点介绍排风、排烟合用系统在实际工程中的应用。

(二)排风、排烟合用系统在实际工程中的应用

根据实际情况，地下停车场排风、排烟合用系统在工程中的应用主要有以下几种模式。

(1)排风、排烟风道合用，排风、排烟风口合用(如图 9-20)。这种系统的优点是：排风均匀，排烟点到位，便于及时排烟。其缺点是：由于排风时要求所用风口全部打开，而排烟时则要求只要防烟分区需要排烟，其风口保持开启状态，而其余的风口均应关闭，否则影响排烟效果。因此，该系统排风、排烟的转换完全依靠风口来完成，全部风口均应为电控风口，消防控制复杂，可靠性差，系统造价较高。

(2)排风、排烟风道合用，单独设置排风、排烟风口(如图 9-21)。该系统每个防烟分区内设有普通排烟风口，平时常闭，着火时消防控制中心根据报警信号将着火部位防烟分区内的排烟口打开；在必要的部位设置电控排风口，平时常开，火灾发生时，关闭所有排风口。系统的优点是：系统控制比较简单，电气控制接近于独立的排烟系统控制方式。缺点是：一般为节省造价，尽量减少电动排风口，容易导致排风不均匀。

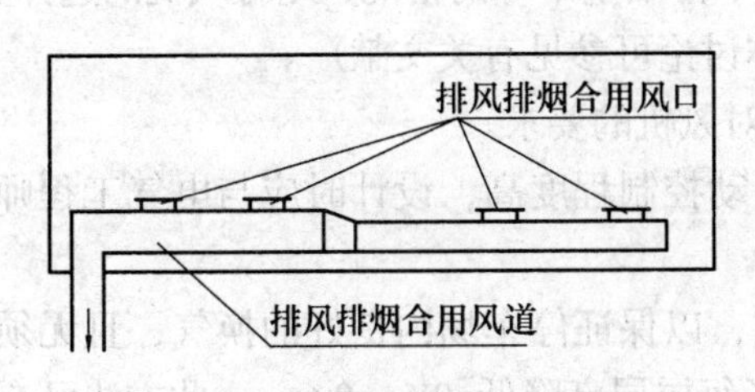

图 9-20　排风、排烟风道合用及排风、排烟风口合用示意图

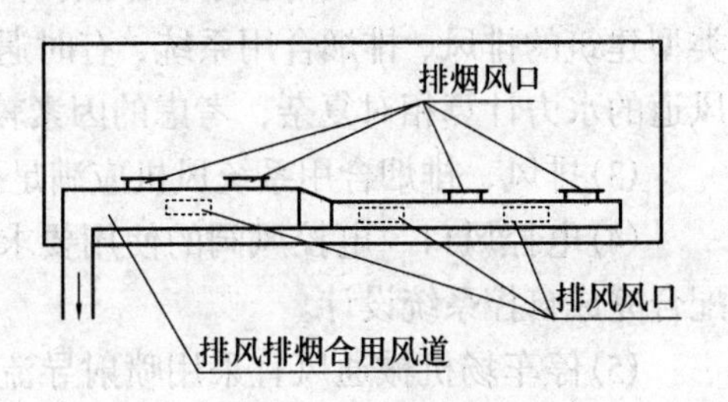

图 9-21　排风、排烟风道合用及单独设置排风、排烟风口示意图

(3)排风、排烟风道干管合用，支管功能分开(如图 9-22)。该系统干管上不装风口或只装排烟时一次性关闭的电控排风口，支管分为排风支管和排烟支管，排风支管上设有防烟防火调节阀，排烟支管上设有排烟防火阀。平时使用排风支管上的普通百叶排风口和干管上的电控排风口进行排风，当发生火灾时，消防控制中心电信号可关闭排风支管上的防烟防火调节阀和干管上的排风口，使用排烟支管上的普通排烟口进行排烟。系统的优点是：电控风口数量少，可靠性高。缺点是：由于设置双重支管，风管造价提高，占用空间较多。

(4)排风、排烟风道干管合用，支管功能共用(如图 9-23)。该系统干管上不装排风或排烟口，每个防烟分区设一支管，支管上设有回风排烟防火阀，风口则全部采用普通百叶风口。平时排风时各支管上的回风排烟防火阀均开启进行排风；火灾时，将需要排烟的防烟分区支管上的回风排烟防火阀开启进行排烟，其他支管上的回风排烟防火阀关闭。系统的优点是：风口全部为普通百叶风口，只在支管上设有数量有限的电控阀门，系统造价低，控制环节少，可靠性高。缺点是：风管截面必须同时满足排风和排烟要求。

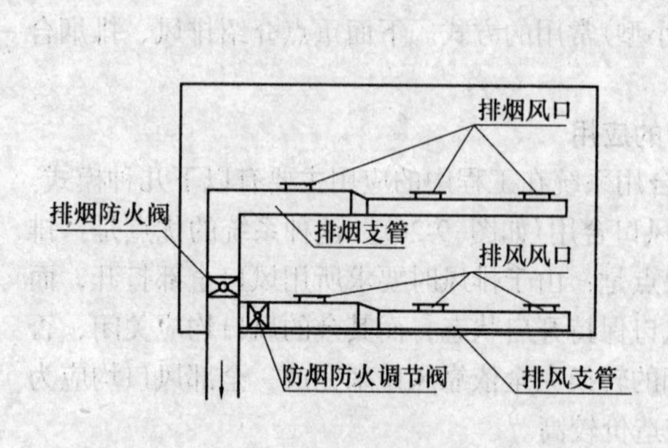

图 9-22　排风、排烟风道干管合用及支管功能分开示意图

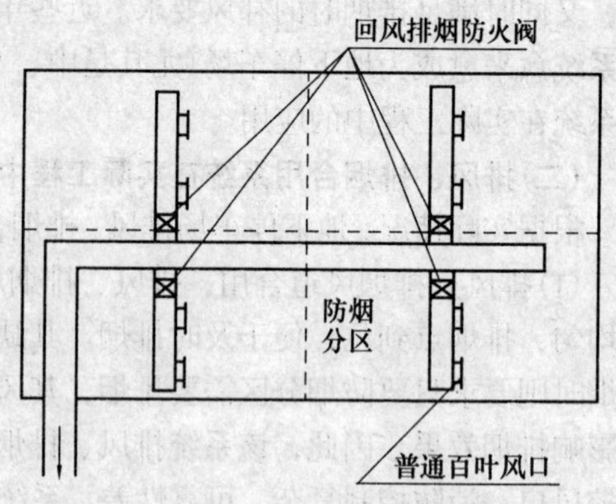

图 9-23　排风、排烟风道干管合用及支管功能共用示意图

(三)地下停车场排风、排烟合用系统设计要点

(1)排风、排烟合用风道制作安装时，需按照排烟系统的风道要求施工。

(2)新库规的颁布实施使得地下停车场排烟量和排风量接近相等，简化风机选择(其他类型建筑的排风、排烟合用系统，有时遇到排风量、排烟量不等的情况，此时风机的选择、风道的水力计算相对复杂，考虑的因素较多，具体讨论可参见有关文献)。

(3)排风、排烟合用系统风机应满足排烟系统对风机的要求。

(4)电控风口、电控风阀的使用要求该系统自动控制程度高，设计时应与电气工程师配合完成自控系统设计。

(5)停车场机械通风宜采用喷射导流通风方式，以保证停车场内良好的换气，且无须安装送、排风管，合理布置诱导器可使地下停车场每层层高降低 0.5 ~ 0.6 m，此方法已在多处地下车库中使用（见图 9-24、图 9-25，表 9-23）。

图 9-24　地下停车场（库）及大空间诱导通风示意图

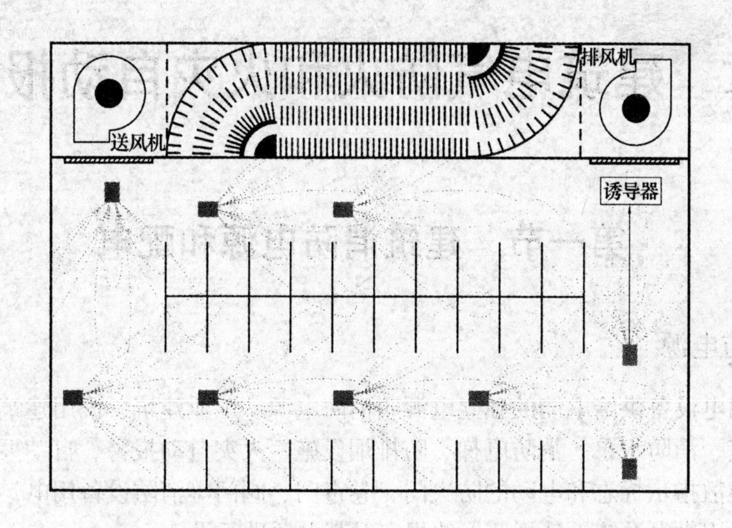

图 9-25　送风诱导器在车库内布置及气流分布平面示意图

表 9-23　SFD 型送风诱导器外形尺寸及主要性能参数

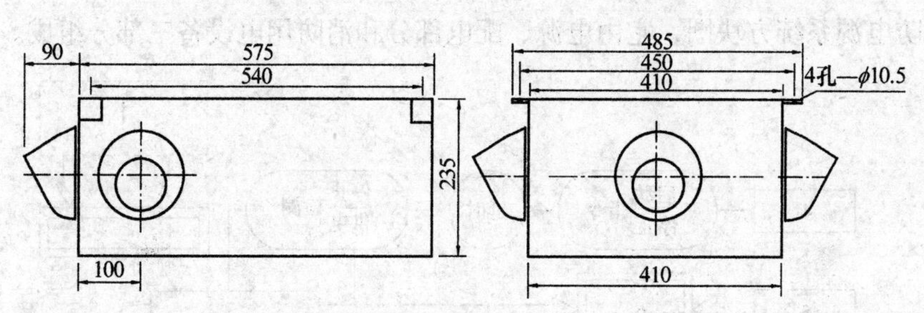

型号	外形尺寸 (mm)	风量 (m^3 / h)	风速 (m / s)	噪声 (dB) (A)	功率 (kW)	电源	诱导风量 (m^3 / h)	有效面积 (m^2)	重量 (kg)
SFD—1	575 × 410 × 235	650	8 ~ 14	53	0.12	220 V / 50 Hz	28 000 ~ 486 000	80 ~ 160	12
SFD—2	575 × 410 × 235	950	12 ~ 18	56	0.12	220 V / 50 Hz	54 545 ~ 81 818	120 ~ 200	12
SFD—3	575 × 410 × 235	1 150	14 ~ 24	60	0.18	220 V / 50 Hz	86 000 ~ 147 500	180 ~ 360	12

思考题

1. 防排烟系统设计的指导思想是什么?
2. 何谓自然排烟方式?其设置要求是什么?
3. 机械排烟方式的设置要求有哪些?
4. 机械加压防烟方式的设置要求有哪些?
5. 防烟分区的隔烟装置有哪些?
6. 对采暖设备的防火要求有哪些?
7. 对通风空调设备的防火要求有哪些?

第十章　建筑电气防火和火灾自动报警系统

第一节　建筑消防电源和配电

一、消防电源

向消防用电设备供给电能的独立电源叫消防电源。工业建筑、民用建筑、地下工程中的消防控制室、消防水泵、消防电梯、防排烟设施、火灾自动报警、自动灭火系统、火灾应急照明、疏散指示标志和电动的防火门、卷帘门、阀门等消防设备用电，都应该按照现行《工业与民用供电系统设计规范》的规定对其电源进行设计。

消防用电设备如果完全依靠城市电网供给电能，火灾时一旦失电，则势必影响早期报警、安全疏散、自动和手动灭火操作，甚至造成极为严重的人身伤亡和财产损失。所以，建筑中的电源设计必须认真考虑火灾时消防用电设备的电能连续供给问题。图 10-1 是一个典型的消防电源系统方块图，它由电源、配电部分和消防用电设备三部分组成。

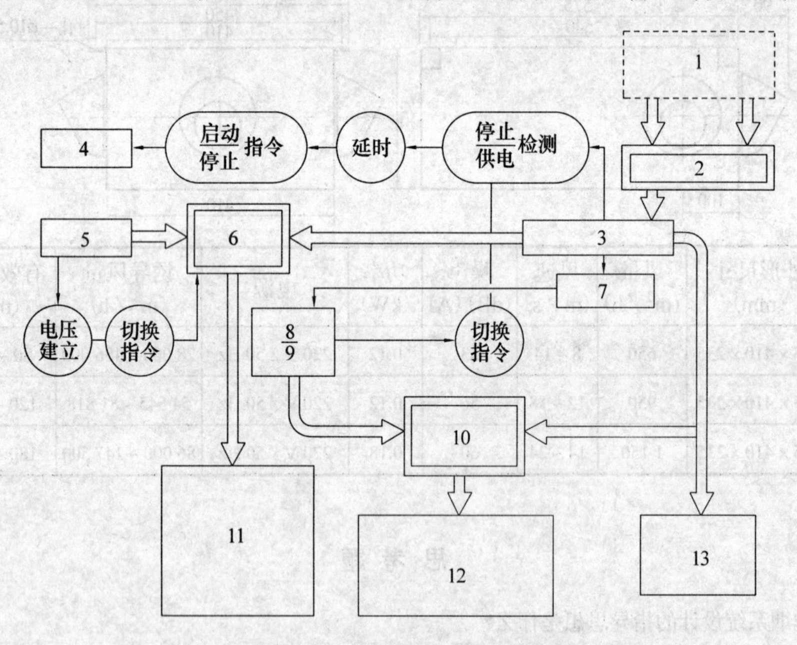

图 10-1　消防电源系统方块图

1—双回路受电源；2—高压切换开关；3—低压变配电装置；4—柴油机；5—交流发电机；6、10—应急电源切换开关；7—充电装置；8—蓄电池；9—逆变器；11—消防动力设备(消防泵、消防电梯等)；12—火灾应急照明与疏散指示标志；13——般动力照明

在建筑电气防火设计中，消防对电源及配电提出的基本要求可以归纳如下：

(1)可靠性。火灾时若供电中断，会使消防用电设备失去作用，贻误灭火战机，给人民的生命和财产带来严重后果。因此，在建筑电气防火设计中要确保消防电源及其配电的可靠性。消防设备的供电可靠性是诸要求中首先应考虑的问题。

(2)耐火性。火灾时消防设备供配电系统应具有耐火、耐热、防爆性能，土建方面应采用耐火材料建造，以保障不间断供电的能力。

(3)安全性。用于保障人身安全，防止触电事故。

(4)有效性。保证供电持续时间，确保火灾应急期间消防用电设备的有效性。

(5)科学性。在保证可靠性、耐火性、安全性和有效性的前提下，还应确保供电质量，力求系统接线简单，操作方便，投资省，运行费用低。

二、消防负荷等级与供电方式

消防负荷等级划分及其供电方式确定的基本出发点，是考虑建筑物的结构、使用性质、火灾危险性、疏散和扑救难度、事故后果等。

(一)《高层民用建筑设计防火规范》(GB50045—95)的规定

高层建筑发生火灾时，主要利用建筑物本身的消防设施进行灭火和疏散人员、物资。如果没有可靠的消防设备供电电源，就不能及时报警和组织灭火，不能有效地疏散人员、物资和控制火势蔓延，势必造成重大损失。因此，合理地确定负荷等级，保障高层建筑消防用电设备供电的可靠性非常重要。《高层民用建筑设计防火规范》(GB50045—95)根据我国具体情况，规定消防负荷等级参照电力负荷分级原则来划分，而消防负荷供电方式按照高层建筑的类别确定，即一类高层建筑按一级负荷要求供电，二类高层建筑按不低于二级负荷要求供电。

(二)《建筑设计防火规范》的规定

建筑物、储罐(区)、堆场的消防用电设备负荷等级规定如下：

(1)建筑高度超过50 m的乙、丙类厂房和丙类库房，其消防用电设备应按一级负荷供电。

(2)下列建筑物、储罐(区)和堆场的消防用电，应按二级负荷供电：

①室外消防用水量超过30 L/s的工厂、仓库；

②室外消防用水量超过 35 L/s 的易燃材料堆场、甲类和乙类液体储罐或储罐区、可燃气体储罐或储罐区；

③超过 1 000 个座位的影剧院、超过 3 000 个座位的体育馆、每层面积超过 3 000 m^2 的百货楼、展览楼和室外消防用水量超过25 L/s的其他公共建筑。

(3)按一级负荷供电的建筑物，当供电不能满足要求，应设自备发电设备。

(4)除(1)、(2)条外的民用建筑，储罐(区)和露天堆场等的消防用电设备，可采用三级负荷供电。

三、火灾应急电源种类、供电范围和容量

建筑处于火灾应急状态时，为了确保安全疏散和火灾扑救工作的成功，担负向消防应急用电设备供电的独立电源，称为火灾应急电源。应急电源一般有三种类型，即城市电网电源、自备柴油发电机组和蓄电池。对供电时间要求特别严格的地方，还可采用不停电电源(UPS)作为应急电源。

建筑电气工程设计表明，在一个特定的防火对象物中，应急电源种类并不是单一的，

应多采用几个电源的组合方案。其供电范围和容量的确定，一般是根据建筑负荷等级、供电质量、应急负荷数量和分布，负荷特性等因素决定的。

应急电源供电时间有限，其容量可按时间表计量。表 10-1 是应急电源种类、供电范围和容量的一览表。

应急电源与主电源之间应有一定的电气连锁关系。当主电源运行时，应急电源不允许工作；一旦主电源失电，应急电源必须立即在规定时间内投入运行。在采用自备发电机作为应急电源的情况下，如果启动时间不能满足应急设备对停电间隙要求时，可以在主电源失电而自备发电机组尚待启动之间，使蓄电池迅速投入运行，直至自备发电机组向配电线路供电时才自动退出工作。此外，亦可采用不停电电源来达到目的。

表 10-1　应急电源种类、供电范围和容量

需备应急电源的消防设备	应急电源种类			容量(min)	
	应急专用供电设备	自备发电机	蓄电池	日　本	中　国
室内消火栓设备	适用	适用	适用	30	
机械排烟设备		适用	适用	30	30
自动喷水灭火设备	适用	适用	适用	60	60
泡沫灭火设备	适用	适用	适用	30	
CO_2、卤代烷、干粉灭火设备		适用	适用	60	
消防电梯		适用		60	
火灾自动报警装置	适用		适用	10	10
防火门		适用	适用	30	
应急事故广播	适用		适用	10	
应急插座	适用	适用	适用	30	
火灾应急照明和疏散指示标志		适用	适用	20	20

四、电源切换方法

消防用电设备正常时由主电源供电，火灾时可由应急电源供电；火灾中停电时，应急电源应能自动投入以保证消防用电的可靠性。

(一)首端切换

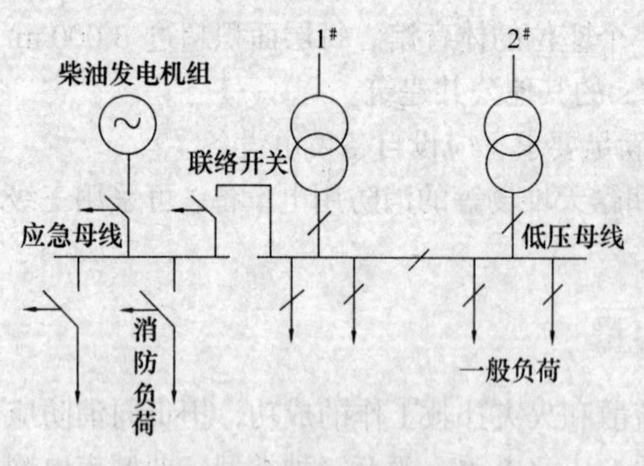

图 10-2　首端切换方式

首端切换方式如图 10-2 所示。消防负荷各独立馈电线分别接向应急母线，集中受电，并以放射式向消防用电设备供电。柴油发电机组向应急母线提供应急电源。应急母线则以一条单独馈线经自动开关(称联络开关)与主电源变电所低压母线相连接。正常情况下，该自动开关是闭合的，消防用电设备经应急母线由主电源供电。当主电源出现故障或因火灾而断开时，主电源低压母线失电，联络开关经延时后自动断开，柴油发电机组经 30 s 启动后，仅向应急母线供电，实现首端切换目的并保证消防用电设备的可靠供电。这里联络开关引入延时的目的，是为了避免柴油发电机组因瞬间的电压骤降而进行不必要的启动。

这种切换方式，正常时应急电网实际变成了主电源供电电网的一个组成部分。消防用电设备馈电线在正常情况下和应急时都由一条完成，节约导线且比较经济。但馈线一旦发生故障时，它所连接的消防用电设备则失去电源。另外，柴油发电机容量，由于选择时是依消防泵等大电机的启动容量来定的，备用能力较大。应急时只能供应消防电梯、消防泵、事故照明等少量消防负荷，从而使得柴油发电机组设备利用率低。

（二）末端切换

末端切换是指引自应急母线和主电源低压母线的两条各自独立的馈线，在各自末端的事故电源切换箱内实现切换，其切换图如图 10-3 所示。由于各馈线是独立的，从而提高了供电的可靠性，但其馈线比首端切换增加了 1 倍。火灾时当主电源切断，柴油发电机组启动供电后，如果应急馈线出现故障，同样有使消防用电设备失电的可能。对于不停电电源装置（UPS），由于已经两级切换，两路馈线无论哪一回路出现故障对消防负荷都是可靠的。

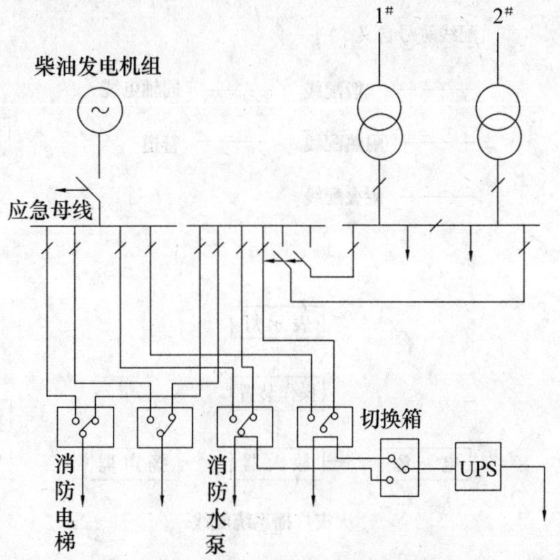

图 10-3　末端切换方式

五、消防用电设备配电线路

（一）设置专用回路、明显标志

火灾实例证明，只有可靠电源，而消防用电设备配电线路不可靠，仍不能保证火灾时消防用电设备的可靠供电。

火灾时，电气线路有可能形成短路，或因绝缘损坏而发生漏电，或火焰沿着电气线路蔓延扩大火灾范围。为了防止消防人员触电并造成伤亡事故，防止火灾蔓延扩大，需要给消防设备设置单独供电回路，而且电源要从配电室母线直接引出。同时，为了防止火灾时在配电室内发生误操作，消防专用供电回路必须设置明显标志，以利灭火战斗。

（二）耐火耐热配线

为了提高消防电源供电系统的可靠性，除了对电源种类、供配方式采取一定的可靠性措施外，还要考虑火灾高温对配电线路的影响，采取措施防止发生短路、接地故障，从而保证消防设备的安全运行，使安全疏散和扑救火灾的工作顺利进行。

根据消防设备在防火和灭火中的作用，其配线应采用耐火配线和耐热配线。耐火配线是指按照规定的火灾温升曲线，对配电线路进行耐火试验，从受到火的作用起，到火灾升温曲线达到 840℃时，在 30 min 内仍能继续有效供电的线路。耐热配线是指按照规定的火灾升温曲线的 1／2 曲线，对配电线路进行试验，从受火的作用起，到火灾升温曲线达到 380℃时，在 15 min 内仍能供电的线路。

耐火耐热配线主要采用铅包或铝包电缆，铠装电缆，氯丁橡胶铠装电缆，600 V 耐热乙烯树脂绝缘电线，石棉绝缘电线，硅橡胶绝缘电线，铜皮防火电缆等产品。

根据我国的情况，消防用电设备的配电线路一般采用穿金属管敷设在不燃烧体结构内的办法，其保护层厚度不宜小于 3 cm。如果敷设在电缆竖井内，消防线路与一般动力照明线路要进行耐火分隔，既经济又安全。

工程中有的地方不能用暗敷方法，这时可在套管外面涂刷丙烯酸乳胶防火涂料。

不论耐火配线还是耐热配线，应该包括所用电线类型和敷设方法。耐火即将电线穿管并埋于耐火构造中，耐热只要将电线穿管即可。消防用电设备耐火耐热配线范围，应包括从应急母线或主电源低压母线到消防用电设备点的所有配电线路，如图 10-4 所示。

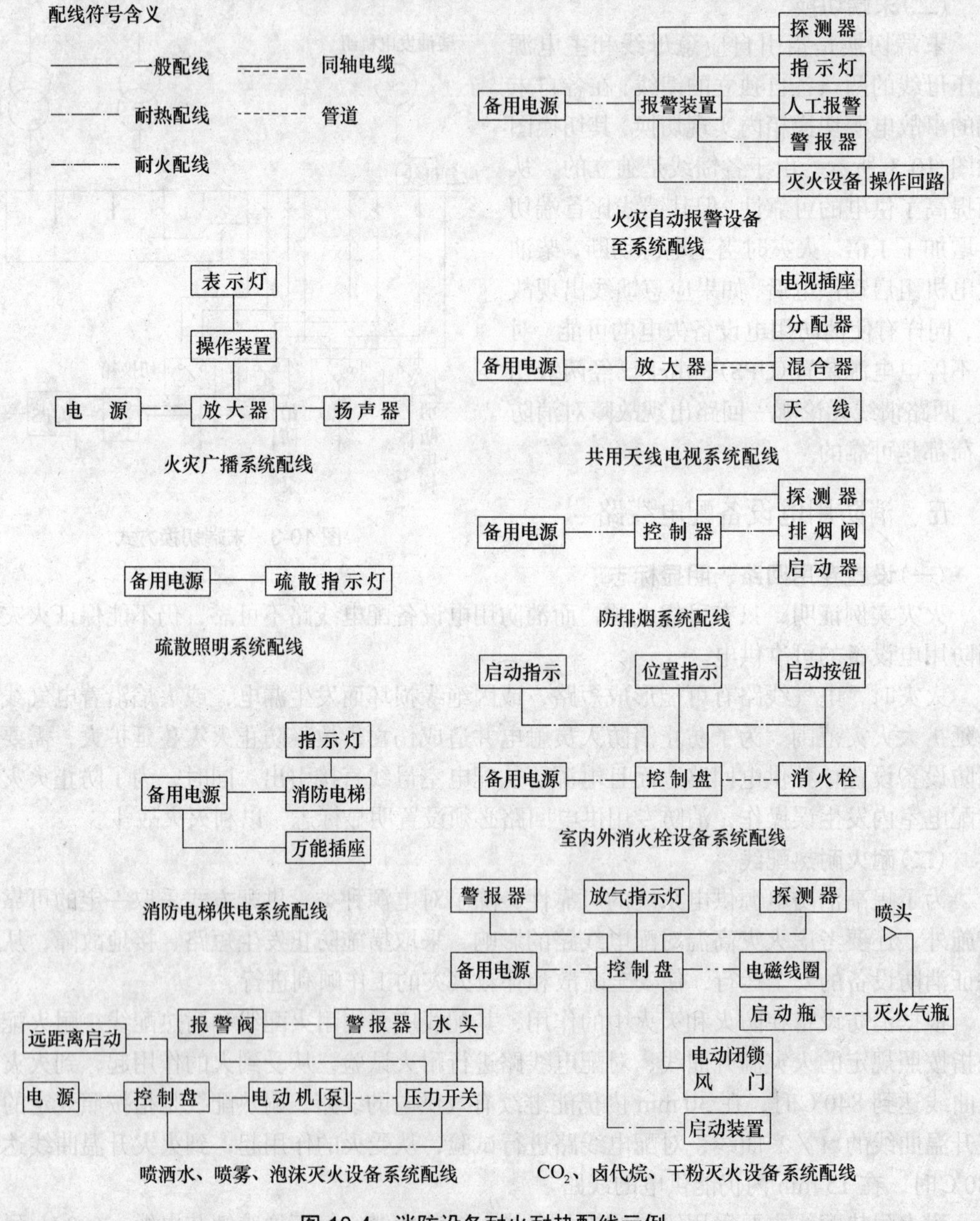

图 10-4　消防设备耐火耐热配线示例

第二节　建筑应急照明与疏散指示标志

在火灾发生时，无论事故停电或是人为切断电源的情况下，为了保证火灾扑救人员的正常工作和建筑物内人员的安全疏散，必须保持一定的电光源。据此而设置的照明总称为火灾应急照明。它有两个作用，一是使消防人员继续工作，二是使人员安全疏散。

在安全疏散期间，为防止疏散通道骤然变暗，要保证一定的亮度，以抑制人们心理上的惊慌，确保疏散安全。这就要以显眼的文字、鲜明的箭头标记指明疏散方向，引导疏散，这种用信号标记的照明，叫疏散指示标志。

一、设置范围、照度和位置

(一) 设置范围

在疏散楼梯间、走道和防烟楼梯间前室、消防电梯间和其前室及合用前室，以及观众厅、展览厅、多功能厅、餐厅和商场营业厅等人员密集的场所需设置应急照明。此外，对火灾时不许停电、必须坚持工作的场所(如配电室、消防控制室、消防水泵房、自备发电机房、电话总机房等)也应该设置应急照明。

在公共建筑内的疏散走道和居住建筑内走道长度超过 20 m 的内走道，一般应该设置疏散指示标志。

(二) 照度

照度指的是单位面积上接收到的光通量，单位是勒克斯(lx)。消防控制室、消防水泵房、防排烟机房、配电室、自备发电机房和电话总机房以及发生火灾时，仍需继续坚持工作的地方和部位，其最低照度应与一般工作照明的照度相同。供人员疏散的疏散指示标志，在主要通道上的照度不低于 0.5 lx。

(三) 设置位置

应急照明灯在楼梯间，一般设在墙面或休息平台板下；在走道，设在墙面或顶棚下；在厅、堂，设在顶棚或墙面上；在楼梯口、太平门，一般设在门口上部。疏散指示标志灯一般设在距地面不超过 1 m 的墙上。在该范围内符合人们行走时目视前方的习惯，容易发现目标，利于疏散。

二、疏散指示标志灯的布置

出口标志灯的安装部位：通常是在建筑物通向室外的正常出口和应急出口，多层和高层建筑各楼梯间和消防电梯前室的门口，大面积厅、堂、场、馆通向疏散通道或通向前厅、侧厅、楼梯间的出口。

出口标志和指向标志的安装位置和朝向：出口标志多装在出口门上方，门太高时，可装在门侧口。为防烟雾影响视觉，其高度以 2 ~ 2.5 m 为宜，标志朝向应尽量使标志面垂直于疏散通道截面。对于指向标志可安在墙上或顶棚下，其高度在人的平视线以下，地面 1 m 以上为最佳。因为烟雾会滞留在顶棚，将指示灯覆盖，使其失去指向效果。

为使疏散时无论在拐弯和出口等处都能找到出口标志，疏散通道指示灯设置位置如图 10-5 所示。

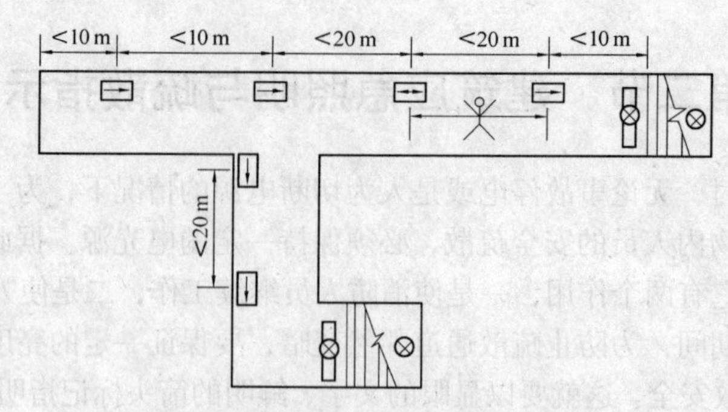

图 10-5　疏散通道指示灯的设置位置

当工作照明与火灾应急照明混合设置时，应急照明的照度为该区工作照明照度的 10%以上。具体数值，可视环境条件而定，最大为 30%～50%。在设计通道疏散照明时，宜用通道正常照明的一部分或全部，但应有标志。布置时要注意均匀性，距离比，地形变化和照度的要求。要特别注意火灾报警按钮和消防设施处的照度，要使人们容易找到。

指示出口的标志灯，有的国家并不用照度表示，而用亮度表示。考虑到标志效果和清晰度是由亮度、图形、对比、均匀度、视看距离和安装位置等因素决定的，其图形和文字呈现的最低亮度不应小于 15 cd / m^2，最高不大于 300 cd / m^2，任何标志上最低和最高亮度比在 1∶10 以内。为保证标志灯在烟雾下仍能使逃难者清楚辨认，我国规范要求的最大视看距离为 20 m。

三、电光源和灯具的选择

应急照明必须采用能瞬时点燃的光源，一般采用白炽灯、荧光灯等。当正常照明的一部分经常点燃，且在发生故障时不需要切换电源的情况下作为应急照明时，也可以采用其他光源。

灯具的选用应与建筑的装饰水平相匹配，常采用的灯具有吸顶灯、深筒嵌入灯具、光带式嵌入灯具和荧光嵌入灯具。这些嵌入灯具要作散热处理，不得安装在易燃可燃材料上，且要保持一定的防火间距。对于应急照明灯和疏散指示标志灯，为提高其火灾中的耐火能力，应设玻璃或其他不燃烧材料制作的保护罩，目的是充分发挥其火灾期间引导疏散和扑救火灾的有效作用时间。

四、应急照明供电与配电

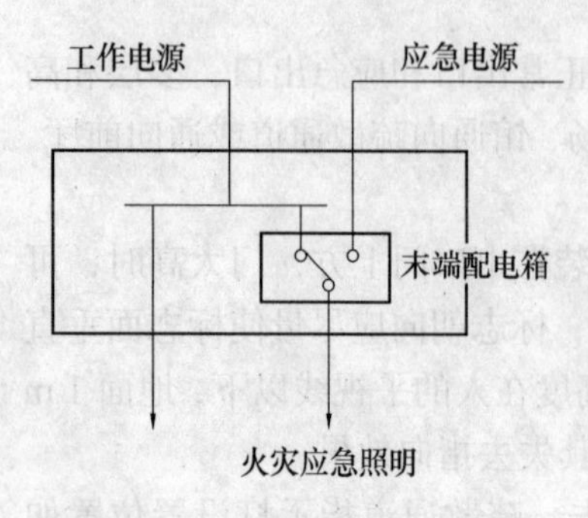

图 10-6　应急照明的配电方式

应急照明供电电源可以是柴油发电机组，蓄电池或城市电网电源中的任意两个的组合，以满足双电源双回路供电的要求。对于火灾应急照明和疏散指示标志可集中供电，也可分散供电。对于集中布置的大中型建筑，多用集中式。其总配箱设在底层，以干线向各层照明配电箱供电，各层照明配电箱装于楼梯间或附近，每回路干线上连接的配电箱不超过三个，此时的火灾应急照明电源无论是从专用干线分配电箱取得，还是从与正常照明混合使用的干线分配电箱取得，在有应急备用电源的地方，都要从最末级的分配电箱进行自动切换，如图 10-6 所示。

对于分散布置的小型建筑物内供人员疏散用的疏散照明装置，由于容量较小，一般采用小型内装灯具、蓄电池、充电器和继电器的组装单元。正常电源电压也驱动一个继电器以使应急单元上的灯具失电，一旦正常电源停电，继电器就从内装的蓄电池得电，其原理方块图如图 10-7 所示。

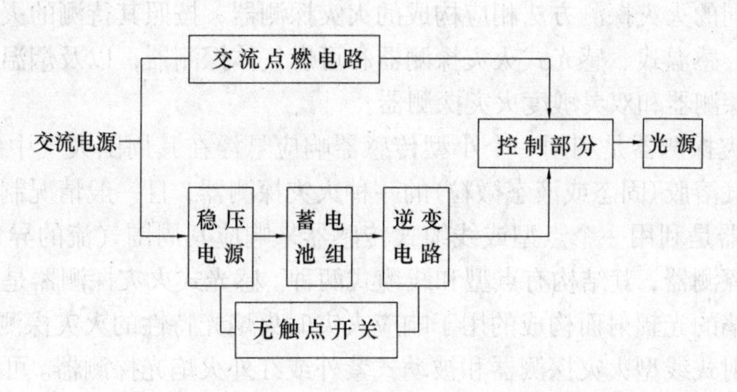

图 10-7　应急照明组装单元原理框图

当交流电源正常供电时，一路点燃灯管，另一路驱动稳压电源工作，并以小电流给镍镉蓄电池组连续充电。当交流电源因故停电时，无触点开关自动接通逆变电路，将直流变成高频高压交流电；同时，控制部分把原来的电路切断，而将直流点燃电路接通，转入应急照明，直流供电不小于 45 min。当应急照明达到所需时间后，无触点开关自动切断逆变电路，蓄电池组不再放电。一旦交流电恢复，灯具自动投入交流电路，恢复正常点燃，同时，蓄电池组又继续重新充电。应急白炽灯的直流供电与自控系统都与上述过程相同，只是没有逆变部分。持续供电时间大于 20 min，电压不低于正常电压的 85%，故能满足消防照明对电源的要求。

这种小型内装式应急照明灯，蓄电池多为镍镉电池，或小型密封铅蓄电池。优点是可靠、灵活、安装方便。缺点是费用高、检查维护不便。

第三节　火灾自动报警系统

火灾自动报警与联动控制技术是一项综合性消防技术，是现代电子技术和计算机技术在消防中应用的产物，也是现代自动消防技术的重要组成部分和新兴技术学科。它研究的主要内容是：火灾参数的检测技术，火灾信息处理与自动报警技术，消防设备联动与协调控制技术，消防系统的计算机管理技术，以及系统的设计、构成、管理和使用等。

实质上，火灾自动报警系统是以火灾为监控对象，根据防灾要求和特点而设计、构成和工作的，是一种及时发现和通报火情，并采取有效措施控制和扑灭火灾而设置在建筑物中或其他对象与场所的自动消防设施。火灾自动报警与联动控制系统是将火灾消灭在萌发状态，最大限度地减少火灾危害的有力工具。火灾自动报警系统设计是建筑防火设计中的重要环节，它涉及火灾探测方法的确定、火灾探测器的选用、火灾自动报警系统类型的选择、系统工程设计、消防设备联动控制实现以及消防控制中心等几个方面。

一、火灾探测器的分类与选用

(一)火灾探测器的分类

所谓火灾探测器，是指用来响应其附近区域由火灾产生的物理和(或)化学现象的探测器件。根据不同的火灾探测方法相应构成的火灾探测器，按照其待测的火灾参数不同可以划分为感烟式、感温式、感光式火灾探测器和可燃气体探测器，以及烟温、烟光、烟温光等复合式火灾探测器和双灵敏度火灾探测器。

感烟式火灾探测器是利用一个小型传感器响应悬浮在其周围大气中的燃烧和(或)热解产生的烟雾气溶胶(固态或液态微粒)的一种火灾探测器，且一般情况制成点型结构。感温式火灾探测器是利用一个点型或线缆式传感器来响应其周围气流的异常温度和(或)升温速率的火灾探测器，其结构有点型和线缆式两种。感光式火灾探测器是根据物质燃烧火焰的特性和火焰的光辐射而构成的用于响应火灾时火焰光特性的火灾探测器，一般是制作成主动红外对射式线型火灾探测器和被动式紫外或红外火焰光探测器。可燃气体探测器是采用各种气敏元件和传感器来响应火灾初期烟气体中某些气体浓度或液化石油气等可燃气体浓度的探测器，一般其产品为点型探测器。两种或两种以上火灾探测方法组合使用的复合式火灾探测器和双灵敏度火灾探测器通常是点型结构，它同时具有两个或两个以上火灾参数的探测能力，或者是具有一个火灾参数两种灵敏度的探测能力，目前较多使用的是烟温复合式火灾探测器和双灵敏度火灾探测器。火灾探测器还可以按照火灾信息处理方式或报警方式的不同，分为阈值比较式(开关量)、类比判断式(模拟量)和分布智能式火灾探测器等。

1．离子感烟式火灾探测器

离子感烟式火灾探测器是采用空气离化火灾探测方法构成和工作的，通常只适用于点型火灾探测。离子感烟火灾探测器的检测机理是：当火灾发生时，烟雾粒子进入电离室后，被电离部分(区域)的正离子和负离子被吸附到烟雾粒子上，使正、负离子相互中和的几率增加，从而将烟雾粒子浓度大小以离子电流变化量大小表示出来，实现对火灾参数的检测。

根据离子感烟式火灾探测器内电离室的结构形式，它可以分为双源感烟式和单源感烟式探测器。采用双源式结构的离子感烟探测器可以减少环境温度、湿度、气压等条件变化的影响，提高探测器的环境适应能力和工作稳定性。单源式结构离子感烟探测器则提高了对环境的适应能力，特别是在抗潮能力方面，单源式离子感烟探测器的性能优于双源式离子感烟探测器。

2．光电感烟式火灾探测器

根据烟雾粒子对光的吸收和散射作用，光电感烟式火灾探测器可分为减光式和散射光式两种类型。减光式光电感烟探测器原理是：进入光电检测暗室内的烟雾粒子对光源发出的光产生吸收和散射作用，使得通过光路上的光通量减少，从而使得受光元件上产生的光电流降低。光电流相对于初始标定值的变化量大小，反映了烟雾的浓度，据此可通过电子线路对火灾信息进行阈值比较放大、类比判断处理或数据对比计算，通过传输电路发出相应的火灾信号。减光式光电感烟火灾探测原理可以用于构成点型探测器，用微小的暗箱式烟雾检测室探测火灾产生的烟雾浓度大小。但是，减光式光电感烟探测原理更适合于构成线型火灾探测器，如分离式主动红外光束感烟探测器。

散射光式光电感烟探测原理是：进入暗室的烟雾粒子对发光元件(光源)发出的一定波长的光产生散射作用(按照光散射定律，烟粒子需轻度着色，粒径大于光的波长时将产生散射作用)，使得处于一定夹角位置的受光元件(光敏元件)的阻抗发生变化，产生光电流。此光电流的大小与散射光强弱有关，并且由烟粒子的浓度和粒径大小及着色与否来决定。根据受光元件的光电流大小(无烟雾粒子时光电流大小约为暗电流)，即当烟粒子浓度达到一定值时，散射光的能量就足以产生一定大小的激励用光电流，可以用于激励外电路发出火灾信号。

散射光式光电感烟探测方式只适用于点型探测器结构，其遮光暗室中发光元件与受光元件的夹角在 90°~135°，夹角愈大，灵敏度愈高。不难看出，散射光式光电感烟探测的实质是利用一套光学系统作为传感器，将火灾产生的烟雾对光的传播特性的影响，用电的形式表示出来并加以利用。

3．感温式火灾探测器

感温式火灾探测器可以根据其作用原理分为如下三类：

(1)定温式火灾探测器。定温式火灾探测器是在规定时间内，火灾引起的温度上升超过某个定值时启动报警的火灾探测器。它有点型和线型两种结构形式。其中，线型是当局部环境温度上升达到规定值时，可熔的绝缘物熔化使两导线短路，从而产生火灾报警信号。点型是利用双金属片、易熔金属、热电偶、热敏半导体电阻等元件，在规定的温度值上产生火灾报警信号。

(2)差温式火灾探测器。差温式火灾探测器是在规定时间内，火灾引起的温度上升速率超过某个规定值时启动报警的火灾探测器。它也有线型和点型两种结构。线型差温式火灾探测器是根据广泛的热效应而动作的，主要的感温元件有按面积大小蛇形连续布置的空气管、分布式连接的热电偶、热敏电阻等。点型差温式火灾探测器是根据局部的热效应而动作的，主要感温元件有空气膜盒、热敏半导体电阻元件等。

(3)差定温式火灾探测器。差定温式火灾探测器结合了定温式和差温式两种作用原理并将两种探测器结构组合在一起。差定温式火灾探测器一般多是膜盒式或热敏半导体电阻式等点型结构的组合式火灾探测器。

4．感光式火灾探测器

感光式火灾探测器主要是指火焰光探测器，目前广泛使用紫外式和红外式两种类型。紫外火焰探测器是应用紫外光敏管(光电管)来探测波长 0.2~0.3 μm 以下的火灾引起的紫外辐射，多用于油品和电力装置火灾监测。红外火焰探测器是利用红外光敏元件(硫化铅、硒化铅、硅光敏元件)的光电导或光伏效应来敏感地探测低温产生的红外辐射，光波范围一般大于 0.76 μm。由于自然界中只要物体高于绝对零度都会产生红外辐射，所以，利用红外辐射探测火灾时，一般还要考虑燃烧火焰的间歇性闪烁现象，以区别于背景红外辐射。燃烧火焰的闪烁频率大约在 3~30 Hz。

5．可燃气体探测器

可燃气体探测器目前主要用于宾馆厨房或燃料气储备间、汽车库、压气机站、过滤车间、溶剂库、炼油厂、燃油电厂等存在可燃气体的场所。用于一般建筑物火灾时烟气体的探测尚未普及。

可燃气体的探测原理，按照使用的气敏元件或传感器的不同分为热催化原理、热导原理、气敏原理和三端电化学原理等四种。热催化原理是指利用可燃气体在有足够氧气和一定高温条件下，发生在铂丝催化元件表面的无焰燃烧，放出热量并引起铂丝元件电阻的变化，从而达到可燃气体浓度探测的目的。热导原理是利用被测气体与纯净空气导热性的差异和在金属氧化物表面燃烧的特性，将被测气体浓度转换成热丝温度或电阻的变化，达到测定气体浓度的目的。气敏原理是利用灵敏度较高的气敏半导体元件吸附可燃气体后电阻变化的特性来达到测量的目的。三端电化学原理是利用恒电位电解法，在电解池内安置三个电极并施加一定的极化电压，以透气薄膜同外部隔开，被测气体透过此薄膜达到工作电极，发生氧化还原反应，从而使得传感器产生与气体浓度成正比的输出电流，达到探测目的。

采用热催化原理和热导原理测量可燃气体时，不具有气体选择性，通常以体积百分浓度表示气体浓度。采用气敏原理和三端电化学原理测量可燃气体时，具有气体选择性，适用于气体成分检测和低浓度测量，过去多以 ppm(mg / kg)表示气体浓度。可燃气体探测器一般只有点型结构形式，其传感器输出信号的处理方式多采用阈值比较方式。

除了上述典型的火灾探测原理外，复合式火灾探测方法也在工程上获得使用，烟温复合式火灾探测器就是一个典型的例子。当前，使用量最大的是离子感烟式和光电感烟式火灾探测器、膜盒差定温和电子差定温火灾探测器；对于大空间的机房、控制室、电缆沟等，线缆式火灾探测器也有广泛的应用。

(二)火灾探测器的选用

火灾探测器的选用和设置，是构成火灾自动报警系统的重要环节，直接影响着火灾探测器性能的发挥和火灾自动报警系统的整体特性。关于火灾探测器的选用和设置，必须按照现行《火灾自动报警系统设计规范》和现行《火灾自动报警系统施工、验收规范》等的有关要求和规定执行。

火灾探测器的一般选用原则是：充分考虑火灾形成规律与火灾探测器选用的关系，根据火灾探测区域内可能发生的初期火灾的形成和发展特点、房间高度、环境条件和可能引起误报的因素等综合确定。

1. 根据火灾的形成与发展特点选用火灾探测器

根据建筑特点和火灾的形成与发展特点来选用火灾探测器，是火灾探测器选用的核心所在。一般应该遵循以下原则：

原则 1——火灾初期有阴燃阶段(如棉麻织物、木器火灾)，产生大量的烟和少量的热，很少或没有火焰辐射时，一般应该选用感烟式火灾探测器，探测器的感烟方式和灵敏度级别应该根据具体使用场所来确定。感烟探测器的工作方式则是根据反应速度与可靠性要求来确定，一般对于只是用做报警目的的探测器，选用非延时工作方式，并应该考虑与其他种类火灾探测器配合使用。

离子感烟和光电感烟火灾探测器的适用场所是根据离子和光电感烟方式的特点确定的。对于那些使得感烟探测器变得不灵敏或总是误报，对离子式感烟探测器放射源产生腐蚀并改变其工作特性，或使得感烟探测器在短期内被严重污染的场所，感烟探测器不适用，有关规定参考现行《火灾自动报警系统设计规范》。

原则 2——火灾发展迅速，有强烈的火焰辐射和少量的烟热时，应该选用火焰光探测器。火焰探测器通常采用紫外式或紫外与红外复合式，一般为点型结构，其有效性取决于探测器的光学灵敏度(用4.5 cm焰高的标准烛光距探测器0.5 m或1.0 m时，探测器有额定输出)、视锥角(即视角，通常70°~120°)、响应时间(≤1s)和安装定位。

原则 3——火灾形成阶段是以迅速增长的烟火速度发展，产生较大的热量，或同时产生大量的烟雾和火焰辐射时，应该选用感温、感烟和火焰探测器或将它们组合使用。

感温探测器的使用一般考虑其定温、差温和差定温方式选择，其使用环境条件要求不高，一般在感烟探测器不能使用的场所均可使用。但是，在感烟探测器可用的场所，尽管也可使用感温探测器，但其探测速度却大大低于感烟方式。因此，只要感烟和感温探测器均可使用的场所多选择感烟式，在有联动控制要求时则采用感烟和感温组合式或复合式。此外，点型电子感温探测器受油雾等污染会影响其外露热敏元件的特性，因此对环境污染应鉴别考虑。感温探测器的主要适用场所有：相对湿度经常高于95%以上的场所，有大量粉尘、水雾滞留的场所，可能发生无烟火灾的场所，正常情况下有烟和蒸气滞留的场所以及其他不宜用感烟探测器的厅堂和公共场所。对于可能产生阴燃火或需要早期报警以避免重大损失的场所，各种感温火灾探测发生均不可用；正常温度在0℃以下的场所，不宜用点型定温探测器，可用差温或差定温探测器；正常情况下温度变化较大的场所，不宜用差温探测器，可用定温探测器。

原则 4——火灾探测报警与灭火设备有联动要求时，必须以可靠为前提，获得双报警信号后，或者再加上延时报警判断后，才能产生延时报警信号。

必须采用双报警信号或双信号组合报警的场所，一般都是重要性强、火灾危险性较大的场所。这时，一般是采用感烟、感温和火焰探测器的同类型或不同类型组合来产生双报警信号。同类型组合通常是指同一探测器具有两种不同灵敏度的输出，如具有两极灵敏度输出的双信号式光电感烟探测器；不同类型组合则包括复合式探测器和探测器的组合使用，如热烟光电式复合探测器与感烟探测器配对组合使用等。

原则 5——在散发可燃气体或易燃液体蒸气的场所，多选用可燃气体探测器实现报警。

原则 6——火灾形成不可预料的场所，可进行模拟试验后，按试验结果确定火灾探测器的选型。

综上可见，按初期火灾的形成和发展特点选用火灾探测器，应结合各种火灾探测器的原理和有关的消防法规、规范的规定与要求，以发挥探测器有效性为前提，确保火灾探测器能可靠工作和输出信号。

2．根据房间高度选用火灾探测器

对火灾探测器使用高度加以限制，是为了在整个探测器保护面积范围内，使火灾探测器有相应的灵敏度，确保其有效性。一般感烟探测器的安装使用高度$h \leq 12$ m，随着房间高度上升，使用的感烟探测器灵敏度相应提高。感温探测器的使用高度$h \leq 8$ m，房间高度也与感温探测器的灵敏度有关，灵敏度高，使用于较高的房间。火焰探测器的使用高度由其光学灵敏度范围(9~30 m)确定，房间高度增加，要求火焰探测器灵敏度提高。

房间高度与火灾探测器选用的关系如表10-2所示。应该指出，房间顶棚的形状(尖顶形、拱顶形)和大空间不平整顶棚，对火灾探测器的有效使用有一定的影响，应该视具体情况并考虑火灾探测器的保护面积和保护半径等，按照规范要求确定。

表 10-2 房间高度与火灾探测器的关系

房间高度 h(m)	感烟探测器 (离子式，光电式)	感温探测器 (一级灵敏度)	感温探测器 (二级灵敏度)	感温探测器 (三级灵敏度)	火焰探测器 (紫外)
$12<h\leq 20$	不适合	不适合	不适合	不适合	适　合
$8<h<12$	适　合	不适合	不适合	不适合	适　合
$6<h<8$	适　合	适　合	不适合	不适合	适　合
$4<h<6$	适　合	适　合	适　合	不适合	适　合
$h\leq 4$	适　合	适　合	适　合	适　合	适　合

3．综合环境条件选用火灾探测器

火灾探测器使用的环境条件，如环境温度、气流速度、振荡、空气湿度、光干扰等，对火灾探测器的工作有效性(灵敏度等)会产生影响。一般感烟与火焰探测器的使用温度小于 50℃，定温探测器在 10 ~ 35℃；在 0℃以下探测器安全工作的条件是其本身不允许结冰，并且多数采用感烟或火焰探测器。环境中有限的正常振荡，对于点型火灾探测器一般影响很小，对分离式光电感烟探测器影响较大，要求定期调校。环境空气湿度小于 95%时，一般不影响火灾探测器工作；当有雾化烟雾或凝露存在时，对感烟和火焰探测器的灵敏度有影响。环境中存在烟、灰及类似的气溶胶时，直接影响感烟火灾探测器的使用；对感温和火焰探测器，如避免湿灰尘，则使用不受限制。环境中的光干扰对感烟和感温火灾探测器的使用无影响，对火焰探测器则无论直接与间接，都将影响工作可靠性。

选用火灾探测器时，如果不充分考虑环境因素的影响，那么在使用中会产生误报。误报除了与环境因素有关之外，还与火灾探测器故障或设计中的欠缺、探测器老化和污染、系统维护不周或接地不良等因素有关，应该认真对待。

通常，为了便于探测器的选用，在民用建筑中可以按照各种类型的火灾探测器性能确定其适用或不适用的场所，具体选择参考表 10-3。

表 10-3 民用建筑中火灾探测器类型选择表

设置场所	火灾探测器类型及灵敏度											
	差温式			差定温式			定温式			感烟式		
	1级	2级	3级	1级	2级	3级	1级	2级	3级	1级	2级	3级
剧场、电影院、礼堂、会场、百货商场、旅馆、饭店、集体宿舍、公寓、住宅、医院、图书馆、博物馆、展览馆等	□	○	○	□	○	○	○	□	□	☆	○	○
电视演播室、电影放映室	☆	☆	□	☆	☆	□	○	○	○	☆	○	○
差温式及定温式有可能不预报火灾发生的场所	☆	☆	☆	☆	☆	☆	○	○	○	☆	○	○
发动机室、立体停车场、飞机库	☆	○	○	☆	○	○	○	☆	☆	☆	□	○
厨房、锅炉房、开水间、消毒室	☆	☆	☆	☆	☆	☆	□	○	○	☆	☆	☆
进行干燥、烘干的场所	☆	☆	☆	☆	☆	☆	□	○	○	☆	☆	☆
有可能产生大量蒸汽的场所	☆	☆	☆	☆	☆	☆	□	○	○	☆	☆	☆

续表 10-3

设置场所	火灾探测器类型及灵敏度											
	差温式			差定温式			定温式			感烟式		
	1级	2级	3级	1级	2级	3级	1级	2级	3级	1级	2级	3级
发生火灾时温度变化缓慢的小间	☆	☆	☆	○	○	○	○	○	○	□	○	○
楼梯及倾斜走道	☆	☆	☆	☆	☆	☆	☆	☆	☆	□	○	○
走廊及通道	※	※	※	※	※	※	※	※	※	□	○	○
电梯竖井、管道井	※	※	※	※	※	※	※	※	※	□	○	○
电子计算机房、通讯机房	□	☆	☆	□	☆	☆	□	☆	☆	□	○	○
书库、地下仓库	□	○	○	□	○	○	○	☆	☆	□	○	○
吸烟室、小会议室	☆	☆	○	○	○	○	○	☆	☆	☆	☆	○

注：○—表示适用；☆—表示不适用；※—表示不确定，可被取代；□—表示按安装场所情况，限于能有效探测火灾发生的场所才适用。

二、火灾自动报警系统及其应用形式

(一)火灾自动报警系统的组成

火灾的早期发现和扑救具有极其重要的意义，它能将损失控制在最小范围，并且防止造成灾害。基于这种思想和高层建筑以自救为主的原则，我国的有关消防规范和技术标准对火灾自动报警系统及其系列产品提出了以下基本要求。

(1)确保火灾探测和报警功能，保证不漏报；

(2)减少环境因素影响，减少系统误报率；

(3)确保系统工作稳定，信号传输准确可靠；

(4)系统的灵活性、兼容性强，产品成系列；

(5)系统的工程适用性强，布线简单、灵活、方便；

(6)系统的应变能力强，调试、管理、维护方便；

(7)系统的性能价格比高；

(8)系统的联动功能丰富，联动控制方式有效、多样。

为了达到上述基本要求，火灾自动报警系统通常由火灾探测器、火灾报警控制器，以及联动模块与控制模块、控制装置等组成。火灾探测器是对火灾进行有效探测的基础与核心；火灾探测器的选用及其与火灾报警控制器的配合，是火灾自动报警系统设计的关键。火灾报警控制器是火灾信息处理和报警识别与控制的核心，最终通过联动控制装置实施对消防设备的联动控制和灭火操作。因此，根据火灾报警控制器功能与结构以及系统设计构思的不同，火灾自动报警系统呈现出不同的应用形式。

一般火灾报警控制器按照其用途可以分为区域火灾报警控制器、集中火灾报警控制器和通用火灾报警控制器。区域火灾报警控制器用于火灾探测器的监测、巡检、供电与备电，接收火灾监测区域内火灾探测器的输出参数或火灾报警、故障信号，并且转换为声、光报警输出，显示火灾部位或故障位置等，其主要功能有火灾信息采集与信号处理，火灾模式识别与判断，声、光报警，故障监测与报警，火灾探测器模拟检查，火灾报警计时，备电切换和联动控制等。

集中火灾报警控制器用于接收区域火灾报警控制器的火灾报警信号或设备故障信号，

显示火灾或故障部位，记录火灾信息和故障信息，协调消防设备的联动控制和构成终端显示等，其主要功能包括火灾报警显示、故障显示、联动控制显示、火灾报警计时、联动连锁控制实现、信息处理与传输等。

通用火灾报警控制器兼有区域和集中火灾报警控制器的功能，小容量的可以作为区域火灾报警控制器使用，大容量的可以独立构成中心处理系统。其形式多样，功能完备，可以按照其特点用做各种类型火灾自动报警系统的中心控制器，完成火灾探测、故障判断、火灾报警、设备联动、灭火控制及信息通讯传输等功能。

(二)火灾自动报警系统基本设计形式

根据现行《火灾自动报警系统设计规范》的规定、火灾监控对象的特点和火灾报警控制器的分类，以及消防设备联动控制要求的不同，火灾自动报警系统有以下三种基本设计形式。

1．区域报警系统

区域报警系统由火灾探测器、手动报警器、区域报警控制器或通用报警控制器、火灾警报装置等构成，如图 10-8 所示。这种系统形式主要用于完成火灾探测和报警任务，适用于小型建筑对象和防火对象单独使用。一般使用这类系统的火灾探测和报警区域内最多不得超过 3 台区域火灾报警控制器或用做区域报警的小型通用火灾报警控制器(一般每台的探测点数小于 256 点)；若多于 3 台，应考虑使用集中报警系统形式。

2．集中报警系统

集中报警系统由火灾探测器、区域火灾报警控制器或用做区域报警的通用火灾报警控制器和集中火灾报警控制器等组成。按照现行《火灾自动报警系统设计规范》，集中报警系统形式适用于高层宾馆、写字楼等对象，其基本结构如图 10-9。

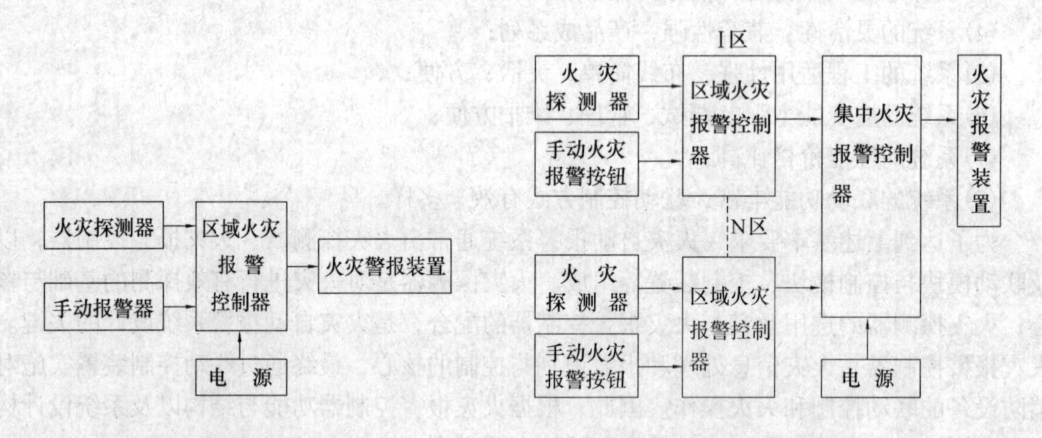

图 10-8 区域报警系统形式　　图 10-9 集中报警系统原理框图

3．控制中心报警系统

控制中心报警系统是由设置在消防控制中心(或消防控制室)的消防联动控制装置、集中火灾报警控制器、区域火灾报警控制器和各种火灾探测器等组成，或由消防联动控制装置、环状或枝状布置的多台通用火灾报警控制器和各种火灾探测器及功能模块等组成。一般控制中心报警系统形式是高层建筑及智能建筑中自动消防系统的主要类型，是楼宇自动化系统的重要组成部分，其典型的系统结构如图 10-10 所示。它是采用区域火灾报警控制器、集中火灾报警控制器、各种火灾探测器以及功能模块和联动控制装置等构成的控制中心报警系统形式，它进一步加强了对消防设备的监测和控制，适用于大型建筑群、高层或超高层建筑、大型综合商场、宾馆、公寓综合楼等对象，可以对各类设置在建筑中的消防设备实现联动控制和手动／自动控制转换。

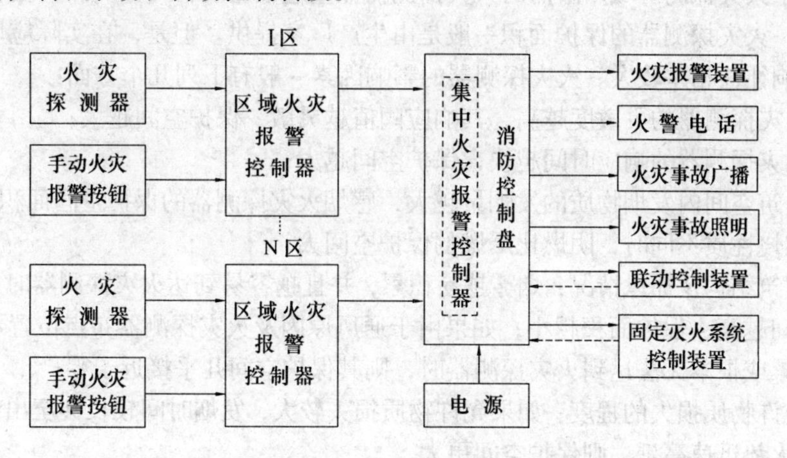

图 10-10　控制中心报警系统原理框图

(三) 火灾自动报警系统的应用形式

火灾自动报警系统除了根据建筑特点和火灾报警控制器的不同而分为上述三种基本设计形式之外，还可按照所采用的火灾探测器、各种功能模块和楼层显示器等与火灾报警控制器的连接方式，分为多线制和总线制两种系统应用形式；根据火灾报警控制器实现火灾模式识别方式的不同，分为集中智能和分布智能两种系统应用形式等。

三、火灾自动报警系统的设计

(一) 系统的设置原则

民用建筑物的火灾自动报警系统的设置，应该按照国家现行的有关建筑设计防火规范的规定执行。首先应按照建筑物的使用性质、火灾危险性划分的保护等级来设置，即根据建筑物保护等级不同而选用不同的火灾自动报警系统。根据规范规定，建筑对象分为特级、一级和二级保护要求。一般情况下，特级保护对象宜采用控制中心报警系统，并设有专用消防控制室；一级保护对象宜采用集中报警系统；二级保护对象宜用区域报警系统。在具体工程设计中，还需按工程实际要求进行综合考虑，并取得当地主管部门的认可，在系统的选择上不一定拘泥于上述的一般情况。

(二) 系统的主要设计内容

1. 探测区域和报警区域的划分

火灾探测区域是由一个或多个火灾探测器并联组成的一个有效探测报警单元，可以占有区域火灾报警控制器的一个部位号。而火灾报警区域是由多个火灾探测器组成的火灾警戒区域范围。

火灾报警区域的划分一般应按照防火分区或楼层来划分。一个火灾报警区域宜由一个防火分区或同一楼层的几个防火分区组成。同一火灾报警区域的同一警戒分路不应跨越防火分区。当不同楼层划分为同一个火灾报警区域时，应该在未装设火灾报警控制器的各个楼层的各个主要楼梯口或消防电梯前室明显部位设置灯光及音响警报装置。

2．火灾探测器数量的确定

在一个火灾探测区域内所需的火灾探测器数量应根据现行《火灾自动报警系统设计规范》确定。火灾探测器的保护面积一般是由生产厂家提供。但是，在实际应用中由于各种因素的影响往往相差较大。火灾探测器的影响因素一般有下列几个方面：

(1)火灾探测器的灵敏度越高，其响应阈值越灵敏，保护空间越大；

(2)火灾探测器的响应时间越快，保护空间越大；

(3)建筑空间内发烟物质的发烟量越大，感烟火灾探测器的保护空间面积越大；

(4)燃烧性质不同时，阴燃比爆燃的保护空间大；

(5)建筑结构及通风情况：烟雾越易积累，并且越容易到达火灾探测器时，则保护空间越大；空间越高，保护面积越小；如果由于通风原因及火灾探测器布点位置不当，致使烟雾无法积累或根本无法达到火灾探测器时，则其保护空间几乎接近于零；

(6)允许物质损失的程度：如果允许物质损失较大，发烟时间较长甚至出现明火，烟雾可以借助火势迅速蔓延，则保护空间更大。

上述各种因素，有的可以预计其影响程度，有的无法考虑。因此，通常采用修正系数来综合考虑有关因素的影响。

3．梁对探测器保护面积的影响

梁对火灾探测器保护面积的影响，可分为平整顶棚和不平整顶棚两种情况来考虑。对于平整顶棚情况而言，梁对火灾探测器保护面积的影响按照现行《火灾自动报警系统设计规范》的具体要求来判断处理和确定探测器数量。对于不平整顶棚情况，确定梁对火灾探测器保护面积的影响时，应该综合考虑房间顶棚的形状、坡度大小以及安装情况。

4．火灾探测器的设置要求

火灾探测器的设置位置可以按照下列三项基本原则确定：

(1)设置位置应是火灾发生时烟、热最易到达之处，并且能在短时间内聚积的地方；

(2)消防管理人员易于检查、维修，而一般人员应不易触及火灾探测器；

(3)火灾探测器不易受环境干扰，布线方便，安装美观。

对于常用的感烟和感温探测器来讲，其安装时还应符合下列要求：

(1)探测器距离通风口边缘不小于 0.5 m，如果顶棚上设有回风口时可以靠近回风口安装；

(2)顶棚距离地面高度小于 2.2 m 的房间、狭小的房间(面积不大于 10 m^2)，火灾探测器宜安装在入口附近；

(3)在顶棚或房顶坡度大于45°斜面上安装火灾探测器时,应该采取措施使安装面成水平；

(4)在楼梯间、走廊等处安装火灾探测器时，应该安装在不直接受外部风吹的位置；

(5)在与厨房、开水间、浴室等房间相连的走廊安装火灾探测器时应该避开其入口边缘 1.5 m 内处安装；

(6)建筑物内无防排烟要求的楼梯间，可以每隔 3 层装设一个火灾探测器；倾斜通道安装火灾探测器的垂直距离不应大于 15 m；

(7)安装在顶棚上的火灾探测器边缘与照明灯具的水平间距不小于 0.2 m；距离电风扇

不小于 1.5 m；距嵌入式扬声器罩间距不小于 0.1 m；与各种水灭火喷头间距不小于 0.3 m；与防火门、防火卷帘门的距离一般为 1 ~ 2 m；感温火灾探测器距离高温光源(碘钨灯、容量大于 100 W 的白炽灯等)不小于 0.5 m。

必须指出，在下列场所可以不安装感烟、感温火灾探测器：

(1)火灾探测器安装位置与地面间的高度大于 12 m 者；

(2)因受气流影响，火灾探测器不能有效检测到烟、热的场所；

(3)顶棚与上层楼板间距、地板与楼板间距小于 0.5 m 的场所；

(4)闷顶及相关的吊顶内的构筑物及装饰材料为难燃型，并且已安装有自动喷淋灭火系统的闷顶及吊顶的场所；

(5)电梯井上有机房，且机房地面与电梯井有大于 $0.25\ m^2$ 的开孔，并且在开孔附近装有火灾探测器的电梯井道；

(6)隔断板高度在三层以下，并且完全处于水平警戒范围内的各种竖井及类似场所；

(7)长度小于 10 m 的独立走廊、通道或开敞式走廊与通道。

(三)系统工程设计要点

对于具体的自动消防工程而言，采用哪一种形式的火灾自动报警系统应该根据工程的建设规模、被保护对象的性质、火灾监控区域的划分和消防管理机构的组织形式，以及火灾自动报警产品的技术性能等因素综合确定，并应符合下面一些共同设计要点：

1．自动控制与手动控制设置

为了提高火灾自动报警系统的可靠性，在主要消防设备设置自动控制的同时，必须设置相应的手动控制装置，如手动报警按钮、手动启动开关、手动切换开关等，以确保人工直接启动消防设备或停止设备运行。

2．区域报警系统设计

当消防工程设计中采用区域报警系统形式时，火灾自动报警系统中设置的区域火灾报警控制器(或装置)台数不能多于 3 台。这是因为在没有设置集中火灾报警装置的区域报警系统中，区域火灾报警装置台数过多，则不便于操作及管理。

3．集中报警系统设计

当采用集中报警系统形式时，火灾自动报警系统中应该设置一台集中火灾报警装置和至少两台及其以上的区域火灾报警装置。集中火灾报警装置应该设置在有人值班的专用房间或消防值班室内；凡是集中火灾报警装置不是设置安装在消防控制中心时，则必须将集中火灾报警装置的总输出信号送至消防控制中心，以利于消防控制中心对整个火灾自动报警系统进行统一管理和统一监控。

4．消防控制中心设计

消防控制中心或消防控制室平时是监测各个被保护区域火情、检查监控系统设备运行情况和积累火灾情报的中心；发生火灾时，它又是扑灭火灾的控制、操作、指挥中心。凡是采用集中火灾报警系统或控制中心报警系统并具有消防联动控制功能的建筑物，都应设置消防控制室即消防控制中心。消防控制室的基本设计要点如下：

(1)消防控制室的设置范围、建筑结构、耐火等级、设置位置及室内照明等，都必须符合现行的《建筑设计防火规范》中的规定。如果消防控制室设在建筑物的首层，其门的上方应设标志牌或标志灯；设在地下时，门上的标志必须是带灯光的装置，且标志灯电源应从消防电源接入，以保证供电的可靠性。消防控制室的门应有一定的耐火能力，并应向疏散方向开启，以防止烟、火危及室内人员的安全。

(2)消防控制室对被保护建筑的重要部位、消防通道和消防器材放置位置要全面掌握，可根据消防控制室设备情况来具体确定显示方式。如果消防控制室的总控制台上有模拟显示盘或电视屏幕显示，可不另设显示图表。

(3)消防控制室的送、回风管道在其穿墙处应设置消防防火阀，以确保消防控制室在火灾时免受影响。

(4)消防控制室严禁与其无关的电气线路及管道穿进，以确保消防控制设备安全运行，避免相互干扰造成混乱。

(5)消防控制室的功能包括火灾监测保护、火灾扑救操作、设备管理和情报积累四大块，重要的是应该把建筑物内的火灾报警子系统和其他连锁、联动控制设备集中于消防控制室内，即使控制设备分散在外，各种操作信号也应反馈到消防控制室。

(6)消防控制室对室内消火栓系统应具备控制与显示功能：控制消防泵的启停，显示启泵按钮的位置，显示消防泵的工作状态、故障状态。

(7)消防控制室应对自动喷水灭火系统具备控制与显示功能：控制系统的启停，显示报警阀、闸阀及水流指示器的工作状态，显示喷淋泵的工作状态、故障状态。

(8)消防控制室应对管网式卤代烷、二氧化碳等气体灭火系统具备控制与显示功能：控制灭火系统的紧急启动和紧急切断；当灭火系统直接由火灾探测器联动启动时，应具备延时 0 ~ 45 s 的延时装置；显示系统的手动、自动工作状态；在报警、喷射灭火各个阶段，控制室应有相应的声光报警信号，并能手动切除声响警报；在延时期间能启动连锁系统，如自动关闭防火门，停止通风、关闭空调系统等。

(9)消防控制室应该对泡沫、干粉灭火系统具备控制系统启、停的功能，能显示系统工作状态的功能。

(10)火灾报警后及火灾侵入后，消防控制室对连锁(系统)装置应该具备以下功能：

火灾报警后——停止有关部位风机，关闭防火阀，接收和显示相应的反馈信号；启动有关部位防烟、排烟风机(包括正压送风机)和排烟阀，接收并显示其反馈信号。

火灾确认后——关闭有关部位的防火门、防火卷帘、接收、显示其反馈信号；强制控制非消防电梯降至首层停靠，接收、显示其反馈信号；接通火灾事故照明灯和疏散指示灯；切断有关部位的非消防电源。

(11)火灾确认后，消防控制室应按照疏散顺序接通火灾(现场)警报装置和火灾事故广播，并应确保设置的对内外的消防通信设备良好有效。

(12)消防控制室内应设置完成控制操作和显示指挥等功能的火灾监视盘与综合操作台，用以指挥和实施一系列消防紧急措施。

5. 系统接地问题

火灾自动报警系统的接地，一般是利用专用接地装置在消防控制中心接地，并规定工作接地电阻值应小于 4 Ω。有些高层建筑工程中，建筑物四周已被避雷保护接地体封闭，或建筑物已采用了利用建筑物结构基础的钢筋作为防雷保护接地方式，则火灾自动报警系统也可以利用该防雷保护接地方式进行接地，即联合接地。联合接地时，接地电阻应小于 1 Ω。

6．系统供电(消防设备供电)问题

火灾自动报警系统是建筑物中的安全保护设备，其工作特点是连续、不间断。为了保证其供电的可靠性，主电源应采用消防专用电源，其负荷等级应按照有关符合规范划分，并按电力系统设计规范规定的负荷级别要求供电。一般消防设备供电系统应能充分保证设备的工作性能，在发生火灾时能发挥设备的功能，将损失减少到最低限度。

7．系统布线问题

火灾自动报警系统的布线直接影响到系统的可靠性，一般在消防工程设计中按照以下情况考虑：

(1)火灾自动报警系统的传输线路应该采用铜芯绝缘导线或铜芯电缆，其电压等级不应低于 250 V。

(2)火灾自动报警系统传输线路的线芯截面选择，除满足自动报警装置的技术条件外，还应满足机械强度的要求，即绝缘导线、电缆线芯的最小截面不应小于规范规定。

(3)火灾自动报警系统传输线路采用绝缘导线时，应该采用穿金属管、硬质塑料管、半硬质塑料管或封闭式线槽保护方式布线。

(4)消防控制、通信和报警的线路应采用金属管保护，并应敷设在不燃烧体结构内，其保护层厚度不应小于 3 cm。当必须明敷时，应该在金属管上采取防火保护措施。采用绝缘和保护套为非延燃性材料的电缆时，可不穿金属管保护，但应该敷设在电缆井内。

(5)不同系统、不同电压、不同电流类别的线路不应穿于同一根管内或线槽的同一槽孔内。

(6)建筑物内横向敷设的火灾自动报警系统传输线路如果采用穿管布线时，不同防火分区的线路不宜穿入同一根管内。

(7)弱电线路的电缆竖井宜与强电线路的电缆竖井分开设置，如果受条件限制必须合用时，弱电线路与强电线路分别布置在竖井的两侧。

(8)火灾探测器的传输线宜选择不同颜色的绝缘导线，同一工程中相同线别的绝缘导线颜色应该一致，接线端子应有标记。

(9)穿管绝缘导线或电缆的总截面面积不宜超过管内截面积的 40%；敷设于封闭式线槽内的绝缘导线或电缆的总截面面积不应大于线槽的净面积的 60%。

(10)配线使用的非金属管材、线槽及其附件应该采用不燃或非延燃性材料制造。

8．室内配线的防火、耐热措施

当发生火灾时，由于温度上升对消防设备配线有影响，为了保证消防设备可靠工作，线路必须具有耐火耐热性能，并且应该采用防止延燃措施。耐火耐热构成的因素有：导线(电缆)选择、保护导线材料、线路敷设部位和方法。一般耐火耐热配线应该根据消防设备及系统的不同情况考虑。此外，耐火耐热配线还应考虑以下措施：

(1)敷设有线路的电缆井、管道井以及排烟道、排气道、垃圾道等竖向管道间，其井壁应为耐火极限不低于 1 h 的不燃烧体，井壁上的检查门应采用丙级防火门；

(2)配线为了达到耐火耐热，对金属管端头接线应有一定的余度，配管中途接线盒不应埋设在易于燃烧部位，且盒盖应加套石棉布等耐热材料；

(3)电线管穿越墙体、地板时应使用非燃烧体材料充填。

9．设计项目与火灾监控系统的配合

从建筑电气设计角度考虑，火灾自动报警系统应与建筑消防工程中的其他专业设计项目相配合，才能避免盲目布置火灾监控系统中的电气设备及消防设备，达到消防要求。消防工程设计项目与火灾监控系统应考虑的配合内容如表 10-4 所示。

表 10-4　消防工程设计项目与火灾监控系统配合内容

序号	设计项目	火灾监控系统配合措施
1	建筑物高度	确定电气防火设计范围
2	建筑防火分类	确定电气消防设计内容和供电方案
3	防火分区	确定区域报警范围、选用探测器种类
4	防烟分区	确定防排烟系统控制方案
5	建筑物室内用途	确定探测器形式类别、安装位置
6	构造耐火极限	确定电气设备设置部位
7	室内装修	选择探测器形式类别、安装方法
8	家具	确定保护方式、采用探测器类型
9	屋架	确定屋架探测方法和灭火方式
10	疏散时间	确定紧急和疏散标志、事故照明时间
11	疏散连线	确定事故照明位置和疏散通路方向
12	疏散出口	确定标志灯位置指示出口方向
13	疏散楼梯	确定标志灯位置指示出口方向
14	排烟风机	确定控制系统与连锁装置
15	排烟口	确定排烟风机连锁系统
16	排烟阀门	确定排烟风机连锁系统
17	防火卷帘门	确定探测器连锁方式
18	电动安全门	确定探测器连锁方式
19	送回风口	确定探测器位置
20	空调系统	确定有关设备的运行显示及控制
21	消火栓	确定人工报警方式与消防泵连锁控制
22	喷淋灭火系统	确定动作显示方式
23	气体灭火系统	确定人工报警方式、安全启动和运行显示方式
24	消防水泵	确定供电方式及控制系统
25	水　箱	确定报警与控制方式
26	电梯机房及电梯井	确定供电方式、探测器的安装位置
27	竖　井	确定使用性质、采取隔火措施，必要时设探测器
28	垃圾道	设置探测器
29	管道竖井	按其结构及性质、采取隔火措施，必要时设探测器
30	水平运输带	穿越不同防火区，采取封闭措施

第四节　自动消防联动控制系统

一、固定灭火装置的控制

根据现行《火灾自动报警系统设计规范》，建筑物尤其是高层建筑中的火灾自动报警系统应具备对室内消火栓系统、自动喷水灭火系统、防排烟系统、卤代烷灭火系统，以及防火卷帘门和警铃等的联动控制功能，并且联动控制要求一般按照实际工程的需要来确定。

一般用于高层建筑的固定灭火设施有以水为灭火介质的室内消火栓灭火系统，自动喷(洒)水灭火系统和水幕设施，以及气体类灭火系统(如 1211、1301、CO_2等灭火系统)；其中消防泵和喷淋泵分别是消火栓系统和水喷淋系统的主要供水设备，控制盘、电源箱和电磁阀为气体类灭火系统的主要设备，而且消防水灭火系统和气体灭火系统都是在火灾报警确认后自动或手动启动。

(一)室内消火栓系统的控制

室内消火栓系统中消防泵的启动和控制方式选择，与建筑物的规模和水系统设计有关，以确保安全、控制电路设计简单合理为原则。室内消火栓系统中消防泵联动控制的基本逻辑是：当手动消防按钮的报警信号送入系统的消防控制中心后，消防泵控制屏(或控制装置)产生手动或自动信号直接控制消防泵，同时接收水位信号器返回的水位信号。一般来说，消防泵的控制都是经消防中控室来联动控制。

应指出，在高层建筑火灾自动报警系统中，消防泵有两种系统工作方式：①当消火栓系统与水喷淋系统都有各自专用的水泵和配水管网时，消防泵一般都是一用一备(一台工作，一台备用)；②当消火栓系统和水喷淋系统各自有专用的配水管网，但供水泵组共用时，这时消防泵一般是多用一备(多台工作，一台备用)。有关消防泵一用一备和多用一备工作方式的电气控制实现问题及其电路不再详述。

在高层建筑尤其是超高层建筑中，为了弥补消防泵扬程有限的不足，或为了达到降低消防泵单台容量以减少自备应急柴油发电机组的额定容量，常在消火栓系统中设置中途接力泵，其级数视建筑物高度而定。当高层建筑消火栓系统由底层消防泵、中途泵和顶层加压泵组成时，各泵电气控制回路之间设置有连锁，连锁要求与水系统具体形式有关。连锁方式为：火灾发生时，以消防按钮能够立即启动顶层加压泵并向消防控制中心和就地发出声光报警信号；此时喷出的消防水由上层水箱经顶层加压泵供给，上层消防水箱水位将很快下降，当降到危险水位时，则由水位信号检测器启动底层消防泵，并经短暂延时后启动中途接力泵。当底层消防泵及中途接力泵投入运行后，顶层加压泵随即停止运行，消火栓系统用水由底层消防泵和中途接力泵直接注入。一般在水泵接合器旁应设有消防按钮，用于打碎玻璃后能够直接启动中途接力泵。

(二)喷洒泵的控制

充水式闭式喷洒系统在高层建筑中得到广泛的应用，是目前国内外广泛采用的固定式消防灭火系统之一。充水式自动喷洒水系统中喷洒泵的控制逻辑过程如图 10-11 所示；水流信号和闸阀关闭动作信号送入系统后，喷洒泵控制器(屏)产生手动和自动信号直接控制喷洒泵，同时接收返回的水位信号，监测喷洒泵工作状态，实现集中联动控制。

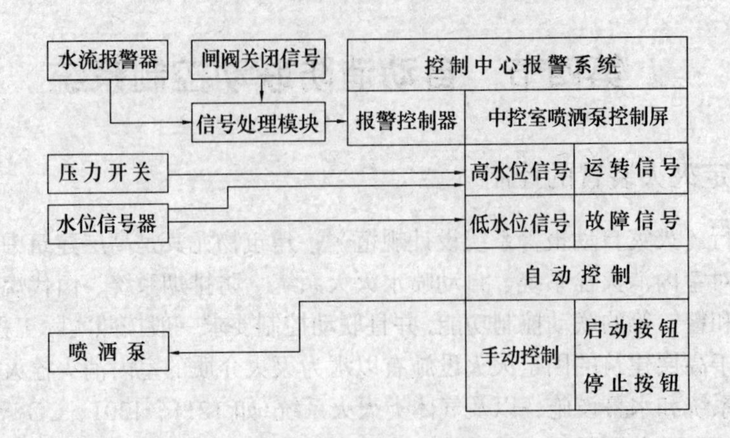

图 10-11　喷洒泵联动控制框图

在高层建筑中喷水灭火系统所用的喷洒泵组一般为 2～3 台泵。当采用两台泵时，平时配水管网中的压力水来自高位水池；一旦喷头喷水，管道内有消防水流动，水流指示器启动消防喷淋泵，向管网补充压力水；平时一台工作，一台备用，当一台因故障停转，接触器断开时，备用喷淋泵立即投入运行，两台可以互为备用。这时，一用一备喷淋泵组电机主回路及控制回路的电气控制实现方式类似于消防泵情况，不再详述。

当自动喷水灭火系统采用 3 台泵时，其中两台为压力泵，一台为恒压泵(或称补压泵)。一般功率很小，在 1～2 kW 左右，其作用是使消防管网中水压保持在一定范围内，此喷淋系统管网不得与自来水或高位水池相连，消防用水来自高位消防储水池。当管网中的水由于渗漏压力降低到某一数值时，恒压泵出水管所接的压力开关(压力继电器)动作，其接点信号经控制箱控制恒压泵启动补压；当达到一定压力后，所接压力开关断开恒压泵控制回路，使恒压泵停止运行。

必须指出，三泵形式的自动喷水系统中两台压力泵一般采用一用一备，有时也把两台压力泵处理成一主一副，每台压力泵出水管中都接有压力开关，主泵压力开关的动作压力调整在较高数值，副泵的压力开关调得最低，即压力开关整定压力大小顺序是：恒压泵最高，主压力泵次之，副压力泵最低。平时管网内水压由恒压泵维持，但火灾发生后，由于水喷头炸裂喷水，管网压力下降严重，虽然有恒压泵启动也无济于事，压力还是迅速下降，降到一定数值时，控制主泵的压力开关动作，主泵启动补充消防用水。如果火势大，喷头炸裂多，喷水多，虽然主泵启动，管网压力还是继续下降，当降至另一数值时，控制副泵的压力开关动作，副泵启动，3 台泵同时向管网补充消防用水，以满足喷头喷水的需要。在这种运行方式下，一般恒压泵在实际水压降至 90%Pa(额定压力值)时启动，当压力达到 100%Pa 时停止工作；当实际水压降至系统设计水压的 85%时，主泵开始启动，当实际压力继续降至 80%以下时，副泵也投入运行。

(三) 卤代烷灭火系统控制

卤代烷灭火系统按照其用途可以分为全淹没式和局部应用式；按照其操作取代方式可以分为全自动、半自动和手动式；按照动力气体和灭火剂储存方式分为高压气体储罐灭火系统和储压灭火系统。一般来说，卤代烷管网灭火系统采用火灾自动报警系统对灭火装置进行联动控制，在发出可靠火警信号后，经值班人员观察确认后驱动或自动通过气动、电动或液压装置打开卤代烷灭火设备。必须指出，卤代烷灭火系统一般采用分级报警形式或复合报警形式来控制自动启动，以防止因误报造成灭火系统误动作；同时，灭火系统还可以用手动开启装置打开或手动停止自动装置运转，供管理人员视具体情况决定是否喷射灭火剂或是否加大保护空间灭火剂量之用。

（四）干粉灭火系统控制

根据设置干粉灭火装置场所的要求，干粉灭火系统可以分为手动操作系统、半自动操作系统和自动操作系统。一般而言，在经常有人停留的房间可以采用人工操作系统；在人员难以接近或值班室离保护房间较远，且生产装置自动化程度较高和人员不经常停留的地方，可以采用远距离启动的干粉灭火系统，其电气启动（或气动启动）的按钮操作装置在灭火房间外设置；在自动化程度较高的场所，常设火灾报警系统与干粉灭火装置联动的自动干粉灭火系统，亦可根据需要设置半自动与自动合用的干粉灭火系统，即设转换开关，在白天采用半自动、晚间采用自动操作系统。当被保护现场发生火灾时，经火灾探测与确认，通过自动操作盘或启动装置打开氮气瓶并发出火灾报警，或由人工按下启动按钮打开氮气瓶，使高压氮气通过调压阀进行减压，进入干粉罐，使干粉流动和加压；当达到规定压力时，依次打开主阀、选择阀，使干粉在动力气体（氮气）的作用下，经分配阀、管道到达喷头，喷出灭火，或经胶管至喷枪，喷出灭火。

二、防排烟设备的控制

防排烟系统的电气控制视所确定的防排烟设备，由以下不同内容与要求组成：消防中心控制室能显示各种电动防排烟设备的运行情况，并能进行连锁控制和就地手动控制；根据火灾情况打开有关排烟道上的排烟口，启动排烟风机（有正压送风机时同时启动），降下有关防火卷帘及防烟垂壁，打开安全出口的电动门，与此同时关闭有关的防火阀及防火门，停止有关防烟分区内的空调系统；设有正压送风的系统则同时打开送风口、启动送风机等。

（一）防排烟控制过程

一般防排烟控制有中心控制和模块控制两种方式，如图 10-12 所示。其中，(a)中心控制方式：消防中心控制室接到火灾报警信号后，直接产生信号控制排烟阀门开启、排烟风机启动，空调、送风机、防火门等关闭，并接收各个设备的返回信号和防火阀动作信号，监测各个设备运行状态；(b)模块控制方式：消防中心控制室接收到火灾报警信号后，产生排烟风机和排烟阀门等的动作信号，经总线和控制模块驱动各个设备动作并接收其返回信号，监测其运行状态。应该指出，图 10-12 所示为机械排烟控制框图；机械加压送风控制原理与过程相似于排烟控制，只是控制对象变成为正压送风机和正压送风阀门，控制框图类似于图 10-12。

（二）电动送风阀、排烟阀的控制

送风阀或排烟阀装在建筑物的过道、防烟前室或无窗房间的防排烟系统中用做排烟口或正压送风口。平时阀门关闭，当发生火灾时阀门接收电动信号打开阀门。送风阀或排烟阀的电动操作机构一般采用电磁铁，当电磁铁通电时即执行开阀操作。电磁铁的控制方式有三种形式：一是消防控制中心火警连锁控制；二是自启动控制，即由自身的温度熔断器动作实现控制；三是就地（现场）手动操作控制。无论何种控制方式，当阀门打开后，其微动（行程）开关便接通信号回路，向控制室返回阀门已开启的信号或连锁控制其他装置。

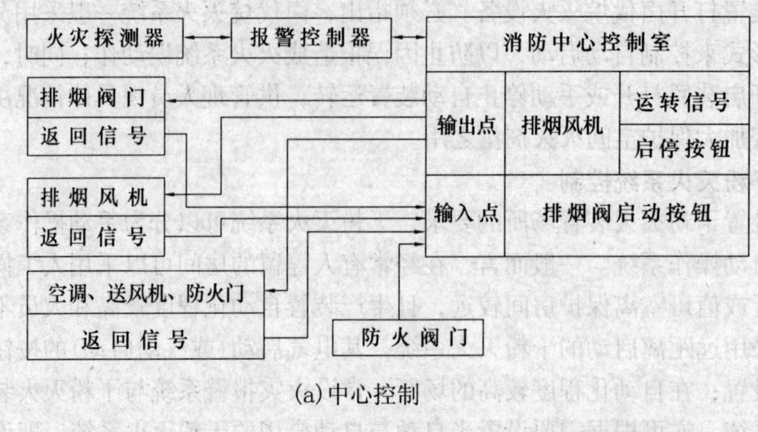

(a)中心控制

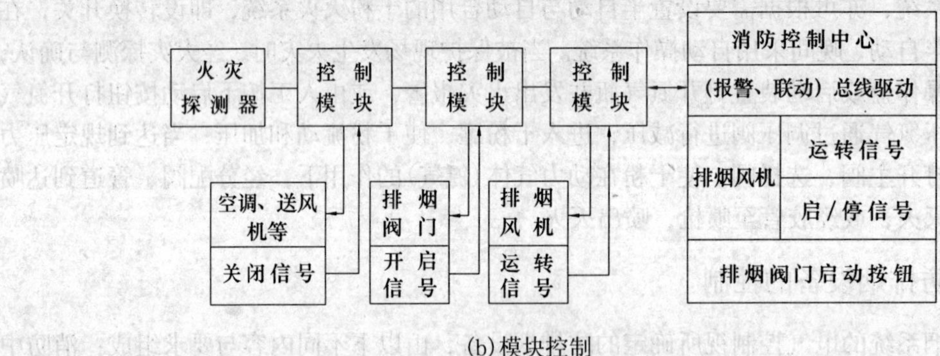

(b)模块控制

图 10-12　机械排烟控制框图

(三)防火阀及防烟防火阀的控制

防火阀与排烟阀相反，正常时是打开的，当发生火灾时，随着烟气温度上升，熔断器熔断使阀门自动关闭；一般用在有防火要求的通风及空调系统的风道上。防火阀可用手动复位(打开)，也可用电动机构进行操作。电动机构通常采用电磁铁，接受消防控制中心命令而关闭阀门，其操作原理同排烟阀。防烟防火阀的工作原理与防火阀相似，只是在机构上还有防烟要求。

三、防火门及防火卷帘的控制

防火门及防火卷帘都是防火分隔物，有隔火、阻火、防止火势蔓延的作用。在消防工程应用中，防火门及防火卷帘的动作通常都是与火灾自动报警系统连锁的，其电气控制逻辑较为特殊，是高层建筑中应该认真对待的被控对象。

(一)防火门的控制

防火门在建筑中的状态是：平时(无火灾时)处于开启状态，火灾时控制其关闭。防火门的控制可用手动控制或电动控制(即现场感烟、感温火灾探测器控制，或由消防控制中心控制)。当采用电动控制时，需要在防火门上配有相应的闭门器及释放开关。防火门的工作方式按其固定方式和释放开关分为两种：一种是平时通电、火灾时断电关闭方式，即防火门释放开关平时通电吸合，使防火门处于开启状态，火灾时通过联动装置自动控制加手动控制切断电源，由装在防火门上的闭门器使之关闭；另一种是平时不通电、火灾时通电关闭方式，即通常将电磁铁、油压泵和弹簧制成一个整体装置，平时不通电，防火门被固定销扣住呈开启状态，火灾时受连锁信号控制，电磁铁通电将销子拔出，防火门靠油压泵的压力或弹簧力作用而慢慢关闭。

防火门的电气控制电路与排烟阀类似，比较简单，不再赘述。应指出，现代建筑中经常可以看到电动安全门，它是疏散通道上的出入口。其状态是：平时(无火灾时)处于关闭或自动状态，火灾时呈开启状态；其控制目的与防火门相反，控制电路却基本相同。

(二)防火卷帘的控制

防火卷帘通常设置在建筑物中防火分区通道口外或需要防火分隔的部位，可以形成门帘式防火分隔。防火卷帘平时处于收卷(开启)状态，当火灾发生时受消防控制中心连锁控制或手动操作控制而处于降下(关闭)状态；一般防火卷帘分两步降落，其目的是便于火灾初起时人员的疏散。防火卷帘的控制要求是：火灾时，防火卷帘根据消防中心的连锁信号(或火灾探测器信号)指令或就地手动操作控制，使卷帘首先下降至预定点，经过一段时间延时后，卷帘降至地面，从而达到人员紧急疏散，灾区隔烟、隔水，控制火势蔓延的目的。

四、其他消防设施的控制

(一)消防疏散指挥系统

高层建筑消防工程中，消防疏散指示系统是必不可少的。消防疏散系统中的大多数问题是建筑构造及其防火问题，与火灾监控系统有关的火灾事故照明及疏散指示照明。火灾事故照明是在发生火灾时，保证重要部位或房间能继续照明及在疏散通道上达到最低照度的照明。疏散指示照明是在发生火灾时，能够指明疏散通道及出入口的位置及方向，便于人员有秩序地疏散的指明。事故及疏散照明的设置、设计，灯具安装要求等可参考有关建筑设计防火规范。

应指出，疏散指示灯(疏散照明)的点燃方式有两种：一种是平时不点亮，事故时接受指令而点燃，另一种是平时点燃，兼作平时出入口的标志。在无自然采光的地下室、楼内通道与楼梯间的出入口等处，需要采用平时点燃方式。事故照明(灯)的工作方式分为专用和混用两种：专用者平时不点亮，事故时强行启点；混用者与正常工作照明一样，平时即点亮作为工作照明的一部分。混用者往往装有照明开关，必要时需在火灾事故发生后强迫启点。高层建筑中的楼梯间照明兼作事故疏散照明，通常楼梯灯采用自熄开关，因此需在火灾事故时强行启点。

(二)火灾事故广播、警铃和消防电话系统

火灾发生时，为了便于组织人员的安全疏散和通知有关的救灾事项，宜设置火灾事故广播(火灾紧急广播)系统。火灾事故广播的扩音机需专用，但可放置在其他广播机房内，在消防中心控制室应能对它进行遥控自动开启，并能在消防中心直接用话筒播音。火灾事故广播的扬声器宜按照防火分区设计成各种分路，每个防火分区中的任何部位到最近的一个扬声器的水平距离需不大于 25 m，在公共场所或走廊内每个扬声器的功率不小于 3 W。发生火灾时为了便于疏散和减少不必要的混乱，火灾紧急广播发出警报不能采用整个建筑物火灾事故广播系统全部启动的方式，而应该仅向着火的楼层及与其相关的楼层进行广播。当着火层在二层以上时，仅向着火层及其上一层发出警报；当着火层在首层时，需要向首层、二层及全部地下层进行紧急广播；当着火层在地下的任一层时，需要向全部地下层和

首层紧急广播。一般来说，火灾事故广播的线路需单独敷设，并应有耐热保护措施，当某一路的扬声器或配线短路、开路时，应仅使该路广播中断而不影响其他各路广播。火灾广播系统可与建筑物内的背景音乐或其他功能的大型广播音响系统合用扬声器；但应强调，两者合用时还应符合如下要求：

(1)火灾时。能在消防控制中心将火灾疏散层的扬声器和广播音响扩音机强制转入火灾事故广播状态。其控制切换方式有两种：①火灾事故广播系统仅利用音响广播系统的扬声器和传输线路，其扩音机等装置却是专用的，当火灾发生时，由消防控制室切换输出线路，使音响广播系统投入火灾事故广播；②火灾事故广播系统完全利用音响广播系统的扩音机、扬声器和传输线路等装置，在消防控制室设有紧急播放盒(内含话筒放大器和电源、线路输出遥控按键等)，用于发生火灾时遥控音响广播系统紧急开启作火灾事故广播。

以上两种控制方式都应注意使扬声器无论处于关闭或在播放音乐等状态下，都能紧急播放火灾事故广播；特别是在设有扬声器开关或音量调节器系统中，紧急广播方式时，应采用继电器切换到火灾事故广播线路上。

(2)在高层建筑内或已装有广播扬声器的建筑内设置火灾事故广播时，要求原有广播音响系统具备火灾事故广播功能，即当发生火灾时，无论扬声器当时处于何种工作状态，都应能紧急切换到火灾事故广播线路上。

(3)合用音响广播装置。如果广播扩音机不是装在消防控制室内，无论采用哪种控制方式都应能使消防控制室采用电话直接广播和遥控扩音机的开闭及输出线路的分区播放，还能显示火灾事故广播扩音机的工作状态。

火灾事故警铃一般安装于走道、楼梯等公共场所。全楼设置的火灾事故警铃系统通常按照防火分区设置，其报警方式采用分区报警。设有火灾事故广播系统后，可不再设火灾事故警铃系统。在装设有手动报警开关处需装设警铃或讯响器，一旦发现火灾，操作手动报警开关就可向本地区报警。一般，火灾警铃或讯响器工作电压为DC 24V，多采用嵌入墙壁安装。

火灾事故紧急电话是与普通电话分开的独立系统，一般用于消防中心控制室、火灾报警装置设置点、消防设备机房等处，且通常采用集中式对讲电话，主机设在消防控制室，分机分设在其他各个部位。在大型火灾监控系统中，建筑物内各个关键部位及机房等处设有与消防控制室紧急通话的插孔，巡视人员可以随时用携带话机进行紧急通话。

应指出，除了上述消防设备控制问题之外，发生火灾时火灾监控系统还要考虑消防电源监控、消防电梯监控、空调系统断电控制、消防设备用电末端切换等问题。

思考题

1. 高层民用建筑消防电源的要求是什么?
2. 高层民用建筑中消防设备配电线路的防火要求是什么?
3. 消防应急电源可选择的种类有哪些?
4. 消防设备双电源供电时采用的切换方式是什么?
5. 应急照明主要选择哪类灯具?
6. 火灾探测器主要有哪几类?其各自主要特点是什么?

7，选用火灾探测器应遵循哪些原则？

8．火灾自动报警系统的基本组成和设计形式是什么？

9．火灾自动报警系统报警区域和探测区域的划分原则是什么？

10．消防控制中心的基本防火措施有哪些？

11．消防控制设备的主要控制对象有哪些？

附录一

生产的火灾危险性分类举例

生产类别	举 例
甲	1.闪点<28℃的油品和有机溶剂的提炼、回收或洗涤工段及其泵房，橡胶制品和胶浆部位，二硫化碳的精馏工段及其应用部位，青霉素提炼部位，原料药厂的非纳西汀车间烃化、回收及电感精馏部位，皂素车间的抽提、结晶及过滤部位，冰片精制部位，农药厂乐果厂房，敌敌畏的合成厂房，磺化法糖精厂房，氯醇厂房，环氧乙烷、环氧丙烷、工段，苯酚厂房的磺化、蒸馏部位，焦化厂吡啶工段，胶片厂片基厂房，汽油加铅室，甲醇、乙醇、丙醇、丁酮异丙醇、醋酸乙酯、苯等的合成或精制厂房，集成电路工厂的化学清洗间（使用闪点<28℃的液体），植物油加工厂的浸出厂房 2.乙炔站，氢气站，石油气体分馏（或分离）厂房，氯乙烯厂房，乙烯聚合厂房，天然气、石油伴生气、矿井气、水煤气或焦炉煤气的净化（如脱硫）厂房压缩机室及鼓风机室，液化石油气灌瓶间，丁二烯及其聚合厂房，醋酸乙酯厂房，电解水或电解食盐厂房，环乙酮厂房，乙基苯和苯乙烯厂房，化肥厂的氢氮气压缩厂房，半导体材料厂使用氢气的提晶间，硅烷热分解房 3.硝化棉厂房及其应用部位，赛璐珞厂房，黄磷制备厂房及其应用部位，三乙基铝厂房，染化厂某些能自行分解的重氮化合物生产，甲胺厂房，丙烯腈厂房 4.金属钠、钾加工厂房及其应用部位，聚乙烯厂房的一氯二乙基铝部位，三氯化磷厂房，多晶硅车间三氯氢硅部位，五氧化磷厂房 5.氯酸钠、氯酸钾厂房及其应用部位，过氧化氢厂房，过氧化钠厂房，过氧化钠、过氧化钾厂房，次氯酸钙厂房 6.赤磷制备厂房及其应用部位，五硫化二磷厂房及其应用部位 7.洗涤剂厂房石蜡裂解部位，冰醋酸裂解厂房
乙	1.闪点≥28℃至<60℃的油品和有机溶剂的提炼、回收、洗涤部位及其泵房，松节油或松香蒸馏厂房及其应用部位，醋酸酐精馏厂房，己内酰胺厂房，甲醇厂房，氯丙醇厂房，樟脑油提取部位，环氧氯丙烷厂房，松节油精制部位，煤油灌桶间 2.一氧化碳压缩机室及净化部位，发生炉煤气或鼓风炉煤气净化部位，氨压缩机房 3.发烟硫酸或发烟硝酸浓缩部位，高锰酸钾厂房，重铬酸钠（红钒钠）厂房 4.樟脑或松香提炼厂房，硫磺回收厂房，焦化厂精萘厂房 5.氧气站，空气分厂 6.铝粉或镁粉厂房，金属制品抛光部位，煤粉厂房，面粉厂的碾磨部位，活性炭制造及其再生厂房，谷物筒仓工作塔，亚麻厂的除尘器和过滤器室
丙	1.闪点≥60℃的油品和有机液体的提炼、回收工段及其抽送泵房，香料厂的松油醇部位和乙酸松油脂部位，苯甲酸厂房，苯乙酮厂房，焦化厂焦油厂房，甘油、桐油的制备厂房，油浸变压器室，机器油或变压油灌桶间，柴油灌桶间，润滑油再生部位，配电室（每台装油量>60 kg 的设备），沥青加工厂房，植物油加工厂的精炼部位 2.煤、焦炭、油母页岩的筛分、转运工段和栈桥或储仓，木工厂房，竹、藤加工厂房，橡胶制品的压延、成型和硫化厂房，针织品厂房，纺织、印染、化纤生产的干燥部位，服装加工厂房，棉花加工和打包厂房，造纸厂备料、干燥厂房，印染厂成品厂房，麻纺厂粗加工厂房，谷物加工厂房，卷烟厂的切丝、卷制、包装厂房，印刷厂的印刷厂房，毛涤厂选毛厂房，电视机、收音机装配厂房，显像管厂装配工段烧枪间，磁带装配厂房，集成电路工厂的氧化扩散间，光刻间，泡沫塑料厂的发泡、成型、印片压花部位，饲料加工厂房
丁	1.金属冶炼、锻造、铆焊、热轧、铸造、热处理厂房 2.过滤房，玻璃原料熔化厂房，灯丝烧拉部位，保温瓶胆厂房，陶瓷制品的烘干、烧成厂房，蒸汽机车库，石灰焙烧厂房，电极锻烧工段、配电室（每台装油量≤60kg 的设备） 3.铝塑材料的加工厂房，酚醛泡沫塑料的加工厂房，印染厂的漂染部位，化纤厂后加工润湿部位
戊	制砖车间，石棉加工车间，卷扬机室，不燃液体的泵房和阀门室，不燃液体的净化处理工段，金属（镁合金除外）冷加工车间，电动车库，钙镁磷肥车间（焙烧炉除外），造纸厂或化学纤维厂的浆粕蒸煮工段，仪表、器械或车辆装配车间，氟利昂厂房，水泥厂的轮窑厂房，加气混凝土厂的材料准备、构件制作厂房

附录二

储存物品的火灾危险性分类举例

储存物品类别	举　例
甲	1.己烷、戊烷，石脑油，环戊烷，二硫化碳，苯，甲苯，甲醇，乙醇，乙醚，蚁酸甲酯，醋酸甲酯，硝酸乙酯，汽油，丙酮，乙烯，60 度以上的白酒 2.乙炔，氢，甲烷，乙烯，丙烯，丁二烯，环氧乙烷，水煤气，硫化氢，氯乙烯，液化石油气，电石，碳化铝 3.硝化棉，硝化纤维胶片，喷漆棉，火胶棉，赛璐珞棉，黄磷 4.金属钾，钠，锂，钙，锶，氢化锂，四氢化锂铝，氢化钠 5.氯酸钾，氯酸钠，过氧化钾，硝酸铵 6.赤磷，五硫化磷，三硫化磷
乙	1.煤油，松节油，丁烯醇，戊醇，醋酸丁酯，硝酸戊酯，乙酰丙酮，环己胺，溶剂油，冰醋酸，樟脑油，蚁酸 2.氨气，液氯 3.硝酸铜，铬酸，亚硝酸钾，重铬酸钠，铬酸钾，硝酸，硝酸汞，硝酸钴，发烟硝酸，漂白粉 4.硫磺，镁粉，铝粉，赛璐珞板(片)，樟脑，萘，生松香，硝化纤维漆布，硝化纤维色片 5.氧气，氟气 6.漆布及其制品，油布及其制品，油纸及其制品，油绸及其制品
丙	1.动物油，植物油，沥青，蜡，润滑油，机油，重油，闪点≥60℃的柴油，糠醛，50 度<浓度<60 度的白酒 2.化学、人造纤维及其织物，纸张，棉、丝及其织物，谷物，面粉，天然橡胶及其制品，竹、木及其制品，中药材，电视机、收录机等电子成品，计算机房已录数据的磁盘存储间，冷库中的鱼、肉间
丁	自熄性塑料及其制品，酚醛泡沫及其制品，水泥刨花板
戊	钢材，铝材，玻璃及其制品，搪瓷制品，不燃气体，玻璃棉，岩棉，陶瓷棉，硅酸铝纤维，矿棉，石膏及其无纸制品，水泥，石，膨胀珍珠岩

参 考 文 献

1．建筑设计防火规范(GBJ16—87)(2001年版)
2．高层民用建筑设计防火规范(GB50045—95)(2001年版)
3．建筑内部装修设计防火规范(GB50222—95)(2001年版)
4．人民防空工程设计防火规范(GBJ98—87)
5．建筑构件耐火试验方法(GB9978—88)
6．高层建筑钢结构设计与施工规程(JGJ 99—98)
7．低倍数泡沫灭火系统设计规范(GB50151—92)(2000年版)
8．高倍数、中倍数泡沫灭火系统设计规范(GB50196—93)(2002年版)
9．火灾自动报警系统设计规范(GB50116—98)
10．卤代烷1211灭火系统设计规范(GBJ110—87)
11．汽车库、修车库、停车场设计防火规范(GB50067—97)
12．水喷雾灭火系统设计规范(GB50219—95)
13．氧气站设计规范(GB50030—910)
14．乙炔站设计规范(GB50031—91)
15．自动喷水灭火系统设计规范(GB50084—2001)
16．王学谦，刘万臣．建筑防火设计手册．北京：中国建筑工业出版社，1998
17．王学谦．建筑防火．北京：中国建筑工业出版社，2000
18．马最良，姚杨．民用建筑空调设计．北京：化学工业出版社，2003
19．陆耀庆．实用供热空调设计手册．北京：中国建筑工业出版社，1993
20．将永琨．高层建筑消防设计手册．上海：同济大学出版社，1995
21．陈保胜．建筑防灾设计．上海：同济大学出版社，1990
22．曾清樵．建筑防爆设计．北京：中国建筑工业出版社，1981
23．景绒．建筑消防给水工程．北京：中国人民公安大学出版社，1997